Sports Physical Therapy Seminar Series ②

肩の
リハビリテーションの
科学的基礎

監修
早稲田大学スポーツ科学学術院教授　福林　徹
広島国際大学保健医療学部准教授　蒲田和芳

編集
横浜市スポーツ医科学センター整形診療科　鈴川　仁人
昭和大学保健医療学部　加賀谷善教
札幌医科大学保健医療学部　片寄　正樹
文京学院大学保健医療技術学部　福井　勉
大阪電気通信大学医療福祉工学部　小柳　磨毅

NAP Limited

監　修：福林　　徹　　早稲田大学スポーツ科学学術院
　　　　蒲田　和芳　　広島国際大学保健医療学部理学療法学科
編　集：鈴川　仁人　　横浜市スポーツ医科学センター整形診療科
　　　　加賀谷善教　　昭和大学保健医療学部理学療法学科
　　　　片寄　正樹　　札幌医科大学保健医療学部理学療法学科
　　　　福井　　勉　　文京学院大学保健医療技術学部理学療法学科
　　　　小柳　磨毅　　大阪電気通信大学医療福祉工学部理学療法学科
執筆者：能　　由美　　いまむら整形外科医院
　　　　玉置　龍也　　横浜市スポーツ医科学センター整形診療科
　　　　　　　　　　　東京大学大学院総合文化研究科広域科学専攻生命環境科学系
　　　　河村　真史　　横浜市スポーツ医科学センター整形診療科
　　　　坂田　　淳　　横浜市スポーツ医科学センター整形診療科
　　　　木村　　佑　　横浜市スポーツ医科学センター整形診療科
　　　　永野　康治　　横浜市スポーツ医科学センター整形診療科
　　　　　　　　　　　早稲田大学大学院スポーツ科学研究科
　　　　清水　　結　　横浜市スポーツ医科学センター整形診療科
　　　　松島　　愛　　船橋整形外科病院スポーツ医学センター理学診療部リハビリテーション科
　　　　小林　　匠　　横浜市スポーツ医科学センター整形診療科
　　　　小笠原雅子　　石井整形外科
　　　　本田　隆広　　倉内整形外科病院リハビリテーション科
　　　　佐藤　孝二　　福岡和仁会病院・久留米大学大学院医学研究科
　　　　石井　　斉　　日本鋼管病院
　　　　佐藤　正裕　　相模原協同病院・昭和大学大学院保健医療学研究科
　　　　三宅　美沙　　相模原協同病院
　　　　吉田　昌弘　　札幌医科大学大学院保健医療学研究科
　　　　村木　孝行　　メイヨークリニック・バイオメカニクス研究所
　　　　嵯峨野　淳　　藤沢湘南台病院リハビリテーション科
　　　　元木　　純　　松田整形外科病院リハビリテーション科
　　　　吉田　　真　　北翔大学生涯学習システム学部健康プランニング学科
　　　　酒井　健児　　松戸整形外科病院リハビリテーション科
　　　　竹内　大樹　　佐藤病院
　　　　岩本　　仁　　横浜南共済病院
　　　　小西　正浩　　昭和大学藤が丘リハビリテーション病院
　　　　野谷　　優　　ガラシア病院リハビリテーション科
　　　　上野　隆司　　関西医科専門学校
　　　　田中　正栄　　新潟県健康づくり・スポーツ医科学センター
　　　　相田　将宏　　新潟こばり病院リハビリテーション部
　　　　飯田　　晋　　新潟こばり病院リハビリテーション部

重要な注意：すべての学問と同様，医学も絶え間なく進歩している．研究や臨床的経験によってはわれわれの知識が広がるに従い，方法などについて修正が必要となる．特にここで扱われているテーマに関してはそうである．

　本書では，発刊された時点での知識水準に対応するよう著者，出版者，出版社は十分な注意をはらった．しかし，過誤および医学上の変更の可能性を考慮し，著者，出版社，および本書の出版にかかわったすべての者が，本書の情報がすべての面で正確，あるいは完全であることを保証できないし，本書の情報を使用したいかなる結果，過誤および遺漏の責任も負わない．この本を利用する方は，注意深く試してみて，場合によって専門家の指導によって，ここで書かれているすすめや禁忌についての注意が，ここに書かれている指示に対して逸脱していないかどうか注意するよう促したい．実施する際には読者が十分な注意をはらって行うようにお願いする．著者と出版社は読者が何か不確かさや誤りに気づかれた場合，出版社に連絡をするようお願いする．

「肩のリハビリテーションの科学的基礎」
によせて

　第1巻の「ACL損傷予防プログラムの科学的基礎」に続き，1年を経ずして第2巻「肩のリハビリテーションの科学的基礎」が発売されましたことお喜び申し上げます．

　スポーツによる肩関節外傷・障害の治療は，関節鏡の発達に伴いここ10年間で最も発展を遂げた分野といって過言ではありません．特に肩関節の手術件数は鰻登りに上昇し，いまやアメリカでは膝関節に勝るとも劣らない状態です．日本でもスポーツ整形外科を目指す若いドクター，トレーナーは膝関節以上に肩関節に興味をもたれる方々が多い状態です．確かに手術法の進歩はめざましく，昔は直視下で行われておりましたBankert手術や，腱板縫合術はいまや誰もが鏡視下に行うようになり，その手術成績も飛躍的に向上しました．しかしリハビリテーションや予防医学的観点からみると，1990年代からあまり大きな進歩がありません．その意味でSPTSの皆様が肩関節のリハビリテーションを取り上げられ，チェックされたのはまさにup to dateかと思われます．

　本書は5章に分かれ，肩のバイオメカニクス，外傷性脱臼，腱板損傷，投球障害肩，スポーツ復帰について述べられています．外傷性脱臼や腱板損傷はここ10年の関節鏡やMRIの発展によりその病態がはじめて明らかにされたところで，担当者が上げられた文献はその病態を克明に記載したものが多くみられました．また肩関節の研究はやはりバイオメカニクス的手法が多く，特にロボットと屍体肩を利用しての in vitro のバイオメカニクスや，いわゆる投球動作をはじめとしたスポーツ動作に関しての in vivo での三次元的研究が注目を集めております．反対に競技現場での肩を脱臼した時の三次元ビデオでの解析や，グラウンドでの実際の投球ホームに関しての三次元解析はあまりみあたりません．現状は病態が明らかになった割にはリハビリテーションの面や，障害の予防法についての新しいメニューが立ち上がっていないといえます．そのなかで井樋教授の肩外旋位固定は日本発の保存療法としては画期的なものです．投球肩のリハビリテーションや予防の面でも是非日本発の新機軸を打ち出していただきたいものです．

　投球動作の研究はパフォーマンスを上げる意味から昔からスポーツ科学者が研究してきた領域でもあります．今回の収集された文献はどちらかというと肩関節に限られ，体幹や下肢を含めた全身の投球動作に言及したものが少なかったのが気になります．今後リハビリテーションや再発の予防を考えていくためにはスポーツ科学者とも手を携え，SPTSの皆様の全身を視野に入れたアプローチを期待したいと思います．

2009年1月

早稲田大学スポーツ科学学術院　教授　福林　徹

スポーツ理学療法セミナーシリーズ
第2巻発刊によせて

　SPTSはその名の通り"Sports Physical Therapy"を深く勉強することを目的とし，2004年12月から企画が開始された勉強会です。横浜市スポーツ医科学センターのスタッフが事務局を担当し，2005年3月の第1回SPTSから現在までに4回のセミナーが開催されました。これまでSPTSの運営にご協力くださいました関係各位に心より御礼申し上げます。

　本書は2006年3月に開催された第2回SPTSを集約した内容となっています。文献検索は，発表準備時期である2006年1月前後であり，その後本書の原稿執筆準備が行われた2008年前半に追加検索が行われました。したがって，2008年初頭までの文献レビューが本書に記載されています。本書はこのトピックスの最終版ではないことは明白です。しかし，2008年時点での最新版といえる内容となっています。このレビューが，肩関節疾患のリハビリテーションにかかわる研究を開始する方，論文執筆中の方，研究結果から臨床的なアイデアの裏づけを得たい方，そして，何よりもこれからスポーツ理学療法の専門家として歩みだそうとする学生や新人理学療法士など，多数の方々の発展に寄与することを願ってやみません。

　SPTSは何のためにあるのか？　SPTSのような個人的な勉強会において，出発点を見失うことは存在意義そのものを見失うことにつながります。それを防ぐためにも，敢えて出発点にこだわりたいと思います。その質問への私なりの短い回答は「Sports Physical Therapyを実践する治療者に，専門分野のグローバルスタンダードを理解するための勉強の場を提供する」ということになるでしょうか。これを誤解がないように少し詳しく述べると次のようになります。

　日本国内にも優れた研究や臨床は多数存在しますし，SPTSはそれを否定するものではありません。しかし，"井の中の蛙"にならないためには世界のPTと専門分野の知識や歴史観を共有する必要があります。残念なことに"グローバルスタンダード"という言葉は，地域や国家あるいは民族の独自性を否定するものと理解される場合があります。これは誰かが1つの価値観を世界に押し付けている場合には正しい見方かもしれませんが，世界が求めるスタンダードな知識（またはあらゆる価値）が存在して世界がそれを求めている場合には誤った見方といわざるをえません。私たちのSPTSは，日本にいながら世界から集められた知識に手を伸ばし，そこから偏りなく情報を収集し，その歴史や現状を正しく理解し，世界の同業者と同じ知識を共有することを目的としています。

　世界の医科学の動向を把握するにはインターネット上での文献検索が最も有効かつ効果的です。また情報を世界に発信するためには，世界中の研究者がアクセスできる情報を基盤とした議論を展開しなければなりません。そのためには，Medlineなどの国際論文を対象とした検索エンジンを用いた文献検索

を行います．MedlineがアメリカのNIHから提供される以上，そこには地理的・言語的な偏りがすでに存在しますが，これが知識のバイアスとならないよう読者であるわれわれ自身に配慮が必要となります．

では，SPTSは誰のためにあるのか？　その回答は，「Sports Physical Therapyの恩恵を受けるすべての患者様（スポーツ選手，スポーツ愛好者など）」であることは明白です．したがって，SPTSへの対象（参加者）はこれらの患者様の治療にかかわるすべての治療者ということになります．このため，SPTSは資格や専門領域の制限を設けず，科学を基盤としてスポーツ理学療法の最新の知識を積極的に得たいという意思のある方すべてを対象としております．その際，職種の枠を越えた知識の共通化を果たすうえで，職種別の職域や技術にとらわれず，"サイエンス"を1つの共通語と位置づけたコミュニケーションが必要となります．

最後に，"今後SPTSは何をすべきか"について考えたいと思います．当面，年1回のセミナー開催を基本とし，できる限り自発的な意思を尊重してセミナーの内容や発表者を決めていく形で続けていけたらと考えております．また，スポーツ理学療法に関するアイデアや臨床例を通じて，すぐに臨床に役立つ知識や技術を共有する場として，「クリニカルSPTS」の企画を進めております．そして，SPTSの本質的な目標として，外傷やその後遺症に苦しむアスリートの再生が，全国的にシステマティックに進められるような情報交換のシステムづくりを進めてまいりたいと考えています．今後，SPTSに関する情報はウェブサイト（http://SPTS.ortho-pt.com）にて公開いたします．本書を手にされた皆様にも積極的にご閲覧・ご参加いただけることを強く願っております．

末尾になりますが，SPTSの参加者，発表者，座長そして本書の執筆者および編者の方々，事務局を担当してくださいました横浜市スポーツ医科学センタースタッフに深く感謝の意を表します．

2009年1月

広島国際大学保健医療学部理学療法学科　蒲田　和芳

もくじ

第1章　肩のバイオメカニクス（編集：鈴川　仁人）

1. 骨形態 ……………………………………………（能　由美 他）…… 3
2. 肩甲上腕関節 ……………………………………（河村　真史 他）…… 11
3. 肩甲胸郭機構 ……………………………………（永野　康治 他）…… 27
4. 筋機能 ……………………………………………（小林　匠）……… 37
5. 肩鎖関節・胸鎖関節 ……………………………（小笠原雅子 他）…… 46

第2章　外傷性脱臼（編集：加賀谷善教）

6. 疫学 ………………………………………………（本田　隆広）……… 53
7. 病態と診断 ………………………………………（佐藤　孝二）……… 64
8. 保存療法 …………………………………………（石井　斉）……… 70
9. 手術療法 …………………………………………（佐藤　正裕）……… 76
10. 後療法 …………………………………………（三宅　美沙）……… 88

第3章　腱板損傷（編集：蒲田　和芳，片寄　正樹）

11. 疫学 ……………………………………………（吉田　昌弘）……… 101
12. 評価・診断 ……………………………………（村木　孝行）……… 106
13. 保存療法 ………………………………………（嵯峨野　淳）……… 114
14. 手術療法 ………………………………………（元木　純）……… 120
15. 後療法 …………………………………………（吉田　真）……… 124

第4章　投球障害肩（編集：福井　勉）

16. 投球のバイオメカニクス ……………………（酒井　健児）……… 133
17. 疫学 ……………………………………………（竹内　大樹）……… 138
18. 疾患分類と病態 ………………………………（岩本　仁）……… 149

19. 保存療法	(小西　正浩)	………	156

第5章　スポーツ復帰（編集：小柳　磨毅）

20. 競技特性と筋力	(野谷　　優)	………	167
21. 競技復帰と柔軟性	(上野　隆司)	………	174
22. 動作分析の役割	(田中　正栄 他)	……	179

第1章
肩のバイオメカニクス

　肩関節は複合体であり，肩甲上腕関節，第2肩関節，肩鎖関節，胸鎖関節，肩甲胸郭関節の5つに分類されるのが一般的である。肩関節疾患の病態解明や診断評価，リハビリテーションを含む治療において，これらの肩関節のバイオメカニクスに関する知見と理解は不可欠である。

　本章では，関節の分類に骨の形態や筋機能からの視点を加え，肩のバイオメカニクスに関する過去の文献的報告を整理した。一般的な解剖学や運動学の記述はできるだけ割愛し，後の章（各疾患の病態）に関連する情報や近年のトピックスを中心にレビューを行った。①骨形態では投球側で大きいとされる上腕骨頭後捻角とその成長に伴う変化の過程や疾患との関係について，および臼蓋や肩峰の形態が肩関節疾患に及ぼす影響についてまとめた。②肩甲上腕関節では関節包・靱帯・関節唇の機械的特性を踏まえ，近年議論の多い投球動作の反復により生じる後下方関節包の拘縮および前方関節包の弛緩に関してまとめた。また，肩関節脱臼に併発するBankart病変と上腕骨頭偏位の関係について整理した。③肩甲胸郭機構では，関節軸が定まらないためにさまざまな呼称で示される肩甲骨運動に関する用語の定義を行い，肩甲上腕リズムの解析結果と運動に影響を与える因子についてまとめた。また，肩甲骨の異常運動が肩のインピンジメント症候群や不安定肩，腱板損傷とどのように関連しあっているのかをレビューした。④筋機能の項では，最も基本的な運動の1つである肩の外転運動時の筋活動パターン（force couple）を示し，上腕骨頭の上方偏位が筋活動のバランスによりいかに制動されるかについてまとめた。また，第4章と関連する項目として，投球動作における肩周囲の筋活動パターンについて整理した。最後に第2章との関連項目として肩関節前方脱臼に対する筋活動について過去の報告をまとめた。⑤肩鎖・胸鎖関節では各関節における安定性と脱臼のメカニズムについての報告を整理した。また，臨床的意義のある鎖骨の運動について示し，さらに両関節と肩甲胸郭関節や肩甲上腕関節との相互関連についても過去の報告から考察した。

　以上のように各項でレビューした内容を現在まで得られている文献的情報としてまとめたうえで，エビデンスの有無や情報の有用性を検討しつつ，今後の課題を提示した。

第1章編集担当：鈴川　仁人

1. 骨形態

はじめに

　肩関節の骨形態は，人類の進化の過程が大きく影響している．四足歩行から二足歩行へ進化するとともに，肩甲骨の外後方への偏位が起こってきた（**図1-1**）．水平化した肩甲骨に対応して上腕骨の回旋および臼蓋の傾斜が生じ，肩峰と烏口突起の発達が起こった（**図1-2**）．また，脊椎の長さの変化により，棘下窩の長さの拡大や横径の割合の減少が起こり，現在の形状に変化したとされている（**図1-3**）[1]．

　肩関節は骨の適合性が低いため，可動性が大きく，安定性には乏しい関節構造になっている．そのため，骨構造よりも軟部組織の重要性を取り上げた研究が多い．しかし，肩関節の骨形態に対する報告も多くある．本項では主要な関節をなす上腕骨骨頭，臼蓋，肩峰の骨形態の外傷との関連について報告する．

A. 文献検索方法

　文献検索にはPubMed（NLM）を使用し，まず上腕骨骨頭について「humeral head AND bony morphology」42件，「AND normal」10件，「AND injury」19件，「AND dislocation」12件，新たに「humeral head AND retroversion」68件，「AND injury」36件であった．臼蓋について「glenoid AND bony morphology」78件，「AND normal」18件，「AND injury」24件，「AND losse shoulder」3件，「AND dislocation」20件であった．肩峰については「acromion AND bony morphology」39件，「AND normal」6件，「AND injury」13件，「AND cuff tear」9件であった．

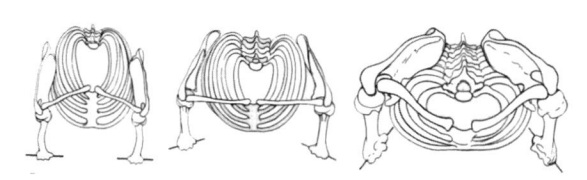

図1-1　肩甲骨形態と位置変化（文献1より引用）
進化に伴う肩甲骨の外後方への偏位を示す．

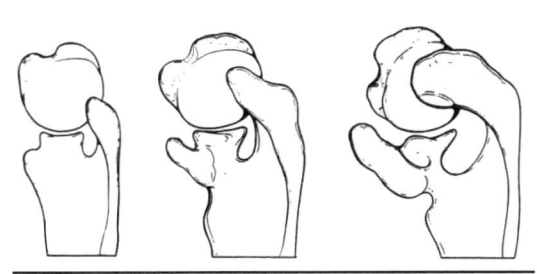

図1-2　肩頭捻転，肩峰と烏口突起発達（文献1より引用）
左：臼蓋の傾斜出現，中：上腕骨骨頭外旋，骨幹内旋出現，右：肩峰，烏口突起の拡大．

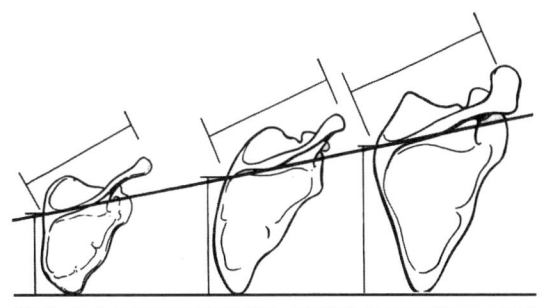

図1-3　肩甲骨の長さと幅の変化（文献1より引用）
脊椎の長さの変化による棘下窩の拡大．縦の長さに対する横幅の割合の減少．

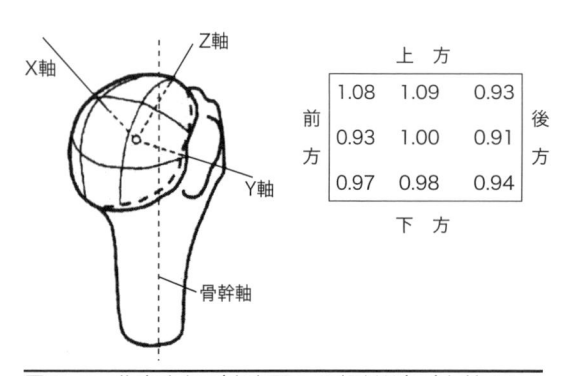

図1-4 曲率半径（中央面との相対比）（文献10より引用）

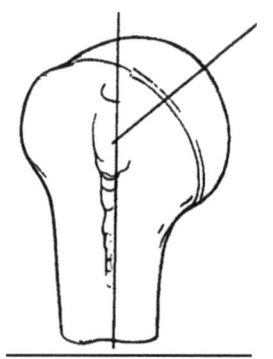

図1-5 頚体角130～150°（文献1より引用）

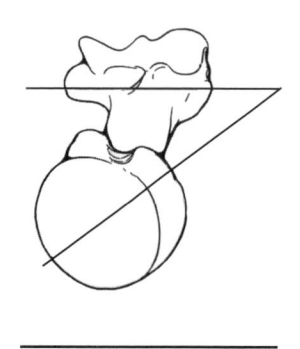

図1-6 後捻角20～30°（文献1より引用）

表1-1 投球肩の後捻角と可動域（単位：°）（文献11より引用）

	利き手		非利き手	差
後捻角	33.2±11.4	>	23.1±9.1	10.1±4.7
外旋角（外転0°）	90.1±10.8	>	81.0±10.7	9.1±5.6
外旋角（外転90°）	126.8±16.5	>	114.5±9.1	12.3±6.7
内旋角（外転90°）	79.3±13.3	<	91.4±13.6	-12.1±8.6

B. 上腕骨頭

1. 上腕骨頭の形態

上腕骨頭の形状に関して，これまでの報告では骨頭を球形としたもの[2～5]，あるいは楕円形にモデル化した報告がある[6,7]。Saha[8]は，臼蓋径と上腕骨骨頭径の割合を示した指数（臼蓋上腕関節指数＝臼蓋最大径／上腕骨最大径×100）を求めた。垂直軸75.3±7.8，横断軸56.6±11.2であり，横軸方向が小さいことを示し，さらにこのことが前後の不安定性に関与するとした。しかし，骨頭形状と外傷の可能性の直接的因果関係は示されておらず，論拠に乏しいといえる。

最近では人工骨頭形状との関連で骨頭を単純な形状とみなすのではなく，より詳細な特徴が検証されている。Saharaら[9]は，上腕骨頭の関節面の場所による曲率半径の違いを示した（図1-4）。大きな数値はより扁平であることを示し，前上方，中上方ではより扁平であり，後方は球形に近いことを示した。

上腕骨頭の形状に関しては，モデル作成の目的の違いによってモデル自体が大きく異なるため，一様に比較することは困難である。また，外傷との直接的関連を示したものが少なく，形状が運動の異常や組織損傷にどのようにかかわるのかについてはいまだ不明な点が多い。

2. 上腕骨頭後捻角とその変化

上腕骨体と頚部は頚体角と呼ばれる130～150°の傾斜をなしている（図1-5）。また，上腕骨頭と肘関節の上顆軸の垂線には20～30°のねじれが存在し，これを上腕骨頭後捻角と呼んでいる（図1-6）。上腕骨頭後捻角が大きければ臼蓋上での骨頭の前方すべりに対して上腕骨はより大きな外旋角度を示す。Osbahrら[11]は，大学野球選手で後捻角が大きくなるに従い，可動域が外旋方向に大きくなる相関を示した（表1-1）。このことから，主に脱臼を中心として外傷との関連や反復する投球動作との関連が研究されてきた。

上腕骨頭後捻角に関する研究では，単純X線と

1. 骨 形 態

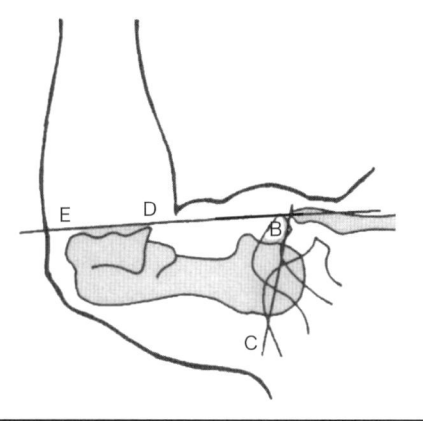

図1-7 上腕骨頭後捻角の計測方法（文献12より引用）

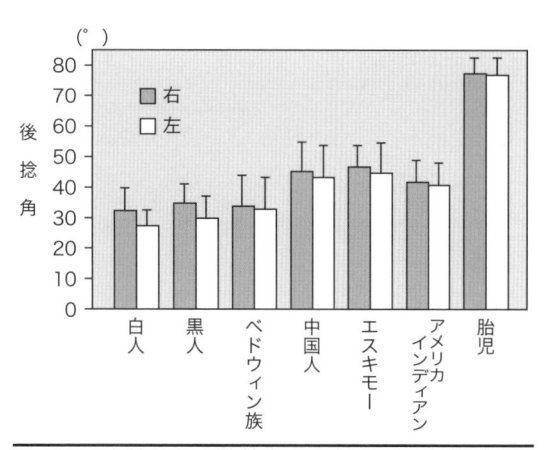

図1-8 上腕骨骨頭後捻角の人種別・左右差（文献14より作図）

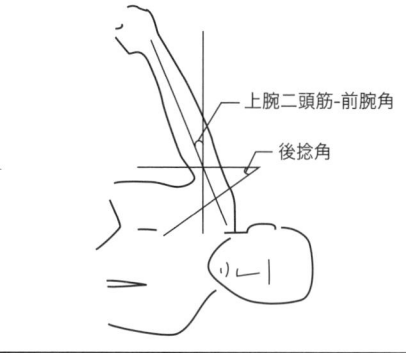

図1-9 上腕二頭筋-前腕骨軸角の超音波測定（文献16より作図）

CTが用いられている。単純X線は肩関節屈曲90°，外転10°の肢位で上腕骨軸からの撮影が多用されており，上顆軸（図1-7のDE）と上腕骨軸の垂線（図1-7のBC）のなす角を計測するものが多い[12,13]。CT撮影は上腕骨を体軸と平行にし，肘関節の両上顆軸と平行にスライスし，上顆軸と上腕骨頭を通る直線のなす角度を後捻角として計測する[12]。CT撮影とX線撮影との差を比較した研究では，計測値は信頼性，再現性ともに有意な差はなかった[12]。

Edelson[14,15]は，骨標本336体（6種族）の上腕骨頭の後捻角を計測した。その結果，後捻角は種族によって差があり，白人種，黒人種では約30°であるのに対し，中華人種では約45°であった（図1-8）。また，胎児期で75°と大きく，若年者のほうがより大きく年齢とともに減少することを報告した。このことから，年齢により後捻角が徐々に減少し，16歳で後捻角の減少が終了すると考察した。

後捻角は年齢とともに減少しうるが，その減少に上肢の使用が関与するとした報告がある。Osbahrら[11]は大学野球の投手19名で投球側が非投球側より後捻角が大きいと報告した。その理由としては外傷や慢性疼痛の危険性に対して骨性に順応したためとしたが，疼痛回避のために骨に変化が生じるという因果関係には直接的な説明が難しく根拠に乏しいといえる。Yamamotoら[16]は66名の小・中学生の野球選手の投球側，非投球側の後捻角の測定を行い，投球が後捻角の変化に与える影響を検討した。検査は超音波で実施した。上腕骨骨頭軸と前腕軸（両上顆を結んだ線）の角度を示す後捻角を直接計測することが難しいため，この研究では上腕二頭筋と前腕角を計測し後捻角と定義した（図1-9）。その結果，後捻角は投球側，非投球側とも年齢の増加に従ってゆるやかに減少し，投球側ではその減少が小さかった。そのことから，繰り返す投球によって後捻角が増加するのではなく，生理的な発育で後捻角が減少することを抑えたと結論づけた。

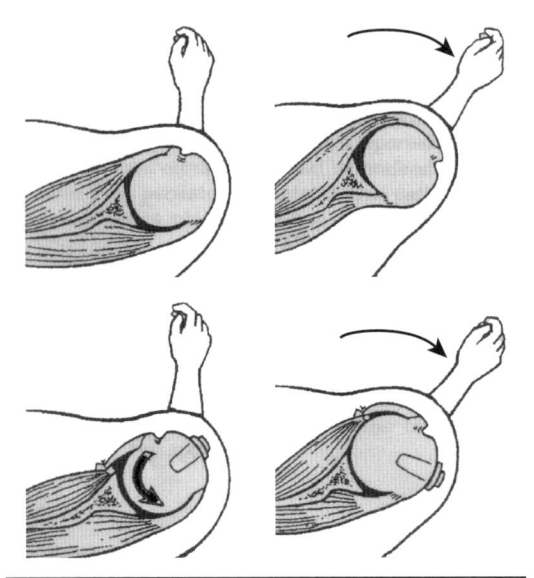

図1-10 後捻角減少とインピンジメント（文献20より引用）
上：後捻角減少，下：後捻角拡大。

　Kronbergら[13]は，一般成人50名を対象とし，X線撮影による上腕骨頭後捻角の計測を行い，利き手と非利き手の比較を行った。それぞれの平均値は利き手で33°，非利き手で29°と利き手で大きいことが示された。利き手側は非利き手側に比較して日常生活においても使用頻度が高いことが容易に想像され，反復して使用されるという点では繰り返す投球動作と共通している。上肢の反復使用が成長に伴う骨頭の後捻角の減少（通常，後捻角が減少すべきところ，投げること，利き手によることで妨げられる）に何らかの影響を与えている可能性が示唆される。しかし，投球動作と異なり直接的な回旋負荷が加わらないため，後捻角の正常な減少に影響を与える因子が不明であり，報告が多くないためエビデンスも十分でない点には注意が必要である。

3．上腕骨頭後捻角と外傷の関連

　外傷との関連については，正常人と脱臼群との比較では両群で差がないとするRandelliら[17]の報告や，脱臼群で小さいとするSymenoidesら[18]の報告など一致した見解は得られていない。Kronbergら[19]は後捻角減少のリスク回避を目的として，平均年齢30歳の反復性前方脱臼20肩に対して，骨切り術を施行した。手術により後捻角は約20°拡大し，回旋可動域に変化が生じることが示された。ただし，その後の外傷発生などに関する詳細な報告はなされておらず，外傷との関連は不明のままである。Riandら[20]は同様の目的でインピンジメント症候群に対しデブリドマン施行後もなお症状の消失が遅延した症例を対象に，上腕骨骨切り術と肩甲下筋短縮術を施行した。図1-10の上段のように後捻角が小さな肩が外旋した場合，肩関節外旋によって後上方にインピンジメントを引き起こすことが考えられる。そのため下段のように後捻角を拡大させ，インピンジメント消失を目的とした手術を考案した。術後は可動域に著しい変化はなく，スポーツ活動に関しては，同レベルまでの復帰が可能であった例があったものの，低いレベルや運動復帰できなかったものも約半数を占めていた。特に，スポーツ復帰不可であった4肩中3肩について高い関節弛緩性を認めており，手術の適応について詳細な検討を要するものと思われる。

　現状では手術により後捻角を増加させることによって外傷発生に対して良好な結果が得られた報告は少ない。ただし，このことは後捻角自体が外傷発生に関連がないことを示すものではなく，手術による侵襲が活動の大きな制限となっていることが大きな要因となっていると思われる。この点で，手術自体の妥当性には疑問が多いといえる。

C. 臼蓋

1．臼蓋の形態

　臼蓋の形態の指標としては，縦軸，横軸の長さ，臼蓋の前後の捻転（傾き），上下の傾斜，辺縁の太さを示すリム角などがあげられる（図1-11）。

1. 骨形態

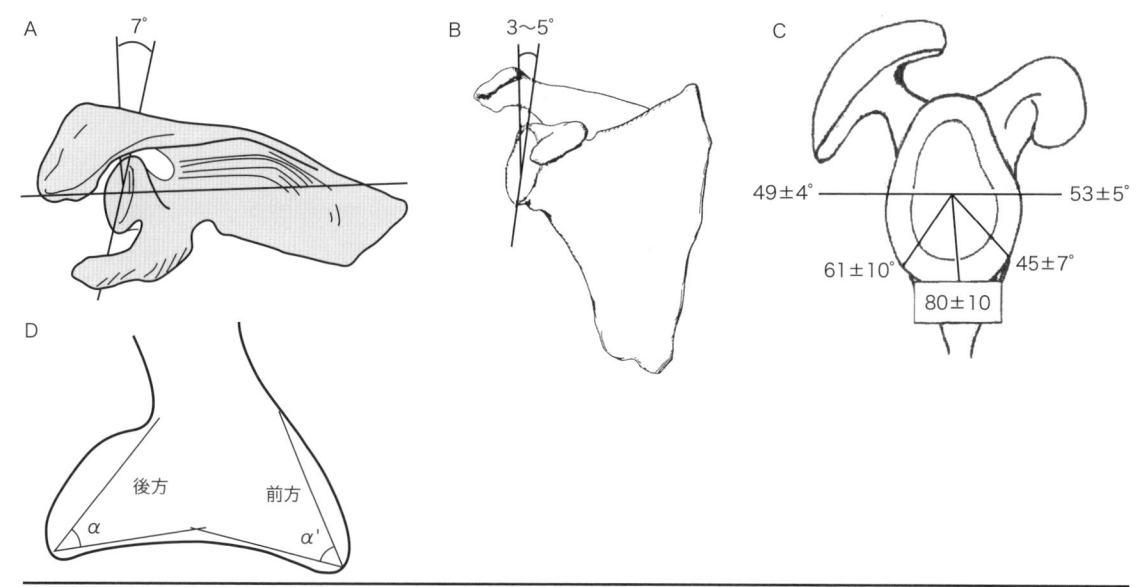

図1-11 臼蓋の形態計測（文献10, 24より作図）
A：前後捻転，B：上下傾斜，C：辺縁角（関節面像），D：辺縁角（水平面断面像）。

計測方法は骨を直視下で直接計る方法や画像を用いて計測する方法がある。傾斜角の計測はX線画像によって行われることが多い。X線を体軸に対し外側約45°に入射し，臼蓋の最上端-最下端を結ぶ線と肩甲棘切痕と肩甲骨内側の交点のなす角度を計測する[21]。また，捻転角の計測はMRIにより行われ，関節窩の中心から肩甲骨内側を結ぶ線（肩甲骨軸）と臼蓋前後を結ぶ線のなす角度を計測する[22]。Chuchillら[23]は直視下にて344検体の肩の形態を調査した。縦軸，横軸の長さ，傾斜角，捻転角を計測し，縦軸，横軸は男性のほうが女性より大きいことを示した。上下の傾斜角，前後捻転角は人種間で有意差がみられたが，いずれも男女での差はなかった。また，Lehtinenら[24]は20検体の肩のCT断層像について，3時，4時半，6時，7時半，9時方向の辺縁角を計測した（**図1-11**参照）。この結果リム角は下方で最も大きく，下方の辺縁が最も厚いことが示された。

2. 臼蓋の形態と外傷の関連

臼蓋の前後捻転と不安定肩や腱板損傷との関連についていくつかの報告がある。Saha[8]は前方

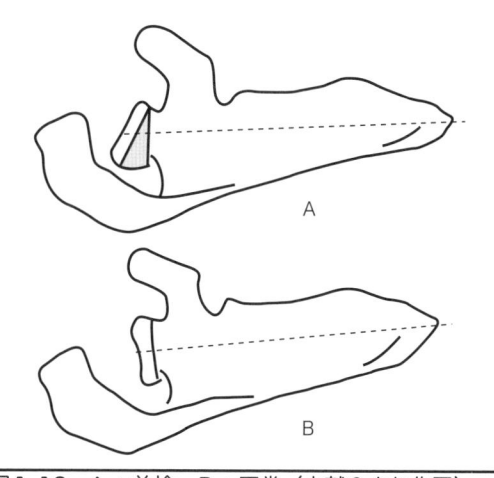

図1-12 A：前捻，B：正常（文献9より作図）

不安定性を有する21肩のうち，80％で前捻があったことを報告した（**図1-12**）。Brewerら[25]は後方不安定性を有する17肩で，健常肩と比べて後捻角が大きいことを示し，Hurleyら[26]も30肩の計測で同様の結果を示した。Tétreaultら[27]は腱板損傷群と健常群の臼蓋前後捻転角をMRI画像により比較し，腱板損傷群は健常群より臼蓋が後捻していることを示した。また，前方腱板損傷群は後捻が強く，後方腱板損傷群は前捻していることを報告した。前後の捻転により関節内での可

表1-2 年代別にみた肩峰のタイプ分類（文献34より引用）

年　齢	タイプI（％）	タイプII（％）	タイプIII（％）
21〜30	32	37	31
31〜40	27	44	29
41〜50	37	33	30
51〜60	31	52	17
61〜70	33	44	23

表1-3 正常肩の肩峰のタイプ分類

	タイプI（％）	タイプII（％）	タイプIII（％）
31肩[35]	67.7	32.3	0
177肩[36]	49.7	38.4	11.9

動性が増大し，その結果，周囲組織にストレスを与えていることが示唆された。

上下の傾斜については腱板損傷との関連について報告されている。Hughesら[22]は腱板損傷群と健常群でX線計測を用いて臼蓋の傾斜を計測し，腱板損傷群98.6°，健常群91.0°と腱板損傷群は上方への傾斜が大きいことを示した。ただし，これらの検討は報告数が少なく，論拠が十分とはいえない。

臼蓋辺縁の骨欠損と不安定性について，Sugayaら[28]やSaitoら[29]は反復性前方不安定肩の約50％に臼蓋欠損が生じ，欠損部位では前方が最も多く存在することを示した。実験的には前下方の骨欠損により，不安定性が増大する。特に面積で20％を超える欠損が存在する場合は有意な差がみられることから，不安定性への対処として骨移植の適応が示された[30,31]。

D. 肩　峰

1. 肩峰の形態

肩峰の形状に関しては，軟部組織への影響から下端の形状について着目されることが多い。形状の違いによってタイプ分類がなされ，Biglianiの分類によるフラット，カーブ，フックの3つが多く用いられている（図11-1，102ページ参照）[32]。Sandersら[33]はタイプI〜IIIのほかに，前下方と外下方への傾斜，骨増殖のあるタイプIVを提唱した。Nicholsonら[34]は21〜70歳の420検体を直視下で計測し，タイプ分類や骨形状の疫学的分布を報告した。50歳以下で骨棘が認められたものは7％であったのに対し，50歳以上では30％に認められ，統計学的な有意差がみられた。しかし，年齢別でのタイプ分類の分布には統計学的な有意差は得られなかった（表1-2）。また，生体における計測では，表1-3のように健常肩にはタイプIの分布が多いことが報告された[35,36]。

近年では客観的な評価を行うため単純X線，MRIなどを用い，肩峰下面の角度を計測する方法が用いられている。Toivonenら[37]はX線とMRIの2つの撮影方法，および異なる計測方法の結果を比較し，両者に差は認められなかったとした。同様にViskontasら[38]は経験豊かな測定者による計測であれば信頼性が得られるとした。

2. 肩峰の形態と外傷の関連

健常肩と腱板損傷肩ではタイプ分類の分布が異なっていることが報告されている。Gillら[36]は腱板完全損傷と診断された178肩（平均年齢56.1歳）をタイプ分類した。タイプIIが58.4％，タイプIIIが27.5％であり，非損傷肩と比べタイプII，IIIの割合が多いことが報告された。Worlandら[39]は118肩のX線撮影，腱板の超音波検査を実施した。無症候性の腱板完全断裂肩40肩においてタイプIが2肩，タイプIIが16肩，タイプIIIが22肩であり，やはりタイプII，IIIが多いことを示した。このことから肩峰の形状が腱板損傷や肩峰下における病態と何らかの関連をもつことが示唆された。また，Tuiteら[40]はインピンジメント症候群99肩の肩峰の形状について，肩峰下端のなす角が大きいほどインピンジメントが多発

することを示した．X線前後像で肩峰の幅を計測し，不安定肩で肩峰の幅が短いことが報告された[41]が，肩峰下端の形状とインピンジメントや不安定性との関連は報告が少なく，その関連性については不明である．

E. まとめ

骨形態の評価方法については研究がそれほど行われていないこともあり，条件が一定していないのが現状である．また，人種間や年齢による差も報告されているため，これらの影響について配慮しながら，比較対象者について検討すべきである．また，骨形態と外傷の影響についてはほとんど明らかにはなっていない．主要な研究による報告をまとめると以下の通りとなる．

1. すでに真実として承認されていること
- 成長の過程で減少する上腕骨後捻角が外傷に与える影響については一致した見解が示されていない．
- 前方脱臼により生じうる骨欠損は不安定性を増大させ，欠損の大きさによっては骨移植が必要となる．
- 扁平ではない肩峰下端は腱板損傷と関連がある．

2. 議論の余地はあるが，今後の重要な研究テーマとなること
- 使用頻度によって後捻角の減少が抑制される順応が生じる可能性について．
- 前後捻が前後不安定性に関与している可能性について．
- 上方傾斜が腱板損傷に関与している可能性について．
- 肩峰下端の形状が不安定性やインピンジメントに与える影響について．

3. 真実と思われていたが，実は疑わしいこと
- 上腕骨頭後捻角が外傷と関連があること．

文献

1. O'brien JS, Arnoczky SP, Warren RF, Rozbruch SR. Developmental Anatomy of the Shoulder and Anatomy of the Glenohumeral Joint, In: The Shoulder, Rockwood, Matsen. 1990; 1-15.
2. Soslowsky LJ, Flatow EL, Bigliani LU, Mow VC. Articular geometry of the glenohumeral joint. *Clin Orthop Relat Res.* 1992; (285): 181-9.
3. Boileau P, Walch G. The three-dimensional geometry of the proximal humerus. Implications for surgical technique and prosthetic design. *J Bone Joint Surg Br.* 1997; 79: 857-65.
4. Veeger HEJ. The position of the rotation center of the glenohumeral joint. *J Biomech.* 2000; 33: 1711-5.
5. Kelkar R, Wang VM, Flatow EL, Newton PM, Ateshian GA, Bigliani LU, Pawluk RJ, Mow VC. Glenohumeral mechanics: a study of articular geometry, contact, and kinematics. *J Shoulder Elbow Surg.* 2001; 10: 73-84.
6. Sarrafian SK. Gross and functional anatomy of the shoulder. *Clin Orthop Relat Res.* 1983; (173): 11-9.
7. Iannotti JP, Gabriel JP, Schneck SL, Evans BG, Misra S. The normal glenohumeral relationships. An anatomical study of one hundred and forty shoulders. *J Bone Joint Surg Am.* 1992; 74: 491-500.
8. Saha AK. Dynamic stability of the glenohumeral joint. *Acta Orthop Scand.* 1971; 42: 491-505.
9. Sahara W, Sugamoto K, Nakajima Y, Inui H, Yamazaki T, Yoshikawa H. Three-dimensional morphological analysis of humeral heads: a study in cadavers. *Acta Orthop.* 2005; 76: 392-6.
10. Halder AM, Itoi E, An K-N. Anatomy and biomechanics of the shoulder. *Orthop Clin North Am.* 2000; 31: 159-76.
11. Osbahr DC, Cannon DL, Speer KP. Retroversion of the humerus in the throwing shoulder of college baseball pitchers. *Am J Sports Med.* 2002; 30: 347-53.
12. Söderlund V, Kronberg M, Broström L-Å. Radiologic assessment of humeral head retroversion. Description of a new method. *Acta Radiol.* 1989; 30: 501-5.
13. Kronberg M, Broström L-Å, Söderlund V. Retroversion of the humeral head in the normal shoulder and its relationship to the normal range of motion. *Clin Orthop Relat Res.* 1990; (253): 113-7.
14. Edelson G. Variations in the retroversion of the humeral head. *J Shoulder Elbow Surg.* 1999; 8: 142-5.
15. Edelson G. The development of humeral head retroversion. *J Shoulder Elbow Surg.* 2000; 9:

16. Yamamoto N, Itoi E, Minagawa H, Urayama M, Saito H, Seki N, Iwase T, Kashiwaguchi S, Matsuura T. Why is the humeral retroversion of throwing athletes greater in dominat shoulders than in nondominat shoulders? *J Shoulder Elbow Surg*. 2006; 15: 571-5.
17. Randelli M, Gambrioli PL. Glenohumeral osteometry by computed tomography in normal and unstable shoulders. *Clin Orthop Relat Res*. 1986; (208): 151-6.
18. Symeonides PP, Hatzokos I, Christoforides J, Pournaras J. Humeral head torsion in recurrent anterior dislocation of the shoulder. *J Bone Joint Surg Br*. 1995; 77: 687-90.
19. Kronberg M, Broström L-Å. Rotation osteotomy of the proximal humerus to stabilise the shoulder. Five years' experience. *J Bone Joint Surg Br*. 1995; 77: 924-7.
20. Riand N, Levigne C, Renaud E, Walch G. Results of derotational humeral osteotomy in posterosuperior glenoid impingement. *Am J Sports Med*. 1998; 26: 453-9.
21. Friedman RJ, Hawthorne KB, Genez BM. The use of computerized tomography in the measurement of glenoid version. *J Bone Joint Surg Am*. 1992; 74: 1032-7.
22. Hughes RE, Bryant CR, Hall JM, Wening J, Huston LJ, Kuhn JE, Carpenter JE, Blasier RB. Glenoid inclination is associated with full-thickness rotator cuff tears. *Clin Orthop Relat Res*. 2003; (407): 86-91.
23. Churchill RS, Brems JJ, Kotschi H. Glenoid size, inclination, and version: an anatomic study. *J Shoulder Elbow Surg*. 2001; 10: 327-32.
24. Lehtinen JT, Tingart MJ, Aoreleva M, Ticker JB, Warner JJP. Variations in glenoid rim anatomy: implications regarding anchor insertion. *Arthroscopy*. 2004; 20: 175-8.
25. Brewer BJ, Wubben RC, Carrera GF. Excessive retroversion of the glenoid cavity. A cause of nontraumatic posterior instability of the shoulder. *J Bone Joint Sur Am*. 1986; 68: 724-31.
26. Hurley JA, Anderson TE, Dear W, Andrish JT, Bergfeld JA, Weiker GG. Posterior shoulder instability. Surgical versus conservative results with evaluation of glenoid version. *Am J Sports Med*. 1992; 20: 396-400.
27. Tétreault P, Krueger A, Zurakowski D, Gerber C. Glenoid version and rotator cuff tears. *J Orthop Res*. 2004; 22: 202-7.
28. Sugaya H, Moriishi J, Dohi M, Kon Y, Tsuchiya A. Glenoid rim morphology in recurrent anterior glenohumeral instability. [see comment]. *J Bone Joint Surg Am*. 2003; 85: 878-84.
29. Saito H, Itoi E, Sugaya H, Minagawa H, Yamamoto N, Tuoheti Y. Location of the glenoid defect in shoulders with recurrent anterior dislocation. *Am J Sports Med*. 2005; 33: 889-93.
30. Itoi E, Lee S-B, Berglund LJ, Berge LL, An K-N. The effect of a glenoid defect on anteroinferior stability of the shoulder after Bankart repair: a cadaveric study. *J Bone Joint Surg Am*. 2000; 82: 35-46.
31. Itoi E, Lee S-B, Amrami KK, Wenger DE, An K-N. Quantitative assessment of classic anteroinferior bony Bankart lesions by radiography and computed tomography. *Am J Sports Med*. 2003; 31: 112-8.
32. Bigliani LU, Morrison DS, April EW. The morphology of the acromion and its relationship to rotator cuff tears. *J Shoulder Elbow Surg*. 1986; 1: 228.
33. Sanders TG, Miller MD. A systematic approach to magnetic resonance imaging interpretation of sports medicine injuries of the shoulder. *Am J Sports Med*. 2005; 33: 1088-105.
34. Nicholson GP, Goodman DA, Flatow EL, Bigliani LU. The acromion: morphologic condition and age-related changes. A study of 420 scapulas. *J Shoulder Elbow Surg*. 1996; 5: 1-11.
35. Schippinger G, Bailey D, McNally EG, Kiss J, Carr AJ. Anatomy of the normal acromion investigated using MRI. *Langenbecks Arch Chir*. 1997; 382: 141-4.
36. Gill TJ, McIrvin E, Kocher MS, Homa K, Mair SD, Hawkins RJ. The relative importance of acromial morphology and age with respect to rotator cuff pathology. *J Shoulder Elbow Surg*. 2002; 11: 327-30.
37. Toivonen DA, Tuite MJ, Orwin JF. Acromial structure and tears of the rotator cuff. *J Shoulder Elbow Surg*. 1995; 4: 376-83.
38. Viskontas DG, MacDermid JC, Drosdowech DS, Garvin GJ, Romano WM, Faber K. Reliability and comparison of acromion assessment techniques on X-ray and magnetic resonance imaging (reliability of acromion assessment techniques). *Can Assoc Radiol J*. 2005; 56: 238-44.
39. Worland RL, Lee D, Orizco CG, SozaRex F, Keenan J. Correlation of age, acromial morphology, and rotator cuff tear pathology diagnosed by ultrasound in asymptomatic patients. *J South Orthop Assoc*. 2003; 12: 23-6.
40. Tuite MJ, Toivonen DA, Orwin JF, Wright DH. Acromial angle on radiographs of the shoulder: correlation with the impingement syndrome and rotator cuff tears. *AJR Am J Roentgenol*. 1995; 165: 609-13.
41. Kondo T, Hashimoto J, Nobuhara K, Takakura Y. Radiographic analysis of the acromion in the loose shoulder. *J Shoulder Elbow Surg*. 2004; 13: 404-9.

〔能　由美，玉置　龍也〕

2. 肩甲上腕関節

はじめに

肩甲上腕関節を構成する組織は骨組織である関節窩と上腕骨頭，その周囲に存在する線維性組織である関節唇，関節包靱帯，さらにその外周を取り巻く腱板と呼ばれる腱組織である（**図2-1**)[1]。肩甲上腕関節では，2つの骨の接触面が小さいことでその広い可動性が確保され，周囲に存在する関節唇，関節包靱帯や筋の機能がその安定性に寄与している。ここでは肩甲上腕関節の静的安定機構の関節唇，関節包靱帯の解剖，機能や機械的特性を中心に整理し，さらにスポーツ動作の反復による組織の順応性について述べ，その反復により起こりうる病的変化について概説する。なお，筋の役割については他項に譲る。

A. 文献検索方法

インターネットを介しPubMedにて検索した。検索語と該当件数は「glenohumeral AND biomechanics AND function NOT muscle」249件，「(SLAP OR Bankart) AND biomechanics」118件，「glenohumeral AND adaptation」15件であった。

該当する文献において，要旨で肩甲上腕関節の安定性に寄与する組織の解剖や機能について言及した文献，スポーツ動作の反復が肩甲上腕関節に及ぼす影響について取り上げた文献を採用し，最終的に66件を本項でレビューした。

B. 解剖・機能

1. 関節唇（glenoid labrum）

関節唇は関節窩の外周をおおう線維性組織である。関節唇は関節窩の凹面の深さを増し上腕骨頭との接触面を増加させることで肩甲上腕関節の安定性に寄与している。

1）形状と機能

関節唇の矢状断面は部位によりその形状が異なる[2]。上部の断面は半月状に隆起しているのに対し，下部は円形に隆起する。また関節窩との結合も上部と下部で異なり，上部が弾性結合組織により疎に結合しているのに対し，下部は非弾性結合組織により密に結合している（**図2-2**)。これら

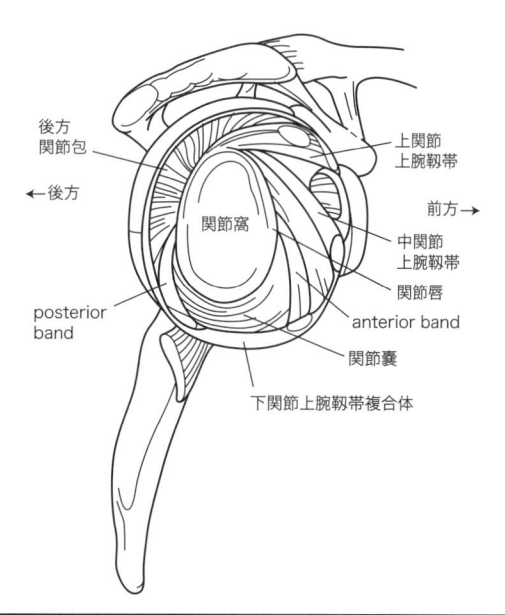

図2-1 肩甲上腕関節（文献1より作図）

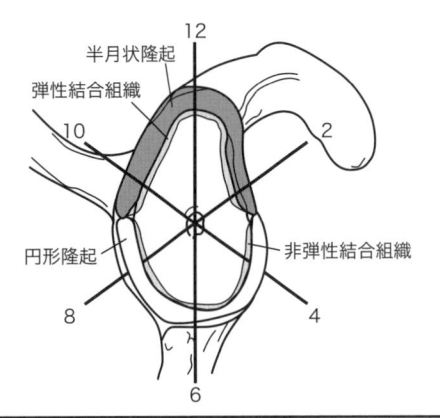

図2-2 関節唇の形状と関節窩との結合（文献2より一部改変）

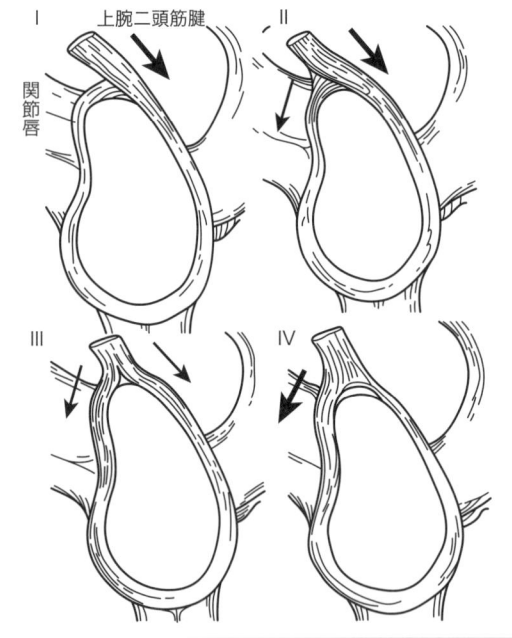

図2-3 関節唇の上腕二頭筋腱付着部のタイプ（文献3より一部改変）
タイプⅠ：上腕二頭筋腱のすべての線維が関節唇後部に連結（存在率：22％）。タイプⅡ：上腕二頭筋腱の多くの線維が関節唇後部に連結（33％）。タイプⅢ：関節唇前部と後部にほぼ同等に連結（37％）。タイプⅣ：ほぼすべての線維が関節唇前部に連結（8％）。矢印は上腕二頭筋腱の割合。

のことより関節唇の可動性は上部でより高く、下部では低くなる[2]。半月状で可動性の高い関節唇上部は骨頭の動きに合わせて移動することで、膝の半月板のように関節接触面の増大に貢献する。一方、円形で移動性の低い下部は上腕骨の過剰な偏位を防ぐバンパーとして機能する。

関節唇には関節包靱帯や上腕二頭筋長頭腱などの組織が付着する。関節包靱帯については後述することにし、ここでは上腕二頭筋長頭腱について述べる。上腕二頭筋長頭腱の50％は関節唇上部に起始をもち、残り50％は関節上結節に起始をもつ[3]。上腕二頭筋長頭腱-関節唇連結部には可動性があり、この可動性が肩甲上腕関節の安定性に寄与する[4]。すなわち上腕二頭筋が収縮することにより、長頭の付着部である関節唇上部は腱を介し筋の方向に伸張され、上腕骨頭上方をおおうように変形し骨頭の関節窩への圧迫力を高め、上腕骨頭の上方偏位を制動する[5]。また上腕二頭筋長頭腱と関節唇の連結部は一様ではなく[6,7]、Vangsnessら[3]はそれをタイプⅠ～Ⅳに分類した（図2-3）。これらの連結部のバリエーションは、SLAP病変の損傷のバリエーション[8]と関連している可能性があり、今後の報告が期待される。

2）血　流

関節唇の血流は肩甲上動脈、肩甲回旋動脈、後上腕回旋動脈より関節包や骨膜を介して供給される。部位によりその血流量は異なり、後上部や下部の血流は豊富であるのに対し、関節唇の前部・前上部の血流は乏しい（図2-4）。このことは前部や前上部の関節唇が損傷した際には、後上部・下部の損傷に比較し治癒遅延を引き起こすことを示唆している[2]。

2. 前方構成体（anterior complex）

肩甲上腕関節前方を構成する組織は主に関節包靱帯である。前方関節包には可視的に肥厚している部が存在し、この部を特に関節包靱帯と呼ぶ（図2-5）[9]。この関節包靱帯は上・中・下関節上腕靱帯（superior・middle・inferior glenohumeral ligament）に分けられる。その他前方を支持する靱帯として烏口上腕靱帯（coracohumeral ligament）がある。関節包靱帯は肩甲上腕関節の静的制御機構であり[10]，肩関節のさまざまな角度で骨頭の過度の偏位を制御する機能をもつ[11]。単純な前後方向の制動では，外転角度が小さいときにはより上方の組織が貢献し，外転角度が大きくなるほど，より下方の組織が貢献する。

1）上関節上腕靱帯（superior glenohumeral ligament：SGHL）（図2-6）[12]

　SGHLは関節窩では上腕二頭筋長頭腱前部の関節上結節より起始し，上腕骨では小結節上部の結節間溝内側に付着する。SGHLの約20％は中関節上腕靱帯とともに1時の位置の関節唇にも付着する[13]。SGHLは棘上筋および肩甲下筋の間に位置し，深部では上腕二頭筋長頭腱周囲をおおうように走行する[14]。Warnerら[12]は屍体を用い関節包靱帯を選択的に切断したときの骨頭の偏位量を測定することで，骨頭の過度の偏位を制御する靱帯を明らかにした。4自由度（内外転，内外旋）をもつ機器に肩甲骨および上腕骨を取り付け，肩甲上腕関節に22 Nの軸圧を与えたうえで内外転（0°，45°，90°），内外旋（0°，内旋10 Nm，外旋10 Nm）のそれぞれの位置で骨頭を下方に50 Nで偏位させたときの骨頭の偏位量を測定した。その結果，内転位・内外旋中間位での下方偏位を最も制御する靱帯はSGHLおよび烏口上腕靱帯であった。そのほかの報告からはSGHLは上腕下垂位での骨頭の前方・下方偏位[15, 16]および上腕下垂位での外旋を制御[15, 17]することが示された。またその走行よりrotator intervalを補強する機能も有することを示唆した報告もある[14]。

2）中関節上腕靱帯（middle glenohumeral ligament：MGHL）

　MGHLは関節窩において，SGHL前方の関節上結節および関節唇の1時から3時の位置より起始し，外側に走行する[18]。そして，上腕骨小結

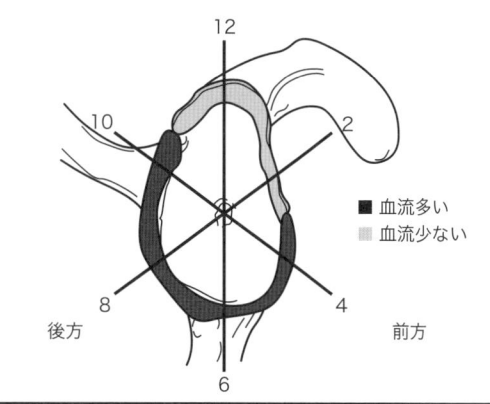

図2-4　関節唇への血流（文献2より一部改変）

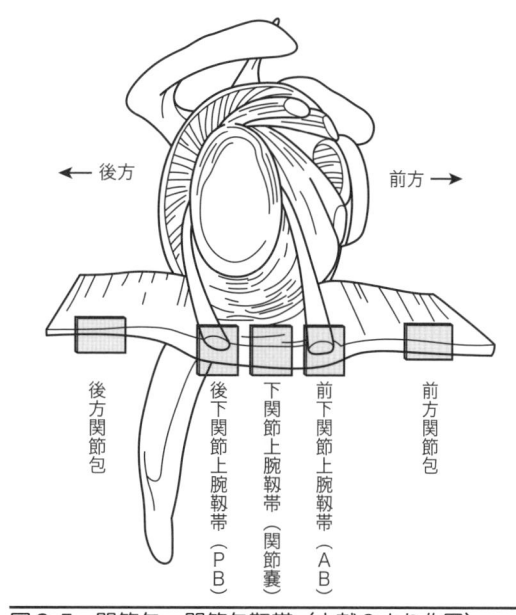

図2-5　関節包・関節包靱帯（文献9より作図）

節の約2 cm内側で肩甲下筋腱と結合し上腕骨小結節に付着する[19]。その機能は内転位での骨頭下方偏位の制御[16]，肩関節30〜60°外転位での骨頭前方偏位の制御[20, 21]，肩関節45°外転・伸展位での外旋制御[19, 22]などである。

3）下関節上腕靱帯（inferior glenohumeral ligament：IGHL）（図2-7，図2-8）

　IGHLはハンモックに似た構造をした幅広い靱帯である[18]。構造・走行・機能の違いによりanterior band, posterior band, 関節囊（axil-

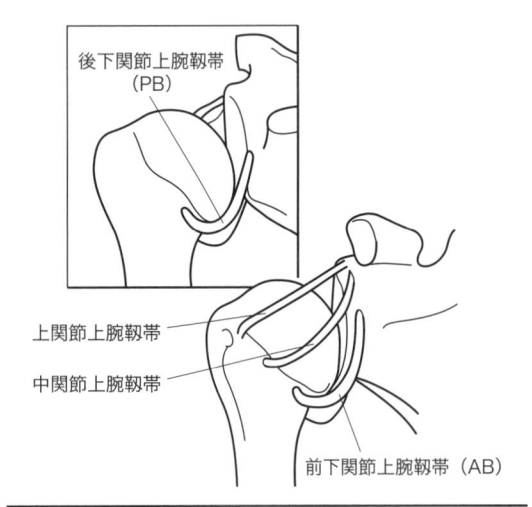

図2-6 下垂位での関節上腕靱帯（文献12より作図）

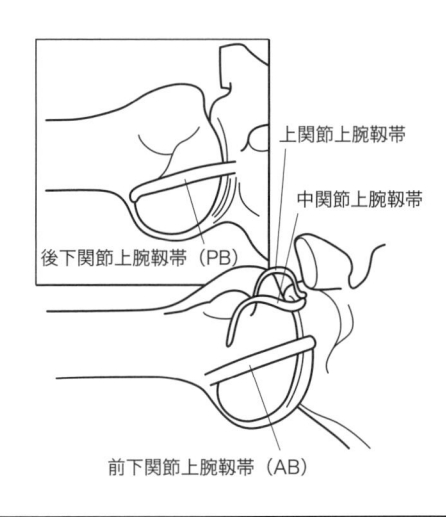

図2-7 外転時の関節上腕靱帯（文献12より作図）

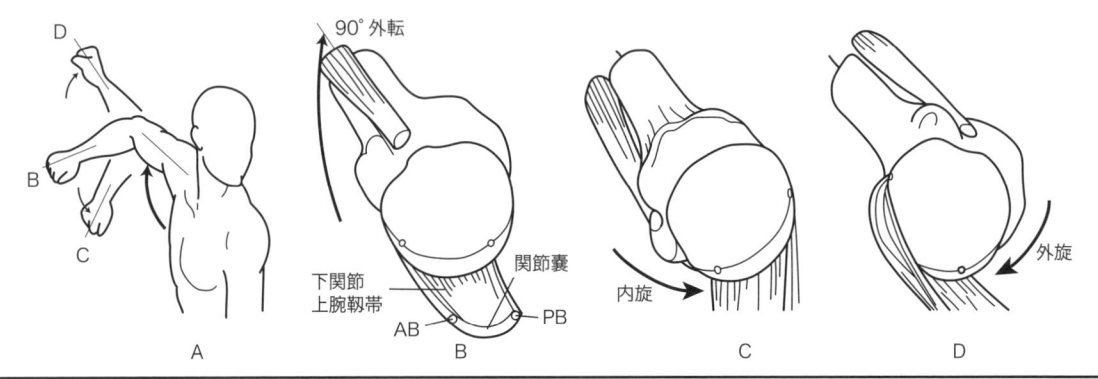

図2-8 外転・内転時の下関節上腕靱帯の機能（文献5より作図）
A：外転・内外旋では、下関節上腕靱帯の異なる部分が緊張する。B：外転時に下関節上腕靱帯は緊張する。
C：内旋ではPBが緊張する。D：外旋ではABが緊張する。

lary pouch）の3つに分類される[9]。anterior bandは関節窩前方および関節唇の2時から4時より起始する。posterior bandは関節窩後方および関節唇の7時から9時より起始する。anterior bandとposterior bandの間、関節窩下方よりaxillary pouchが起始し、広がった膜のように骨頭の下方を支える。外側に走行したIGHLは上腕骨解剖頸下面にU字またはV字に付着する。IGHLはその部位により機能が異なることが報告されている。anterior bandは上腕外転位での骨頭下方偏位および外旋を[12,23]、さらに外転・外旋位での骨頭前方偏位を制御する[1,13,20]。axillary pouchは外転・外旋を[21]、posterior bandは屈曲・内旋位または外旋位での後方偏位を制御する[21,24]。

4）烏口上腕靱帯（coracohumeral ligament）（図2-9）

烏口上腕靱帯は烏口突起背側基部より起始し、遠位に向かい扇形に広がり、上腕骨大結節および小結節に付着する。また遠位でSGHLとローテーターカフに付着する[14]。烏口上腕靱帯はSGHLと走行が似ており、その機能もSGHLと類似している。つまり上腕下垂位での骨頭の前方・下方偏位[14,16,25]および上腕下垂位での外旋を制御[15,17]、rotator intervalの補強が主な機能となる。

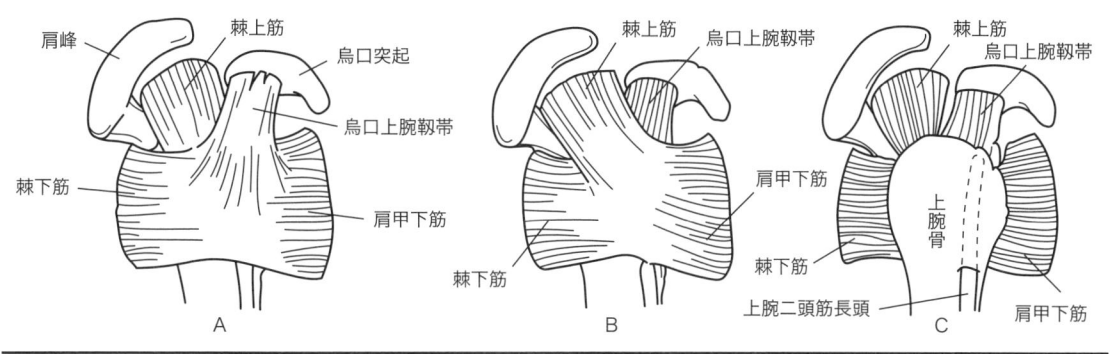

図2-9 烏口上腕靱帯(文献14より作図)
A：前外側面(表層)，B：前外側面(中間層)，C：前外側面(深層)。

3. 後方構成体 (posterior portion)

　肩甲上腕関節後方に存在する後方関節包は関節唇の9時から12時のより起始し上腕骨頸に付着する[18]。その機能は骨頭の制御であり，外転0〜45°付近の上腕骨頭の後方偏位を制御する[12]。O'Brienら[1]は，後方関節包に加え関節包の1時から3時方向を切除しないかぎり後方への上腕骨の後方脱臼は起きないことを示した。また後方関節包には上腕三頭筋長頭の約2.3％が付着し，上腕骨の下方偏位の制動にも寄与している[26]。

C. 機械的特性

1. 上関節上腕靱帯，烏口上腕靱帯

　SGHLは近位付着部に比べ遠位の線維が細くなっている[18]。Boadmanら[25]は，一軸方向の伸張負荷を加えるとより遠位が損傷しやすいことを報告した。一方，烏口上腕靱帯は遠位に向かい扇形に広がる構造であことから遠位がより強く，伸張負荷を与えると近位が損傷することを示した[25]。烏口上腕靱帯とSGHLの走行，機能は類似しているがその張力特性は異なる。烏口上腕靱帯はSGHLの2倍の"stiffness"と3倍の最大張力，5倍の断面積をもつ。また6倍の伸張エネルギーを吸収するが1.5倍伸張するのみである[25]。つまり烏口上腕靱帯はSGHLよりも厚く，硬く，強い靱帯であることが示されている(**図2-10**，**図2-11**)。

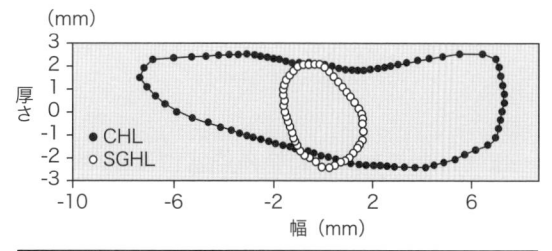

図2-10 烏口上腕靱帯(CHL)と上関節上腕靱帯(SGHL)の断面積(文献25より引用)

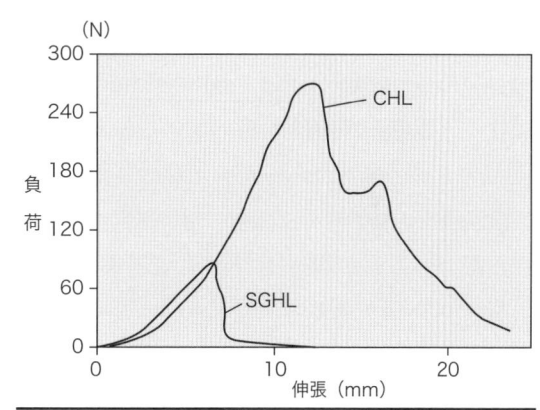

図2-11 上関節上腕靱帯(SGHL)，烏口上腕靱帯(CHL)の機械的特性(文献25より引用)

2. 下関節上腕靱帯

　Tickerら[27]は，新鮮冷凍屍体肩8体(62〜73歳)を用い，IGHLの3部位をそれぞれ骨-靱帯-骨として取り出し，各部位の機械的特性を比較した。長さ，厚さ，幅の結果を**表2-1**に示す。その厚さはanterior band，axillary pouch，posterior bandの順で厚い傾向にあり，特にanterior bandはaxillary pouchに比較し有意に厚い。

表2-1 下関節上腕靱帯の機械的特性（文献27より改変）

下関節上腕靱帯部位	長さ（mm）	厚さ（mm）	幅（mm）
Anterior band（n＝8）	44.4±6.3	2.23±0.38*	13.64±1.08
Axillary pouch（n＝8）	42.5±4.7	1.94±0.38	14.15±2.17
Posterior band（n＝8）	43.4±4.1	1.59±0.64	13.13±1.69
平均（n＝24）	43.4±4.9	1.92±0.53	13.64±1.69

平均±SD，* Anterior band＞Axillary pouch＜0.05。

表2-2 下関節上腕靱帯の機械的特性（文献27より改変）

下関節上腕靱帯部位	損傷までの応力（MPa）	損傷までのひずみ（%）	引っぱり率（MPa）
Superior band	16.9±7.9　n＝6	16.5±4.8　n＝6	130.3±47.9　n＝6
Anterior axillary pouch	10.4±4.2　n＝7	17.1±4.8　n＝7	100.3±37.1　n＝7
平　均	13.9±7.1	16.8±4.6	115.3±43.8

　速度によるIGHLの機械的特性については，anterior bandとaxillary pouchでひずみ速度が速いほうが損傷までの応力（failure stress）がそれぞれ62％，42％高く，引っぱり率（tensile modulus）はそれぞれ62％，57％高いことが示されている。逆に損傷までのひずみ（failure stress）はanterior band，axillary pouchともにひずみ速度が速いほうが小さい（－9％，－12％）という結果であった。さらにひずみ速度は損傷部位にも影響を及ぼす。速い速度では靱帯実質部での損傷が54％，上腕骨付着部が8％，臼蓋部が38％であるのに対し，遅い速度では靱帯実質部が35％，上腕骨付着部が25％，臼蓋部が40％であった。Tickerら[29]はさらにanterior bandとaxillary pouchでの損傷までの応力について比較した（表2-2）。それによると，損傷までの引っぱり応力（tensile stress）とひずみ（tensile strain）はanterior bandで高い傾向にあった。Tickerら[27]はこれらの結果から，superior band, axillary poachが外転，外旋位での骨頭の異常な前方偏位を制動する主要な組織であると考察した。

　IGHLのanterior bandの主な機能は，外転・外旋時に骨頭が前方に偏位するのを制御することであるが，これは投球のコッキング後期においてより機能する。投球動作の反復により前下方の組織が伸張されることは一般的に述べられている組織変化である。そのためIGHL（anterior band）の機械的特性もこれまで詳細に報告されてきた。McMahonら[30]は，anterior bandに伸張ストレスを与え，そのときの各部位（臼蓋付着部，靱帯実質部，上腕骨付着部）の機械的特性について述べた（図2-12）。その結果，靱帯切断時までの伸張が各部位で異なっており，臼蓋部での伸張がより大きい傾向にあった（表2-3）。また，靱帯機能が失われるひずみ（strain at yield）（図2-13）は臼蓋部，上腕骨付着部の骨付近でより大きい傾向にあった。

　McMahonら[32]は別の実験で，12体の新鮮冷凍屍体肩を用いてanterior bandの損傷部位について検討した。上記と同様の実験方法から，anterior bandを伸張させたときの損傷部は臼蓋部が最も多く（66％），靱帯実質部，上腕骨付着部は少ないことを示した。さらに関節窩では関節唇が臼蓋より剥離する例が最も多く（63％），関節唇臼蓋付着部は無傷であってIGHLが関節唇付着部より剥離する例はそれよりも少ない（37％）結果であった。つまり，anterior bandに伸張ス

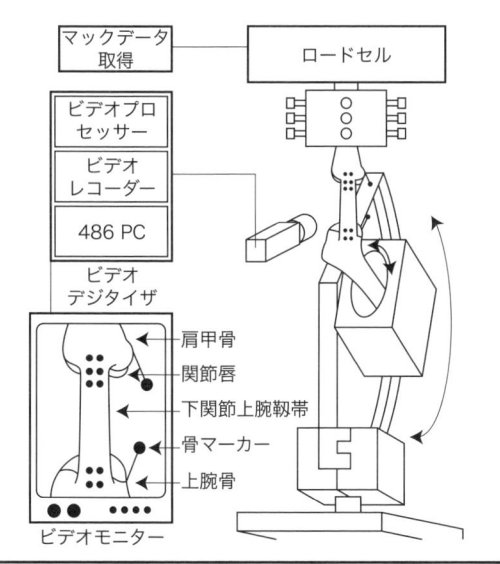

図2-12 下関節上腕靱帯（anterior band）へのストレス実験（文献31より作図）

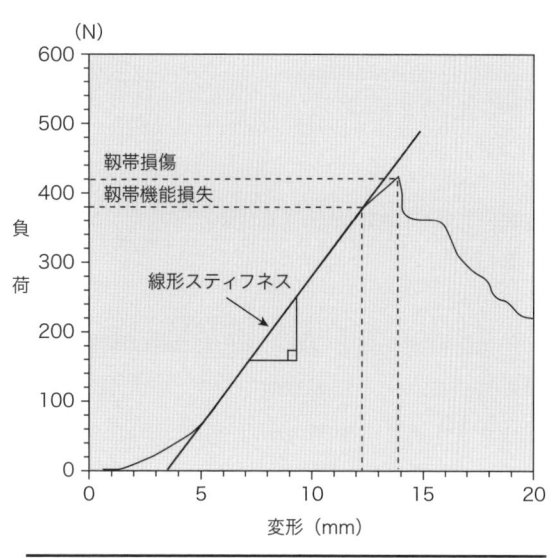

図2-13 伸張ストレスによる靱帯の変化（文献31より引用）

表2-3　下関節上腕靱帯の機械的特性（文献31より引用）

損傷モデル	数	靱帯損傷までの負荷 (N)	靱帯機能損失までの負荷 (N)	靱帯損傷までの伸張度 (mm)	靱帯機能損失までの伸張度 (mm)	不撓性 (N/mm)	エネルギー吸収 (N-mm)
臼蓋付着部	7	353 ± 32	330 ± 34	9.1 ± 0.5	8.3 ± 0.6	52.5 ± 3.6	1650.0 ± 199.6
靱帯実質部	2	213 ± 64	205 ± 56	6.4 ± 0.3	6.2 ± 0.1	41.4 ± 12.1	768.8 ± 253.9
上腕骨付着部	2	250 ± 28	220 ± 30	7.6 ± 0.7	6.7 ± 0.7	53.5 ± 8.8	929.4 ± 75.5
平均 ± SEM		309 ± 29	292 ± 29	8.4 ± 0.5	7.6 ± 0.5	50.7 ± 3.3	1358.8 ± 177.7

トレスを与えると関節唇が臼蓋より剥離する例が最も多いということである。以上の結果は，IGHLの不可逆的な伸張が肩関節不安定症の第一のエピソードとなることを示唆した。そして，特にanterior bandへの繰り返しの伸張が不安定性に大きく関与すると結論したが，この実験は急性外傷における不安定性を模擬した方法であったため，考察レベルであることも付け加えている。IGHLに反復伸張ストレスを加えた実験については「スポーツによる組織順応」の項で述べる。

3. 後方関節包

後方関節包の機械的特性について述べたこれまでの研究結果から，後方関節包は前方関節包と比較し，薄く半透明な一様組織だと考えられていた。しかし，後方関節包を上・中・下部や，垂直・平行方向に分断し，その機械的特性について検討した報告[33,34]では，後方関節包はおのおのの部位によりその特徴が異なることが示された。後方関節包を上・中・下部に分けIGHL-ABと比較した研究[33]では，後方関節包の厚さは下方ほど薄くなり，伸張ストレスによる損傷部位は関節窩が最も多いという結果が得られた。弾性率，最大ストレス，損傷時のエネルギー密度はIGHL-AB・後方関節包の上・中・下部の間に差はみられず，損傷時のひずみにのみIGHL-ABと他の後方関節包との間に有意差がみられた（表2-4）。また，後方関節包を垂直・平行方向に分けた研究[34]においては，切断時のストレス，弾性率ともに平行方向のほうが高い値であった。このように，後方関

第1章 肩のバイオメカニクス

表2-4 後方関節包の機械的特性（文献33より引用）

特 性	SUP-PC	MID-PC	INF-PC	AB-IGHL
最大ストレス（MPa）	5.8 ± 4.1	8.4 ± 3.8	9.5 ± 3.7	8.7 ± 3.8
弾性率（MPa）	28.4 ± 16.5	44.9 ± 22.8	56.8 ± 39.8	37.7 ± 19.2
損傷までのひずみ	0.27 ± 0.15	0.26 ± 0.07	0.22 ± 0.07	0.36 ± 0.15
損傷時エネルギー密度（N・mm/mm^3）	0.9 ± 1.06	1.07 ± 0.58	1.00 ± 0.36	1.6 ± 1.11

平均±SD。

節包は前方構成体と同様に部位によりその特性が異なり，これにより多方向のストレスに抵抗する構造を有することが明らかになってきた。

D. スポーツによる組織順応

1. 組織順応とその要因

スポーツ動作を反復することで，関節はそれに順応し，構造や基質が変化する。たとえば，投球動作では，肩関節周囲筋の協調的な筋活動の繊細なバランスや靱帯や関節包の制動が必須である。野球[35～40]やテニス[41]，水泳[42]など繰り返しオーバーヘッド動作を行う種目の選手では，極端な肩関節運動を行うことで，繰り返しのストレスを肩甲上腕関節に与えることになる。Fleisigら[43]は投球動作における肩関節にかかるストレスについて，上腕骨は7,550°/秒の角速度で運動し，67Nmのトルクがかかると報告した（183ページ参照）。反復する投球動作によりコッキング期から加速期において前方関節包の微細損傷と同部の弛緩が起こり，一方でフォロースルー期における後方関節包の伸張ストレスが同部のタイトネスを引き起こす[35]と報告された。Pollockら[44]は前方関節包の弛緩性に関してバイオメカニクス的な実験を行った。IGHLに反復する伸張ストレスを与えたときの靱帯の機械的特性について，負荷の反復回数，負荷量を変化させたときのピーク負荷，靱帯長を測定した（図2-14）。この結果では負荷反復回数増加および負荷量を増加させることで靱帯のピーク負荷は有意に減少した（図2-15）。さらに伸張負荷を反復させた後の靱帯長は，反復負荷回数，負荷量が多いほど伸張割合が高いことも示された（図2-16）。また，反復するひずみが靱帯に蓄積し靱帯を不可逆的に伸張させることが後天的な不安定肩を進行させる要因になると考察した。つまり投球のような外転・外旋動作の反復により前下方に位置するIGHLや関節包は徐々に伸張されることが示唆される。

前方関節包の弛緩性の要因についてのバイオメカニクス的な報告がみられるのに対し，後方関節包のタイトネスの要因に関する報告は少ない。Burkhartら[35]は後方関節包のタイトネスについて，投球時のフォロースルー期における牽引力（図2-17）の適応の結果として後下方関節包の肥厚と短縮が起こると述べたが，実験室レベルでの研究ではなく，あくまで推測の域を出ない。ただし，術中の後方関節包を観察した報告では，インピンジメント症候群と診断され肩関節に内旋制限がある患者において後方関節包の肥厚がみられ[45]，後方関節包の肥厚とタイトネスとの関係が示唆された。

2. 組織順応と関節運動学的変化

上記のような組織順応により，肩関節の運動学的変化が起こるという報告[19, 46～52]は数多くみられる。その関係については，主に屍体肩から肩関節モデルを作製し，それを利用することや肩関節の手術前後の関節運動学的変化を比較することで研究されている。

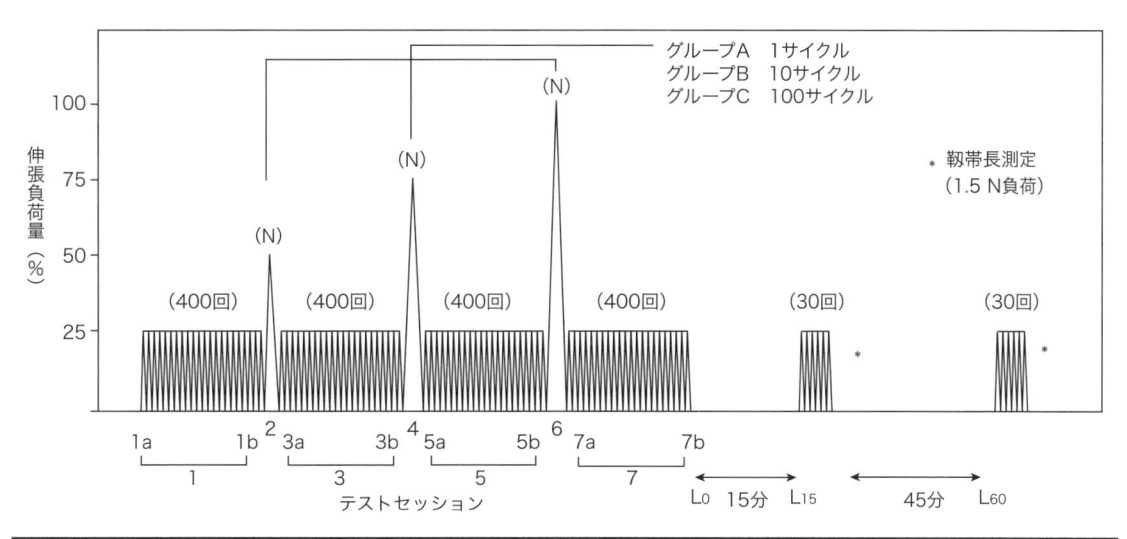

図2-14 下関節上腕靱帯への反復負荷の実験プロトコール(文献44より引用)

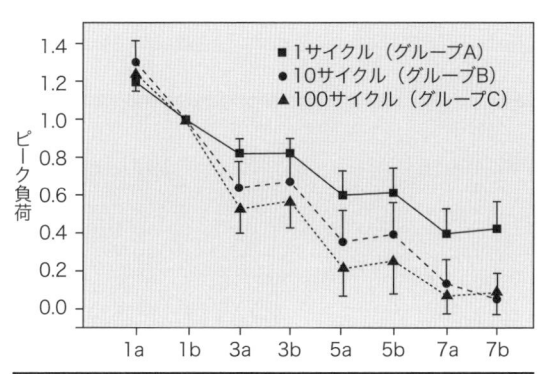

図2-15 反復する伸張負荷による靱帯の特性変化(文献44より引用)

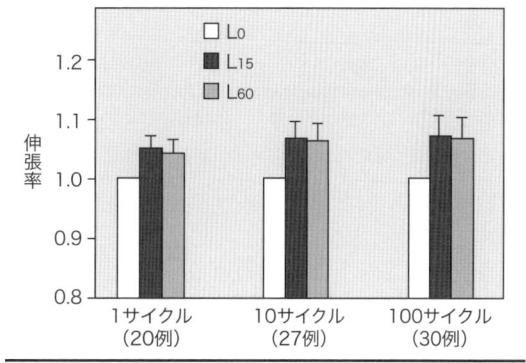

図2-16 靱帯長の変化(文献44より引用)

1) 関節可動域

前方関節包の弛緩性や後方関節包のタイトネスによる肩関節可動域の変化に関する報告は多数存在する。Rheeら[53]は,肩甲上腕靱帯の剥離による前方不安定性に対して手術を施行したところ外旋可動域が減少したと報告した。また屍体肩を用いたシミュレーションによる実験によると,前方関節包切断時には肩甲上腕関節外転0〜60°において外旋角が増大した[19, 51, 54]。Kuhnら[51]は,屍体肩より上腕二頭筋,回旋筋腱板,烏口上腕靱帯,関節包を残した肩甲上腕関節モデルを作製し,IGHL-AB,上関節上腕靱帯(SGHL)+中関節上腕靱帯(MGHL),烏口上腕靱帯(CHL),後方関節包(PC)を切断した際の肩関節を外旋させ

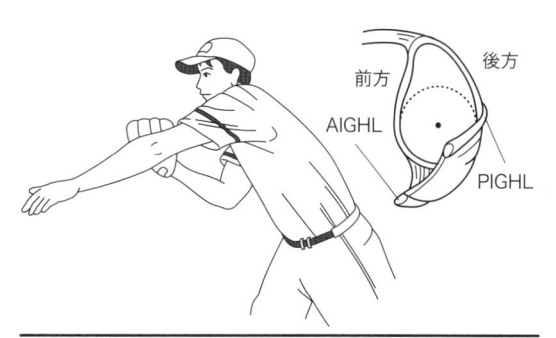

図2-17 フォロースルー期における下関節上腕靱帯へのストレス(文献35より作図)

るのに必要なトルクを肩甲上腕関節外転0°および60°において比較した。その結果,両肢位において下関節上腕靱帯切断時の外旋トルクが最も低い値となり,SGHLやMGHL切断時よりも容易

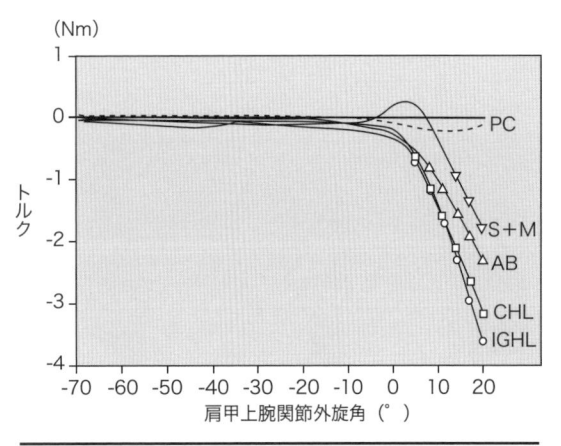

図2-18 トルク・回旋角曲線（0°外転位）（文献51より引用）
PC：後方関節包，S＋M：上関節上腕靱帯＋中関節上腕靱帯，AB：下関節上腕靱帯（AB），CHL：烏口上腕靱帯，IGHL：下関節上腕靱帯．

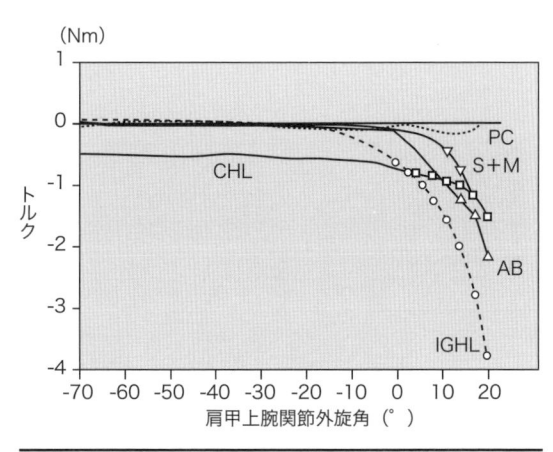

図2-19 トルク・回旋角曲線（60°外転位）（文献51より引用）
PC：後方関節包，S＋M：上関節上腕靱帯＋中関節上腕靱帯，AB：下関節上腕靱帯（AB），CHL：烏口上腕靱帯，IGHL：下関節上腕靱帯．

に外旋しやすくなった（図2-18，図2-19）。

後方関節包のタイトネスが起きた際の関節可動域への影響については，後方関節包を縫合し，拘縮モデルを作製した際の可動域の変化が報告された。後方関節包を縫合すると，肩関節90°外転位や屈曲位での内旋可動域が減少する[48,49,52]。GageyとBoisrenoult[48]は温熱刺激を加えることでMGHL（step 1），IGHL-AB（step 2），IGHL-PB（step 3）の順に短縮させ，肩関節の関節可動域の変化をみた。その結果，肩関節90°外転位での内旋可動域はIGHL-PBを短縮させた際に減少した（図2-20，図2-21）。また手術中の後方関節包について観察した報告[45,55]によると，後方関節包を切離した際に内旋可動域が増加し[55]，後方関節包の肥厚がみられた[45]。MRIでも同様に，内旋可動域制限のあるオーバーハンドスポーツ選手にて後方関節唇の肥大および後方関節包の肥厚がみられた[56]。これらの報告から後方関節包の肥厚，すなわちタイトネスにより内旋可動域が減少したと考えられ，実際に野球選手において投球側の肩関節内旋可動域が減少するという報告から[52,57]，オーバーヘッドスポーツと後方関節包のタイトネスとの関連性が示唆された。

2）骨頭偏位

前方関節包の弛緩性や後方関節包のタイトネスによる骨頭偏位量の変化についての報告も散見される。前方関節包の弛緩性について，IGHL切断により外転時や外転・水平伸展時の前方への偏位が増大した[46]。また，前方関節包伸張時には外転・最大外旋時には骨頭が前下方へ偏位した[1,50]。後方関節包のタイトネスについて，Harrymanら[58]は肩関節屈曲時には骨頭が前上方に偏位し，そのことが肩峰下のスペースを減少させインピンジメント症候群などの肩関節疾患を引き起こすと述べた。Grossmanら[50]は上腕二頭筋，烏口肩峰アーチ，関節包を残した肩甲上腕関節モデルを用い，何も加えないままの正常肩モデル，外旋方向へ30分間徐々にストレッチを加え前方関節包の弛緩性モデルを作製した。その後，後下方関節包を縫合して後下方関節包タイトネスモデルを作製し，肩甲上腕関節外転60°（肩関節外転90°をシミュレーション）にて非荷重下で軸圧を22 Nかけ，各種ストレスを加えた際の骨頭の偏位を測定した。その結果，下垂位にて前方へ20 Nのストレスをかけた際，両モデルともに前方偏位量が増大した（図2-22）。また中間位から最大外旋さ

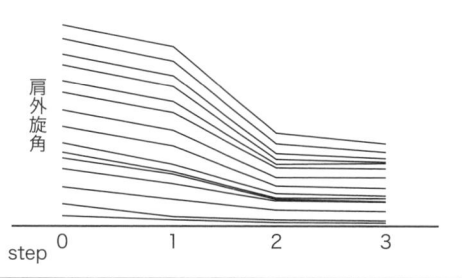

図2-20 外旋角の変位（90°外転位）（文献48より引用）

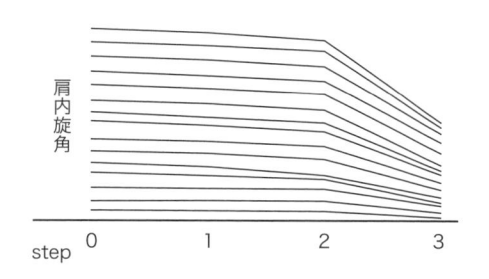

図2-21 内旋角の変位（90°外転位）（文献48より引用）

せた際に，正常肩モデルでは骨頭は後下方に偏位する。それに比べ前方関節包弛緩性モデルでは骨頭の下方偏位量は増大し後方偏位量は減少する傾向がみられた。後下方関節包タイトネスモデルでは骨頭の下方偏位量は減少し後方偏位量は増大する傾向がみられた。しかし，いずれも有意な差は認められなかった（図2-23）。

Huffmanら[59]はGrossmanらと同様に，筋，烏口上腕靱帯，烏口肩峰靱帯を切離した肩甲上腕関節により，前方関節包弛緩性モデルおよび前方関節包弛緩性＋後方関節包タイトネスモデル（投球肩モデル）を作製した。これに荷重下で44 Nの軸圧をかけ，肩甲上腕関節60°外転位における最大外旋から最大内旋までの運動時の骨頭偏位を測定した。その結果，正常モデルと比較して，最大外旋時には前方関節包弛緩性モデルで5.2 mm，投球肩モデルで7.5 mm後方へ有意に偏位した（図2-24）。また最大内旋時には前方関節包弛緩性モデルでは変化はなく，投球肩モデルでは

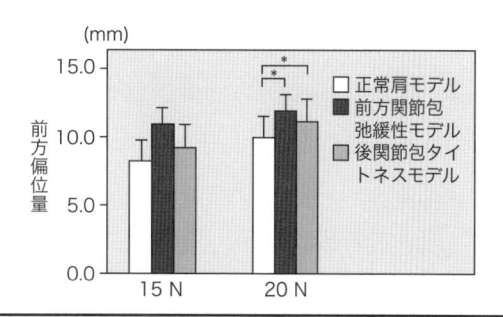

図2-22 骨頭の前方偏位量（文献50より引用）
* $p < 0.05$。

3.5 mm前方，かつ2.8 mm下方に偏位した（図2-25）。投球肩モデルにおいて最大外旋位から最大内旋位までの骨頭の偏位は，150〜135°外旋位で有意に骨頭が後方へ偏位し，15〜0°で骨頭は有意に前方へ偏位した（図2-26）。このことよりHuffmanは，後下方関節包の短縮は後期コッキング期だけでなく，加速期や減速期，フォロースルー期にも肩甲上腕関節の運動が変化する可能性があると述べた。

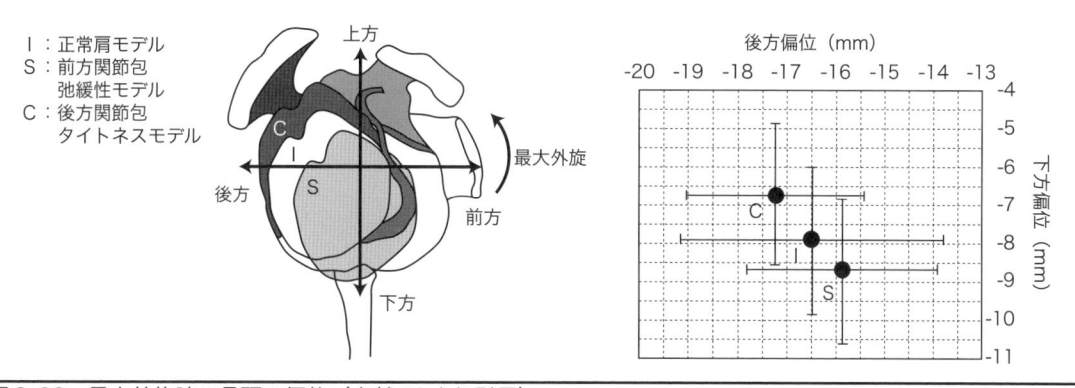

図2-23 最大外旋時の骨頭の偏位（文献50より引用）

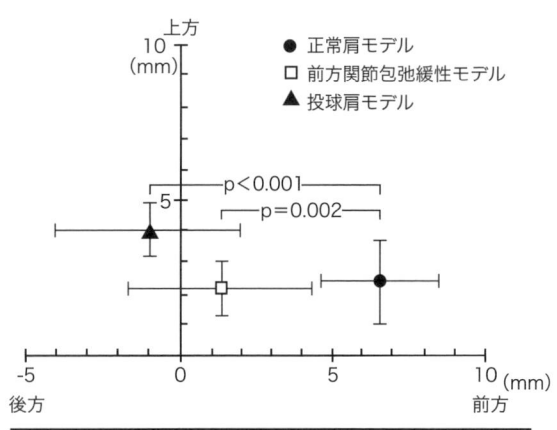

図2-24 最大外旋時の骨頭偏位量(文献59より引用)

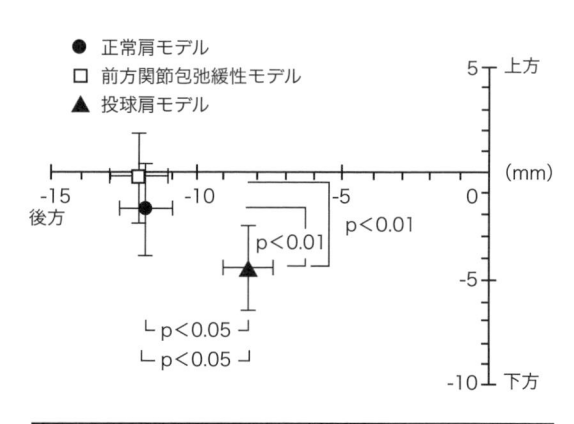

図2-25 最大内旋時の骨頭偏位量(文献59より引用)

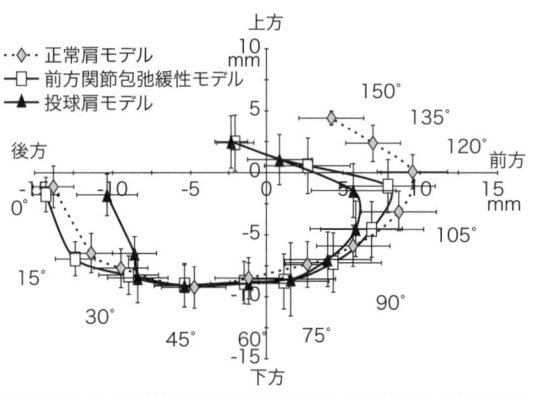

図2-26 最大外旋-内旋時の骨頭の偏位(文献59より引用)

E. 疾患との関連

1. Bankart病変と不安定性

　Bankart病変はIGHL（anterior band）を含む前下方関節包の臼蓋からの剥離である。Bankart病変は肩の不安定性を引き起こすと考えられていたが，近年ではBankart病変のみでは骨頭の偏位量は有意に増加せず，不安定性は起こらないことが示された[60]（図2-27）。
　Pouliartら[61]は肩甲上腕関節の前方不安定性をグレード0から4に分けた（図2-28）。Bankart病変のみではグレード4の完全脱臼は起こらず，SGHL，IGHL anterior bandあるいはposterior bandおよび前方関節包のうち最低でも3つの部分が断裂していることが必要で，肩甲下筋が断裂しないかぎりはSGHLおよびIGHLの損傷が必須であると述べた。前方不安定性のある肩の97％でBankart病変が確認されたという報告から[19]，不安定性を起こしている場合にはほとんどの場合，Bankart病変だけでなく周囲の関節包，靱帯の機能障害を伴っていると述べた[60]。

2. 関節唇損傷の肩甲上腕関節への影響

　関節唇が損傷することにより付着する筋や関節包靱帯の機能が低下する。それにより肩甲上腕関節の安定性が破綻する。関節唇上方の完全損傷では，関節唇上部に付着するSGHL, MGHL，後上方関節包の機能が低下し，低い挙上位における骨頭の前下方への不安定性や，外転外旋位における前下方への不安定性が増大すると報告された[62,63]。それに対し，高い挙上位や前上方の関節唇のみの損傷では骨頭の偏位量に変化はなく，不安定性は起こりえない[62,63]。McMahonnら[62]は11時から1時の方向までの関節唇を関節窩の骨膜からめくりあげたモデル（SLAP-II-1モデル）と11時から1時の方向までの関節唇を完全に切離したモデル（SLAP-II-2モデル）を作製し，肩甲上腕関節30°，60°外転位における骨頭の前方および下方の偏位量を比較した。その結果，前方偏位量は，両モデルとも正常と比べ有意に増大し，特に30°外転位での前方偏位量は

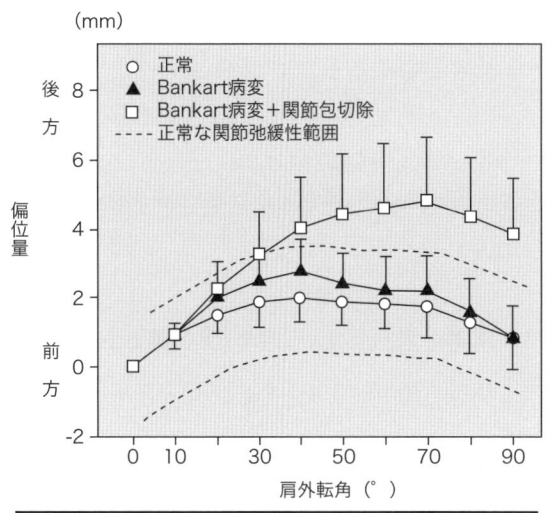

図2-27　骨頭偏位量（文献60より引用）

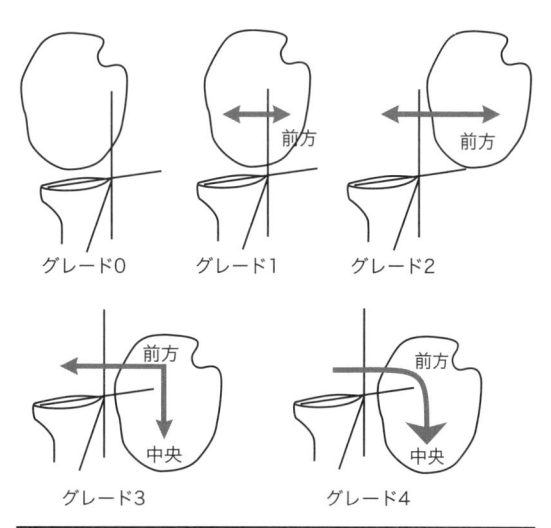

図2-28　前方不安定性のグレード分類（文献61より作図）

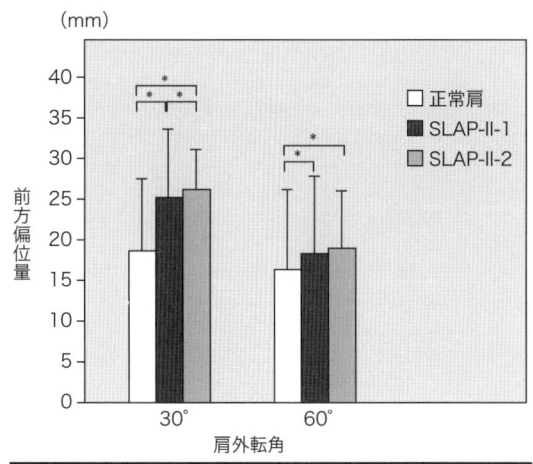

図2-29　骨頭前方偏位量の比較（文献62より引用）

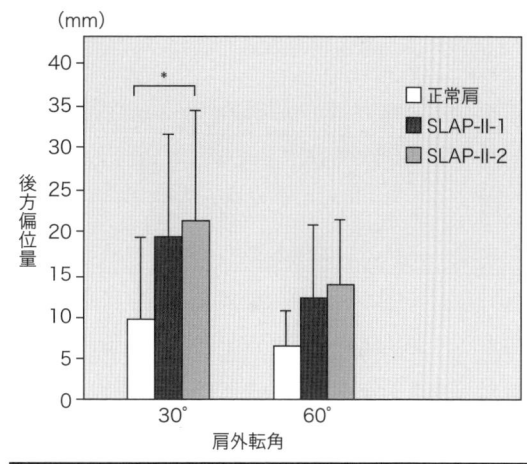

図2-30　骨頭下方偏位量の比較（文献62より引用）

SLAP-Ⅱ-1モデルよりもSLAP-Ⅱ-2モデルで有意に増大した（**図2-29**）。また下方偏位量については，SLAP-Ⅱ-2モデルにおいてのみ正常と比べ有意に偏位量が増大した（**図2-30**）。このことより，SLAPの損傷の拡大により上腕骨頭の不安定性も増大する可能性が示唆された。また前下方の関節唇を切除した研究によると，前下方への安定性が65％低下した[64]。周囲の関節包の切除を行わず，前方あるいは下方の関節唇のみを切除した報告[65]では，それぞれ前方および下方の安定性がわずかに低下した。これは関節唇がバンパーの役目を果たしていることを示すものであり，関節唇損傷は付着する靱帯の機能不全のほかにバンパーとしての機能不全も起こり，その結果，関節の安定性を低下させる可能性がある。

最後に関節唇の病態について，上腕二頭筋腱-関節唇連結部の可動性にはバリエーションがあり，関節唇にも可動性が高いものも低いものも存在する[66]。このことは単純に関節唇の可動性が高いことがすなわち病的なものではないことを示唆しており，臨床上病的であるか否かを判断することが難しい。

F. まとめと今後の課題

　肩甲上腕関節の安定性に対する周辺組織の貢献に関しては，その形状や走行，機械的特性などから一定の見解が得られている。スポーツ動作の反復による組織変化が起きること（たとえば繰り返しの投球動作などにより前方関節包は伸張され，後方関節包は拘縮すること）は現在では誰もが知るところである。いわゆる弛緩性やタイトネスという組織変化による肩甲上腕関節の運動の変化については，手術前後の比較や屍体モデルを用いた研究により徐々に明らかになってきた。特に前方関節包の弛緩性の影響については一定の見解が得られている。一方，後方関節包のタイトネスによる骨頭の運動の変化については報告により若干異なる。これらの原因として考えられるのは，屍体肩モデルの残存組織や拘縮位置の違いなどである。より生体を再現したモデルを用いることや，実際に投球肩において後方関節包のどの部分が拘縮するかを明らかにすることが必要であると考えられる。また弛緩性やタイトネスといった組織変化がどのようなメカニズムで起きているのかはいまだ考察段階にとどまっているのが現状である。そのメカニズムの解明は可及的な理学療法を進めるうえで重要であり，しいては肩関節のそのような組織変化の予防にもつながる可能性がある。

1. すでに事実として承認されていること

- 関節唇の上部は肩甲上腕関節の接触面を増大させ，下部は上腕骨頭を制動するバンパーのような役割をもつ。
- 関節包靱帯は肩甲上腕関節の安定性に関与し，その機能は上腕骨の肢位により変化する。
- 前方関節包はオーバーヘッド動作のようなスポーツ動作の繰り返しにより弛緩する。
- 上腕骨頭の運動は肩関節包の弛緩性やタイトネスにより変化する。

2. 議論の余地はあるが，今後の重要な研究テーマとなること

- オーバーヘッドスポーツ選手の後方関節包タイトネスの正確な位置について。
- 肩関節包の弛緩性やタイトネスが発生する機序について。

3. 真実と思われていたが，実は疑わしいこと

- Bankart病変は単独で肩の前方不安定性を引き起こす。

文献

1. O'Brien SJ, Schwartz RS, Warren RF, Torzilli PA. Capsular restraints to anterior-posterior motion of the abducted shoulder: a biomechanical study. *J Shoulder Elbow Surg*, 1995; 4: 298-308.
2. Cooper DE, Arnoczky SP, O'Brien SJ, Warren RF, DiCarlo E, Allen AA. Anatomy, histology, and vascularity of the glenoid labrum. An anatomical study. *J Bone Joint Surg Am*. 1992; 74: 46-52.
3. Vangsness CT Jr, Jorgenson SS, Watson T, Johnson DL. The origin of the long head of the biceps from the scapula and glenoid labrum. An anatomical study of 100 shoulders. *J Bone Joint Surg Br*. 1994; 76: 951-4.
4. Pagnani MJ, Deng XH, Warren RF, Torzilli PA, O'Brien SJ. Role of the long head of the biceps brachii in glenohumeral stability: a biomechanical study in cadaver. *J Shoulder Elbow Surg*. 1996; 5: 255-62.
5. Andrews JR, Carson WG Jr, McLeod WD. Glenoid labrum tears related to the long head of the biceps. *Am J Sports Med*. 1985; 13: 337-41.
6. Tuoheti Y, Itoi E, Minagawa H, Yamamoto N, Saito H, Seki N, Okada K, Shimada Y, Abe H. Attachment types of the long head of the biceps tendon to the glenoid labrum and their relationships with the glenohumeral ligaments. *Arthroscopy*. 2005; 21: 1242-9.
7. Waldt S, Metz S, Burkart A, Mueller D, Bruegel M, Rummeny EJ, Woertler K. Variants of the superior labrum and labro-bicipital complex: a comparative study of shoulder specimens using MR arthrography, multi-slice CT arthrography and anatomical dissection. *Eur Radiol*. 2006; 16: 451-8.
8. Morgan CD, Burkhart SS, Palmeri M, Gillespie M. Type II SLAP lesions: three subtypes and their relationships to superior instability and rotator cuff tears. *Arthroscopy*. 1998; 14: 553-65.
9. O'Brien SJ, Neves MC, Arnoczky SP, Rozbruck SR, Dicarlo EF, Warren RF, Schwartz R, Wickiewicz TL. The anatomy and histology of the inferior glenohumeral ligament complex of the

shoulder. *Am J Sports Med.* 1990; 18: 449-56.
10. Wilk KE, Arrigo CA, Andrews JR. Current concepts: the stabilizing structures of the glenohumeral joint. *J Orthop Sports Phys Ther.* 1997; 25: 364-79.
11. Burkart AC, Debski RE. Anatomy and function of the glenohumeral ligaments in anterior shoulder instability. *Clin Orthop Relat Res.* 2002; 400: 32-9.
12. Warner JJ, Deng XH, Warren RF, Torzilli PA. Static capsuloligamentous restraints to superior-inferior translation of the glenohumeral joint. *Am J Sports Med.* 1992; 20: 675-85.
13. Soslowsky LJ, Malicky DM, Blasier RB. Active and passive factors in inferior glenohumeral stabilization: a biomechanical model. *J Shoulder Elbow Surg.* 1997; 6: 371-9.
14. Jost B, Koch PP, Gerber C. Anatomy and functional aspects of the rotator interval. *J Shoulder Elbow Surg.* 2000; 9: 336-41.
15. O'Connell PW, Nuber GW, Mileski RA, Lautenschlager E. The contribution of the glenohumeral ligaments to anterior stability of the shoulder joint. *Am J Sports Med.* 1990; 18: 579-84.
16. Ovesen J, Nielsen S. Stability of the shoulder joint. Cadaver study of stabilizing structures. *Acta Orthop Scand.* 1985; 56: 149-51.
17. Harryman DT 2nd, Sidles JA, Harris SL, Matsen FA 3rd. The role of the rotator interval capsule in passive motion and stability of the shoulder. *J Bone Joint Surg Am.* 1992; 74: 53-66.
18. Halder AM, Itoi E, An KN. Anatomy and biomechanics of the shoulder. *Orthop Clin North Am.* 2000; 31: 159-76.
19. Turkel SJ, Panio MW, Marshall JL, Girgis FG. Stabilizing mechanisms preventing anterior dislocation of the glenohumeral joint. *J Bone Joint Surg Am.* 1981; 63: 1208-17.
20. Debski RE, Sakone M, Woo SL, Wong EK, Fu FH, Warner JJ. Contribution of the passive properties of the rotator cuff to glenohumeral stability during anterior-posterior loading. *J Shoulder Elbow Surg.* 1999; 8: 324-9.
21. Urayama M, Itoi E, Hatakeyama Y, Pradhan RL, Sato K. Function of the 3 portions of the inferior glenohumeral ligament: a cadaveric study. *J Shoulder Elbow Surg.* 2001; 10: 589-94.
22. Ferrari DA. Capsular ligaments of the shoulder. Anatomical and functional study of the anterior superior capsule. *Am J Sports Med.* 1990; 18: 20-4.
23. Bowen MK, Warren RF. Ligamentous control of shoulder stability based on selective cutting and static translation experiments. *Clin Sports Med.* 1991; 10: 757-82.
24. Wuelker N, Korell M, Thren K. Dynamic glenohumeral joint stability. *J Shoulder Elbow Surg.* 1998; 7: 43-52.
25. Boardman ND, Debski RE, Warner JJ, Taskiran E, Maddox L, Imhoff AB, Fu FH, Woo SL. Tensile properties of the superior glenohumeral and coracohumeral ligaments. *J Shoulder Elbow Surg.* 1996; 5: 249-54.
26. Eiserloh H, Drez D Jr, Guanche CA. The long head of the triceps: a detailed analysis of its capsular origin. *J Shoulder Elbow Surg.* 2000; 9: 332-5.
27. Ticker JB, Bigliani LU, Soslowsky LJ, Pawluk RJ, Flatow EL, Mow VC. Inferior glenohumeral ligament: geometric and strain-rate dependent properties. *J Shoulder Elbow Surg.* 1996; 5: 269-79.
28. Bigliani LU, Pollock RG, Soslowsky LJ, Flatow EL, Pawluk RJ, Mow VC. Tensile properties of the inferior glenohumeral ligament. *J Orthop Res.* 1992; 10: 187-97.
29. Ticker JB, Flatow EL, Pawluk RJ, Soslowsky LJ, Ratcliffe A, Arnoczky SP, Mow VC, Bigliani LU. The inferior glenohumeral ligament: a correlative investigation. *J Shoulder Elbow Surg.* 2006; 15: 665-74.
30. McMahon PJ, Tibone JE, Cawley PW, Hamilton C, Fechter JD, Elattrache NS, Lee TQ. The anterior band of the inferior glenohumeral ligament: biomechanical properties from tensile testing in the position of apprehension. *J Shoulder Elbow Surg.* 1998; 7: 467-71.
31. McMahon PJ, Dettling J, Sandusky MD, Tibone JE, Lee TQ. The anterior band of the inferior glenohumeral ligament. Assessment of its permanent deformation and the anatomy of its glenoid attachment. *J Bone Joint Surg Br.* 1999; 81: 406-13.
32. McMahon PJ, Dettling JR, Sandusky MD, Lee TQ. Deformation and strain characteristics along the length of the anterior band of the inferior glenohumeral ligament. *J Shoulder Elbow Surg.* 2001; 10: 482-8.
33. Bey MJ, Hunter SA, Kilambi N, Butler DL, Lindenfeld TN. Structural and mechanical properties of the glenohumeral joint posterior capsule. *J Shoulder Elbow Surg.* 2005; 14: 201-6.
34. Moore SM, McMahon PJ, Azemi E, Debski RE. Bi-directional mechanical properties of the posterior region of the glenohumeral capsule. *J Biomech*, 2005; 38: 1365-9.
35. Burkhart SS, Morgan CD, Kibler WB. The disabled throwing shoulder: spectrum of pathology Part I: pathoanatomy and biomechanics. *Arthroscopy.* 2003; 19: 404-20.
36. Glousman R, Jobe F, Tibone J, Moynes D, Antonelli D, Perry J. Dynamic electromyographic analysis of the throwing shoulder with glenohumeral instability. *J Bone Joint Surg Am.* 1988; 70: 220-6.
37. Jobe FW, Giangarra CE, Kvitne RS, Glousman RE. Anterior capsulolabral reconstruction of the shoulder in athletes in overhand sports. *Am J Sports Med.* 1991; 19: 428-34.
38. Kvitne RS, Jobe FW, Jobe CM. Shoulder instability in the overhand or throwing athlete. *Clin Sports Med.* 1995; 14: 917-35.
39. Crockett HC, Gross LB, Wilk KE, Schwartz ML, Reed J, O'Mara J, Reilly MT, Dugas JR, Meister

K, Lyman S, Andrew JR. Osseous adaptation and range of motion at the glenohumeral joint in professional baseball pitchers. *Am J Sports Med.* 2002; 30: 20-6.
40. Tyler TF, Nicholas SJ, Roy T, Gleim GW. Quantification of posterior capsule tightness and motion loss in patients with shoulder impingement. *Am J Sports Med.* 2000; 28: 668-73.
41. Kibler WB, Chandler TJ, Livingston BP, Roetert EP. Shoulder range of motion in elite tennis players. Effect of age and years of tournament play. *Am J Sports Med.* 1996; 24: 279-85.
42. Bak K, Magnusson SP. Shoulder strength and range of motion in symptomatic and pain-free elite swimmers. *Am J Sports Med.* 1997; 25: 454-9.
43. Fleisig GS, Andrews JR, Dillman CJ, Escamilla RF. Kinetics of baseball pitching with implications about injury mechanisms. *Am J Sports Med.* 1995; 23: 233-9.
44. Pollock RG, Wang VM, Bucchieri JS, Cohen NP, Huang CY, Pawluk RJ, Flatow EL, Bigliani LU, Mow VC. Effects of repetitive subfailure strains on the mechanical behavior of the inferior glenohumeral ligament. *J Shoulder Elbow Surg.* 2000; 9: 427-35.
45. Ticker JB, Beim GM, Warner JJ. Recognition and treatment of refractory posterior capsular contracture of the shoulder. *Arthroscopy.* 2000; 16: 27-34.
46. Curl LA, Warren RF. Glenohumeral joint stability. Selective cutting studies on the static capsular restraints. *Clin Orthop Relat Res.* 1996; 330: 54-65.
47. Fitzpatrick MJ, Tibone JE, Grossman M, McGarry MH, Lee TQ. Development of cadaveric models of a thrower's shoulder. *J Shoulder Elbow Surg.* 2005; 14: 49S-57S.
48. Gagey OJ, Boisrenoult P. Shoulder capsule shrinkage and consequences on shoulder movements. *Clin Orthop Relat Res.* 2004; 419: 218-22.
49. Gerber C, Werner CM, Macy JC, Jacob HA, Nyffeler RW. Effect of selective capsulorrhaphy on the passive range of motion of the glenohumeral joint. *J Bone Joint Surg Am.* 2003; 85: 48-55.
50. Grossman MG, Tibone JE, McGarry MH, Schneider DJ, Veneziani S, Lee TQ. A cadaveric model of the throwing shoulder: a possible etiology of superior labrum anterior-to-posterior lesions. *J Bone Joint Surg Am.* 2005; 87: 824-31.
51. Kuhn JE, Huston LJ, Soslowsky LJ, Shyr Y, Blasier RB. External rotation of the glenohumeral joint: ligament restraints and muscle effects in the neutral and abducted positions. *J Shoulder Elbow Surg.* 2005; 14: 39S-48S.
52. Myers JB, Laudner KG, Pasquale MR, Bradley JP, Lephart SM. Glenohumeral range of motion deficits and posterior shoulder tightness in throwers with pathologic internal impingement. *Am J Sports Med.* 2006; 34: 385-91.
53. Rhee YG, Cho NS. Anterior shoulder instability with humeral avulsion of the glenohumeral ligament lesion. *J Shoulder Elbow Surg.* 2007; 16: 188-92.
54. Jansen JH, De Gast A, Snijders CJ. Glenohumeral elevation-dependent influence of anterior glenohumeral capsular lesions on passive axial humeral rotation. *J Biomech.* 2006; 39: 1702-7.
55. Warner JJ, Allen AA, Marks PH, Wong P. Arthroscopic release of postoperative capsular contracture of the shoulder. *J Bone Joint Surg Am.* 1997; 79: 1151-8.
56. Tuite MJ, Petersen BD, Wise SM, Fine JP, Kaplan LD, Orwin JF. Shoulder MR arthrography of the posterior labrocapsular complex in overhead throwers with pathologic internal impingement and internal rotation deficit. *Skeletal Radiol.* 2007; 36: 495-502.
57. Borsa PA, Dover GC, Wilk KE, Reinold MM. Glenohumeral range of motion and stiffness in professional baseball pitchers. *Med Sci Sports Exerc.* 2006; 38: 21-6.
58. Harryman DT 2nd, Sidles JA, Clark JM, McQuade KJ, Gibb TD, Matsen FA 3rd. Translation of the humeral head on the glenoid with passive glenohumeral motion. *J Bone Joint Surg Am.* 1990; 72: 1334-43.
59. Huffman GR, Tibone JE, McGarry MH, Phipps BM, Lee YS, Lee TQ. Path of glenohumeral articulation throughout the rotational range of motion in a thrower's shoulder model. *Am J Sports Med.* 2006; 34: 1662-9.
60. Speer KP, Deng X, Borrero S, Torzilli PA, Altchek DA, Warren RF. Biomechanical evaluation of a simulated Bankart lesion. *J Bone Joint Surg Am.* 1994; 76: 1819-26.
61. Pouliart N, Gagey O. Simulated humeral avulsion of the glenohumeral ligaments: a new instability model. *J Shoulder Elbow Surg.* 2006; 15: 728-35.
62. McMahon PJ, Burkart A, Musahl V, Debski RE. Glenohumeral translations are increased after a type II superior labrum anterior-posterior lesion: a cadaveric study of severity of passive stabilizer injury. *J Shoulder Elbow Surg.* 2004; 13: 39-44.
63. Pagnani MJ, Deng XH, Warren RF, Torzilli PA, Altchek DW. Effect of lesions of the superior portion of the glenoid labrum on glenohumeral translation. *J Bone Joint Surg Am.* 1995; 77: 1003-10.
64. Lazarus MD, Sidles JA, Harryman DT 2nd, Matsen FA 3rd. Effect of a chondral-labral defect on glenoid concavity and glenohumeral stability. A cadaveric model. *J Bone Joint Surg Am.* 1996; 78: 94-102.
65. Pouliart N, Gagey O. The effect of isolated labrum resection on shoulder stability. *Knee Surg Sports Traumatol Arthrosc.* 2006; 14: 301-8.
66. Davidson PA, Rivenburgh DW. Mobile superior glenoid labrum: a normal variant or pathologic condition? *Am J Sports Med.* 2004; 32: 962-6.

〈河村　真史，坂田　淳，木村　佑〉

3. 肩甲胸郭機構

はじめに

　肩甲胸郭機構は体幹と上肢を連結しており，その機能が肩関節，さらには上肢全体の運動に影響する．本項ではそうした肩甲胸郭機構のバイオメカニクスを肩甲骨の運動を中心にレビューした．まず肩甲骨の運動，位置を定義し，肩甲上腕リズムを中心とした正常運動のバイオメカニクスについて整理した．続いて，肩甲上腕リズムの異常運動と各疾患との関係をレビューした．

A. 文献検索方法

　文献検索はPubmedを用い，「scapula」，「scapulohumeral」，「rhythm」をキーワードとして検索を行った．その結果292件が該当した．これらの文献のタイトル，要旨から肩甲胸郭機構に関する文献を抽出した．また，先行研究から該当する論文を加え，38件の文献をレビューの対象とした．

B. 肩甲骨の運動，位置

1. 肩甲骨運動の定義

　肩甲骨の運動は，直交する3つの平面，すなわち矢状面，前額面，水平面において生じる回転運動ととらえることができる．しかし，これらの回転運動に関する用語や定義は研究者間で異なっており，混乱が生じている．本項では近年多用されている定義[1～3]を用い，肩甲骨の矢状面上の運動を①前傾/後傾（anterior/posterior tilting：AT/PT），水平面上の運動を②内旋/外旋（internal/external rotation：IR/ER），前額面上の運動を③上方回旋/下方回旋（upward/downward rotation：UR/DR）と記述する（図3-1）．

2. 肩甲骨の位置

　上肢下垂位における肩甲骨の位置は，棘突起より約3cm外方で，第2～8肋骨間の高さにあるとされる[4]．また，三次元的には脊椎を基準としてPT約12°，UR約10°，IR 45°の回旋した位置にある[5]．

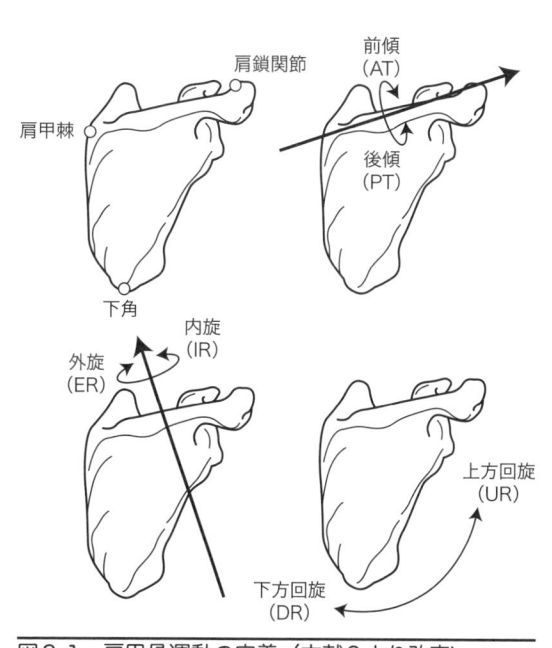

図3-1　肩甲骨運動の定義（文献3より改変）
AT/PT：anterior/posterior tilting, IR/ER：internal/external rotation, UR/DR：upward/downward rotation。

表3-1 肩甲上腕リズムに関する主な研究（文献2より改変）

著者（年）	方　法	角　度	肩甲上腕リズム（SHR）
Inman（1944）	二次元X線	30〜150	2：1
Poppen（1976）	二次元X線	30〜150	1.25：1
Bagg（1988）	二次元写真	0〜168	1.25：1〜1.33：1
McQuade（1995）	三次元静的デジタイザ	0〜130	3.26：1　　PT 31, UR 32, ER 67
van der Helm（1995）	三次元静的デジタイザ	0〜180	2：1　　　 PT 30, UR 60, ER 25
Ludewig（1996）	三次元静的デジタイザ	0〜140	2.89：1　　PT 15, UR 34, ER 13
McQuade（1998）	三次元動的デジタイザ	0〜最大	3.1：1〜4.3：1

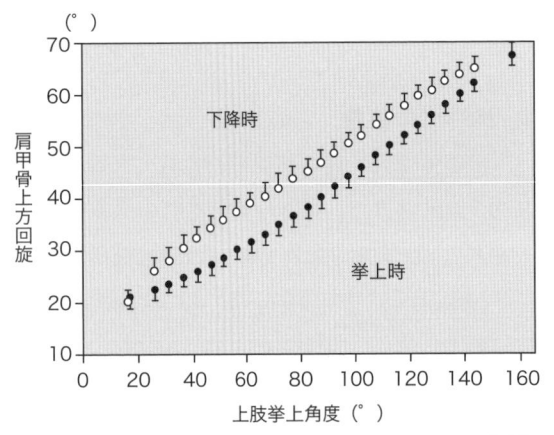

図3-2　矢状面挙上における肩甲骨上方回旋（文献2より改変）

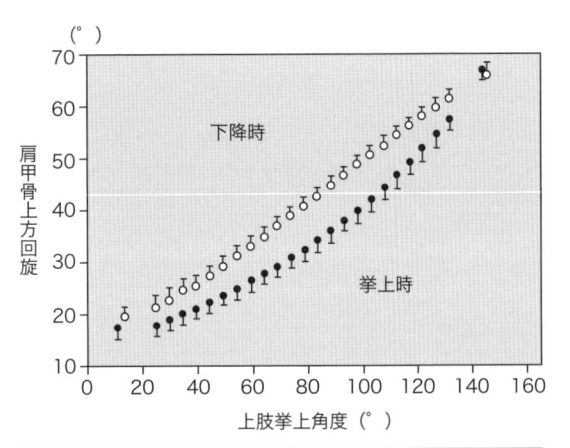

図3-3　肩甲骨面挙上における肩甲骨上方回旋（文献2より改変）

C. 肩甲骨の正常運動

1. 肩甲上腕リズム

　肩甲上腕リズム（scapulohumeral rhythm：SHR）は，上肢挙上運動（主に肩甲骨面上）に際しての肩甲骨URに対する肩甲上腕関節の外転角度（glenohumeral：GH/scapulothoracic：ST）であり，肩甲骨URに対してGH外転角度が大きいほどSHRは大きいと表現される。この比率については1944年にInmanら[6]によって2：1であると最初に報告されて以来，肩関節運動の協調性の指標としてさまざまな研究がなされてきた[1,7〜11]（**表3-1**）。

　その結果，当初SHRは上肢挙上運動を通して一定とされていたのに対し，実際では挙上角度によって異なる非直線的な変化を示すことが明らかとなった[2, 8, 11]。SHRの数値には各研究によりばらつきがみられるが，その理由は測定に用いる機器の違いのほか，測定対象とする上肢挙上角度や運動・角度の定義が研究者間で異なることにあると考えられる。

　肩甲骨運動に関する研究法は，初期のX線や写真をもとにしたSHRの二次元的計測から，三次元動作解析技術の発展に伴い，1990年代後半以降では体表マーカーを用いた3平面上での肩甲骨の回旋角度の測定へと推移する傾向にあった。さらに2000年代には，より信頼性の高いと考えられる，骨ピンを用いた三次元動作解析が報告されている。

　骨ピンを用いた計測をみると，McClureら[2]

が，上肢挙上と肩甲骨運動の関係を報告した．この報告では，矢状面挙上に伴う肩甲骨URは曲線的に増加し，SHRの平均は2.0：1であった（**図3-2**）．また，PT 31°，ER 26°の回旋がみられた．肩甲骨面挙上では肩甲骨URの増加に伴いSHRは平均1.7：1であった（**図3-3**）．PTは30°，ERは26°であった．矢状面挙上，肩甲骨面挙上とも，挙上時に比べ下降時に肩甲骨URが大きくなるという特徴も示された．さらに同報告では，肩関節外旋/内旋運動時の肩甲骨運動を計測した結果，外旋最終域で肩甲骨UR，PT，ERが急激に増加した．骨ピンを用いて肩甲骨運動を解析した研究[12]では，上肢外転運動時にほぼ同様の肩甲骨運動を示した．よって，上肢挙上運動時の正常運動は，上肢挙上に伴い肩甲骨がUR，PT，ERし，かつ曲線的にこれらの肩甲骨運動が増加するといえる．結果として，挙上運動を通じての平均SHRは約2：1であると考えられる．

2. 肩甲上腕リズムに影響を与える因子1：速度，年齢

正常運動の範疇でも，さまざまな因子がSHRに影響を与えることがわかっている．たとえば，上肢挙上の速度の影響について，低速では約2.3：1であるのに対し，高速では挙上開始時約3.0：1であり，挙上するにつれ減少し1.5：1となる[13]．年齢とSHRとの関係をみると，成人2.4：1に対し，若年者1.3：1[14]であり，若年者は成人よりもSHRが小さい傾向を示した．一方，加齢と上肢挙上90°における肩甲骨UR，PTが負の相関を示したとの報告[15]もあり，加齢とともに胸椎の後弯や，肩甲帯機能が変化し，肩甲骨の位置が変化することが示唆された．

3. 肩甲上腕リズムに影響を与える因子2：疲労

疲労後の肩甲骨運動に関して，上肢挙上運動や肩関節の疲労するまで繰り返し運動を行った後，上肢挙上時の肩甲骨運動を観察する方法で研究が行われている．McQuadeら[16]によると，挙上運動の繰り返し後，肩甲骨URが増加し，SHRが減少した．同様にEbaughら[17]は，挙上運動後の肩甲骨運動を三次元解析し，UR，ERが増加することを示し，その後の研究[18]で，外旋運動後に挙上運動の解析を行ったところ，両運動後ともにPTが減少しUR，ERが増加した．彼らはこれらの結果を受けて，PTの減少により肩峰下スペースの狭小化が起こり，その代償としてUR，ERが増加したのではないかと考察したが，実際のこれらの疲労運動による肩甲骨運動の変化とインピンジ症候群などの疾患との関連は明らかではない．

4. 筋活動

肩甲骨周囲筋の筋活動に関しては，1980年代後半にBaggら[8, 19]が報告し，この結果が引用されることが多い（**図3-4**）．挙上運動時の初期から中間にかけては，僧帽筋上部と前鋸筋が働き，その後，挙上後半から僧帽筋下部が働き，最終域では再び前鋸筋が大きく働くとした．しかし，この研究は筋活動を定量的に調査したものではなく，信頼性には疑問がある．

近年ではEbaughら[20]が挙上運動の自動運動時と他動運動時の肩甲骨運動を比較し，筋活動の影響を考察した．自動運動では90～160°におけるURが増加，160°におけるERが増加していた．自動運動中の筋活動では他動運動時に比較し，挙上運動後半の上下僧帽筋，前鋸筋の活動が増加し，これらの筋活動が90°以降のUR，ERに関与するとした．

挙上運動中の肩甲骨周囲筋の筋活動に関しては，動作解析などが積極的に行われていることに比べると研究報告が少ない．その理由としては，肩甲骨周囲の筋が入り組んでおり，干渉性が高く，そのため明瞭な結果が得られにくいことが考えられる．

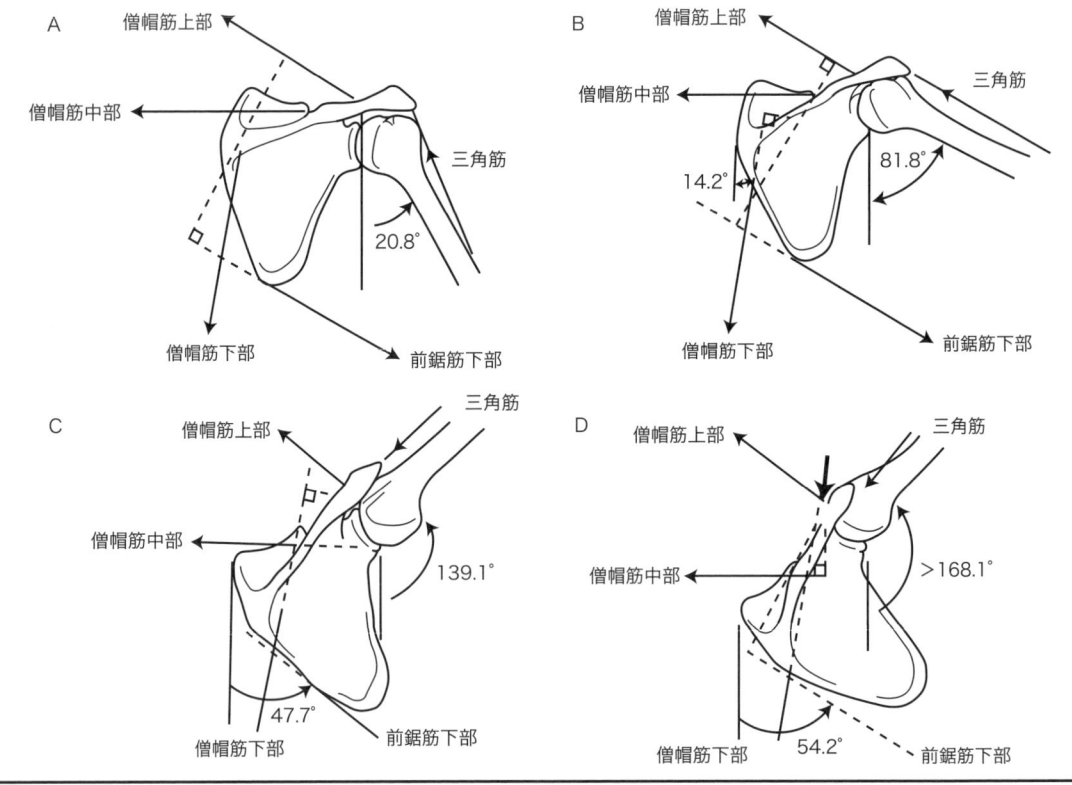

図3-4 上肢挙上時の各段階における筋活動（文献21より改変）

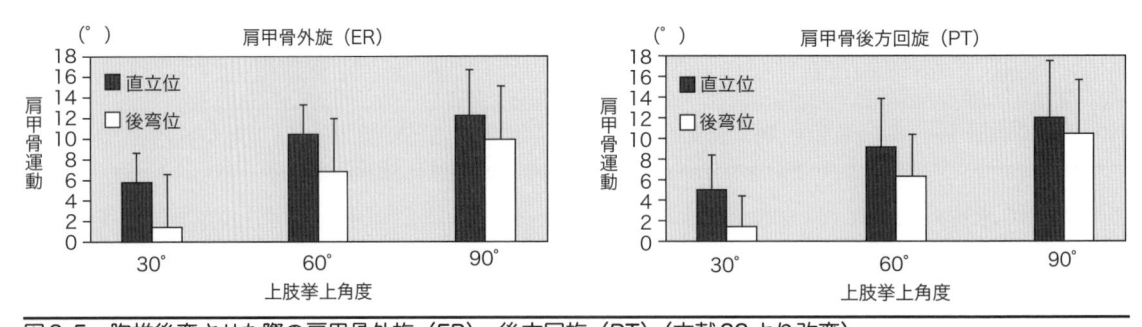

図3-5 胸椎後弯させた際の肩甲骨外旋（ER），後方回旋（PT）（文献22より改変）

D. 肩甲骨の異常運動

　肩甲骨の異常運動に関しては，まず姿勢の影響を取り上げる。肩関節疾患患者は特徴的な姿勢をとる場合も多く，姿勢が及ぼす影響は無視できない。次に肩関節可動域制限や各筋，関節のタイトネスが肩甲骨運動に及ぼす影響について，肩関節疾患患者に可動域制限やタイトネスがみられることから，こうした病態が肩甲骨運動へもたらす影響を考察する。最後に各肩関節疾患と肩甲骨運動との関連について，代表的な肩関節疾患であるインピンジメント症候群，不安定肩，腱板損傷を取り上げる。

1. 姿勢の影響

　姿勢の影響に関しては，Finleyら[22]が胸椎後弯の影響について報告している。意図的に胸椎後弯の姿勢をとった場合，開始肢位において肩甲骨

AT，URが増加していた．また，挙上運動時にはPT，ERが減少するパターンを示し（図3-5），姿勢と肩甲骨運動が密接な関係にあることが示唆された．

2．可動域制限，タイトネスの影響

可動域制限や筋や関節包のタイトネスが肩甲骨運動に及ぼす影響については，最近の研究が散見される．いずれも既往がなく，可動域制限やタイトネスを有する対象を用い，肩甲骨運動の三次元解析を行った研究である．

Borstadら[23]は上肢挙上中の三次元肩甲骨運動を小胸筋短縮群と健常群で比較した．小胸筋短縮群では上肢挙上90°，120°にてPTが減少，IRが増加した（図3-6）．この運動の変化は，インピンジメント群の運動[24]に類似し，小胸筋短縮とインピンジメント症候群の関連性が示唆された．

Linら[25]は，肩関節前方関節包および後方関節包のタイトネスをクロスチェスト（水平屈曲），ビロウチェスト（水平伸展）時の角度を用いて評価し，それぞれのタイトネス群の挙上運動時の肩甲骨運動への影響を報告した．この評価法は彼らの先行研究[26]において，その信頼性，妥当性が検証されていた．その結果，前方タイトネス群は，後方タイトネス群に比べ，挙上運動中のURが増加しSHRが減少するとともに，肩甲骨PTも減少することが明らかになった．一方，後方タイトネス対象者は前方タイトネス対象者に比べ上腕骨頭の後方偏位が減少し，上方偏位が増加した．

Borichら[27]は，肩甲上腕関節における内旋可動域の減少が，肩関節屈曲90°や肩関節外転90°における内旋運動時の肩甲骨運動にもたらす影響を報告した．その結果，内旋可動域減少群では，両肢位において肩甲骨ATが増加することにより内旋可動域の代償を行っていた．

これらの研究は，臨床上みられる可動域制限や

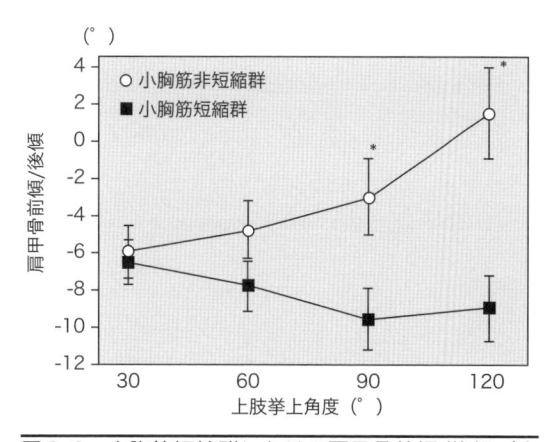

図3-6　小胸筋短縮群における肩甲骨前傾/後傾（文献23より改変）
* $p < 0.05$．

タイトネスが，肩甲骨運動にPTの減少（ATの増加）などの異常運動を引き起こすことを示唆している．したがって，こうした可動域制限やタイトネスを改善させることにより，正常な肩甲骨運動を再獲得することが期待される．また，肩甲骨異常運動とインピンジメント症候群などとの関連が示唆される．ただし，これらの運動変化が各肩関節障害を惹起するかについては今後のさらなる検討が必要である．

3．肩関節疾患との関連
1）インピンジメント症候群

インピンジメント症候群患者における肩甲胸郭機構の異常運動に関しては，三次元動作解析，筋活動解析，屍体肩における研究をレビューの対象とした．最も多くみられた三次元動作解析研究については表3-2にその一覧を示した．

Lukasiewiczら[5]は，上肢挙上30°ごとにおける肩甲骨の位置を，インピンジメント群と健常群とで比較した．その結果，インピンジメント群ではPTの減少がみられた．しかし，この測定方法は測定時にある角度で静止した状態を保持する必要があり，動的な肩甲骨運動とは異なる可能性もある．

Ludewigら[24]は，肩甲骨運動と筋活動につい

表3-2 インピンジメント症候群肩の三次元動作分析研究一覧

著者（年）	対　象	方　法	結　果
Lukasiewiczら（1999）	インピンジ群17名 対照群20名	三次元デジタイズ 挙上動作静的測定	PTの減少
LudewingとCook（2000）	インピンジ群26名 対照群26名	三次元トラッキング 挙上動作動的測定	ATの増加（PTの減少） URの減少
Graichenら（2001）	インピンジ群20名 対照群14名	MRI 挙上90°内転負荷	インピンジ群の5人にURの増加
Hebertら（2002）	インピンジ群41名 対照群10名	三次元トラッキング 挙上動作静的測定	ERの増加（対側比較） PTの過剰/不足群あり
McClureら（2006）	インピンジ群45名 対照群45名	三次元トラッキング 挙上動作動的測定	URの増加 PTの増加

て報告した．インピンジメント群では，挙上運動中の外転60°におけるURの減少，外転120°におけるATの増加，および2〜6kgの負荷を加えた際のIR増加が認められた．また，筋活動では僧帽筋上部，下部の活動が増加し，前鋸筋の活動が減少した．

Graichenら[28]は，open MRIを用いて，上肢挙上時の肩甲骨運動を計測した．対照群との間に差はみられなかったものの，外転90°において内転方向への負荷を加えた際に，インピンジメント群のうち5人が大きなURを示した．彼らはインピンジメント症候群にはさまざまな病態があり，この結果はそのうちの1つの傾向であると考察した．

Hebertら[29]は，上肢挙上時の肩甲骨運動をインピンジメント肩と対側肩で比較した．その結果，インピンジメント肩では矢状面挙上時の110°におけるERが増加していた．また，彼らはインピンジメント肩のAT/PTを対側と比較し，対側よりPTの過剰群，不足群，対照群の3つのサブグループに分けて検討した．サブグループにおいては対照群が最も多く半数以上で，過剰群，不足群が同程度であった．また，対照群においては健常対照群における測定値の99%信頼区間に収まるものであったが，過剰群，不足群はその範囲を逸脱していたと報告し，インピンジメント症候群をサブグループに分けて検討する重要性を示唆した．

McClureら[30]は，インピンジメント群と年齢，身長などをそろえた対照群とを，挙上運動中の肩甲骨運動，内外旋・屈曲可動域，筋出力，姿勢を比較した．その結果，インピンジメント群は矢状面挙上時にはURが増加し，肩甲骨面挙上時にはPTが増加していたが，可動域，筋出力は対照群に比べ減少していた．しかし，静止時の姿勢（矢状面脊椎アライメント，肩甲骨前方突出）には差がみられなかった．

筋活動に関しては，Coolsら[31]が反応時間という観点から研究を行った．上肢に対する急激な外乱に対して，インピンジメント群では僧帽筋中部，後部の反応時間に遅延がみられた．その影響から，肩甲骨固定に対する僧帽筋上部の貢献が増加すると考察した．

Kardunaら[32]は，屍体肩を用いて肩甲骨の位置を変化させ，上腕骨を上方偏位させた際の肩峰下スペースについて研究した．その結果，よりURが大きい例では，上腕骨を上方偏位させた際の肩峰下スペースが有意に減少していた（図3-7）．

以上のように，インピンジメント症候群患者の異常運動に関しては，いくつか報告されているが，動作解析データと屍体データとの関連，筋活動と

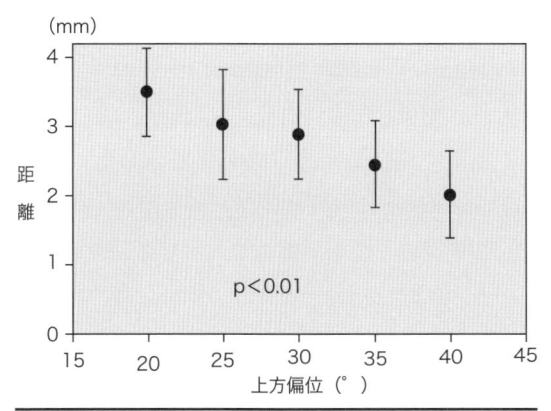

図3-7 肩甲骨を上方回旋させ，上腕骨を上方偏位させた際の肩峰下スペースの変化（文献32より改変）

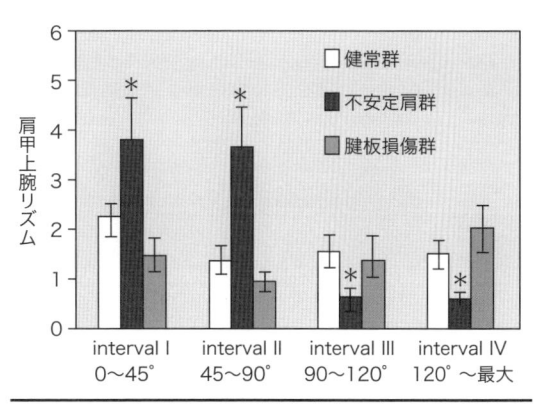

図3-8 不安定肩，腱板損傷患者における肩甲上腕リズム（文献33より改変）
* $p<0.05$ 健常群に対して．

肩甲骨の運動との関係が推測の域を出ない．三次元動作解析も研究者により結果が異なっていた．このことはインピンジメント症候群の発症を考慮した場合，PTの減少（ATの増加），URの減少がその原因として考えられるが，発症からの期間によってはインピンジメントを避けるための代償運動が大きくなり，単にインピンジメント症候群患者とした際に，さまざまな肩甲胸郭運動が存在するためだと考えられる．そうしたことを踏まえると，Graichenら[28]やHebertら[29]が提唱したように，インピンジメント症候群をいくつかのサブグループに分けて検討する必要が示唆された．さらに研究手法によっては，一定の挙上角度の静止状態の肩甲骨位置を測定しているものと，連続的な挙上運動を測定しているものがあり，そうした測定手法の相違も結果が一定しない原因の1つだと考えられる．

2）不安定肩

不安定肩に関しても三次元動作解析を用いた報告を中心にレビューを行った．また，X線を用いた報告や，MRIを用いた報告も含めた．

不安定肩について，Palettaら[33]はX線を用いて不安定肩群のSHRを報告した．不安定肩群は90°以下でSHRが増加し，逆に90°以上ではSHRが減少していた（図3-8）．その後，2005年にはIllyesら[34]が超音波を用いた不安定肩の挙上時肩甲骨運動と筋活動について報告した．運動を行った約100°までで，肩甲骨URの割合が減少し，SHRの増加がみられた．また，大胸筋，三角筋の活動が減少し，棘上筋，棘下筋，上腕二頭筋の活動が増加していた．

Matiasら[35]が行った肩甲骨運動の三次元計測によると，挙上時にURは変化せず，ER，PTが減少したと報告した．一方で，Ogstonら[36]が同様に行った挙上運動時の肩甲骨運動解析によると，肩甲骨面挙上，前額面挙上ともにURが減少し，加えて肩甲骨面挙上においてはIRの増加，ATの増加がみられた．

von Eisenhart-Rotheら[37]はopen MRIを用い，肩関節不安定者の肩甲上腕リズムと骨頭中心の位置を検討した．挙上運動中に肩関節不安定者はURの減少，IRの増加がみられ，それに伴い骨頭中心が上方，後方に偏位していることが示された（図3-9）．

以上より，不安定肩の肩甲骨運動は，挙上運動時においてURの減少，IRの増加（ERの減少）がみられると考えられる．URの減少については否定的な報告もあるものの，MRIを用いた報告[37]などさまざまな研究手法でURの減少が報告され

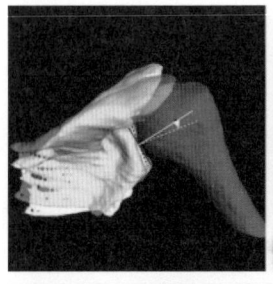

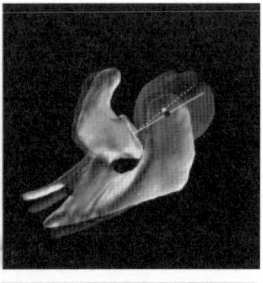

図3-9 肩甲骨運動が変化した際に骨頭中心が移動する模式図（文献37より改変）

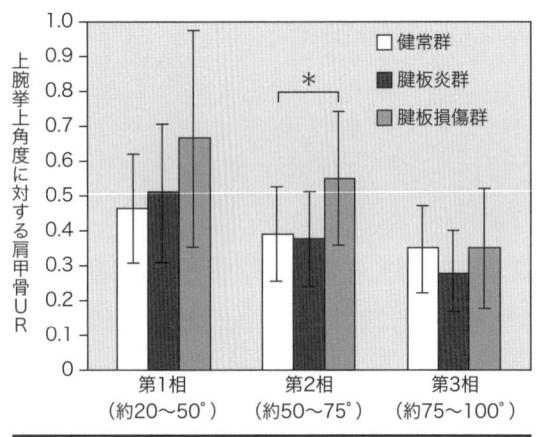

図3-10 健常群，腱板炎群，腱板損傷群の肩甲骨上腕回旋（UR）の比較（文献38より改変）
* p＜0.05.

ており，一定のコンセンサスは得られているといえる。PTの減少（ATの増加）に関しては，近年の三次元動作解析の報告[35, 36]で実証され，不安定肩における異常運動の1つとして考えられる。これらの報告に臨床的考察を加えると，不安定肩においては肩甲骨運動に異常運動がみられ，特に肩甲骨を胸郭に安定化させるER，および挙上運動において正常なSHRに必要なURが減少することにより肩甲上腕関節の運動が過剰となり，その運動を制御するために回旋筋腱板および上腕二頭筋の上腕骨頭を求心性に偏位させる筋群が過剰に活動したと考えられる。

3）腱板損傷

Palettaら[33]は腱板損傷者のSHRについても報告した。腱板損傷者は有意ではないものの，挙上90°以下でSHRが減少する傾向を示した（**図3-8**）。Mellら[38]は三次元動作解析を用いて，健常群，腱板炎群，腱板損傷群で肩甲骨運動の比較を行った。比較は運動域を3つの相に分けて行われた。健常群と腱板炎群に有意差はないものの，第2相（約50〜75°）において腱板損傷群は肩甲骨URが増加，つまりSHRが減少した（**図3-10**）。

腱板損傷群の肩甲骨運動に関しての研究は多くはないが，腱板機能を代償するため，肩甲骨運動が増加し，SHRが減少することが示唆された。

E. まとめ

本項では肩甲胸郭機構について，挙上運動時の肩甲骨運動について記載した。この分野における現在の主流は三次元動作解析装置を用いたものであり，多くの報告がなされ一定のコンセンサスが得られてきているものもある。しかし，各研究者により運動の定義や座標系の定義が異なるといった問題もある。また，open MRIなどを用いた研究も報告されており，現状では解析対象動作が限られるものの，今後の進展が期待される。本項の内容に関しては以下のようにまとめられる。

1. すでに真実として承認されていること
- SHRが上肢挙上とともに曲線的に変化し，おおよそ2：1である。
- 速度，年齢，疲労がSHR，肩甲骨運動を変化させる。
- 姿勢，可動域制限，タイトネスがSHR，肩甲骨運動を変化させる。
- 肩関節疾患患者は肩甲骨異常運動を示す。

2. 議論の余地はあるが，今後の研究テーマとなること

- 肩甲骨周囲筋の上肢挙上時やスポーツ活動中の筋活動について。
- 姿勢，可動域制限，タイトネスなどによって引き起こされる肩甲骨異常運動と肩関節疾患の関連について。
- 肩関節疾患それぞれにおける特徴的な肩甲骨異常運動（特にインピンジメント症候群）や，異常運動に対する治療効果について。

3. 真実と思われていたが，実は疑わしいこと

- SHRが単純な2：1であること。
- インピンジメント症候群が一定の特徴的な肩甲骨異常運動を示すこと。

F. 今後の展望

- 肩甲骨異常運動と各肩関節疾患との関連についての前向きコホート調査。
- 針筋電図を用いた肩甲骨周囲筋活動の詳細な解析。
- 各肩関節疾患の肩甲骨異常運動に対する治療効果の検討。
- open MRIやX線透視画像に骨モデルをマッチングする方法などの詳細な肩甲骨運動解析。

文 献

1. Ludewig PM, Cook TM, Nawoczenski DA. Three-dimensional scapular orientation and muscle activity at selected positions of humeral elevation. *J Orthop Sports Phys Ther*. 1996; 24: 57-65.
2. McClure PW, Michener LA, Sennett BJ, Karduna AR. Direct 3-dimensional measurement of scapular kinematics during dynamic movements in vivo. *J Shoulder Elbow Surg*. 2001; 10: 269-77.
3. Tsai NT, McClure PW, Karduna AR. Effects of muscle fatigue on 3-dimensional scapular kinematics. *Arch Phys Med Rehabil*. 2003; 84: 1000-5.
4. Ellen MI, Gilhool JJ, Rogers DP. Scapular instability. The scapulothoracic joint. *Phys Med Rehabil Clin N Am*. 2000; 11: 755-70.
5. Lukasiewicz AC, McClure P, Michener L, Pratt N, Sennett B. Comparison of 3-dimensional scapular position and orientation between subjects with and without shoulder impingement. *J Orthop Sports Phys Ther*. 1999; 29: 574-83, discussion 584-6.
6. Inman V, Saunders JB, De CM, Abbot LC. Observations on the function of the shoulder joint. *J Bone Joint Surg*. 1944; 42: 1-30.
7. Poppen NK, Walker PS. Normal and abnormal motion of the shoulder. *J Bone Joint Surg Am*. 1976; 58: 195-201.
8. Bagg SD, Forrest WJ. A biomechanical analysis of scapular rotation during arm abduction in the scapular plane. *Am J Phys Med Rehabil*. 1988; 67: 238-45.
9. McQuade KJ, Hwa Wei S, Smidt GL. Effects of local muscle fatigue on three-dimensional scapulohumeral rhythm. *Clin Biomech (Bristol, Avon)*. 1995; 10: 144-8.
10. van der Helm FC, Pronk GM. Three-dimensional recording and description of motions of the shoulder mechanism. *J Biomech Eng*. 1995; 117: 27-40.
11. McQuade KJ, Smidt GL. Dynamic scapulohumeral rhythm: the effects of external resistance during elevation of the arm in the scapular plane. *J Orthop Sports Phys Ther*. 1998; 27: 125-33.
12. Bourne DA, Choo AM, Regan WD, MacIntyre DL, Oxland TR. Three-dimensional rotation of the scapula during functional movements: an in vivo study in healthy volunteers. *J Shoulder Elbow Surg*. 2007; 16: 150-62.
13. Sugamoto K, Harada T, Machida A, Inui H, Miyamoto T, Takeuchi E, Yoshikawa H, Ochi T. Scapulohumeral rhythm: relationship between motion velocity and rhythm. *Clin Orthop Relat Res*. 2002; 401: 119-24.
14. Dayanidhi S, Orlin M, Kozin S, Duff S, Karduna A. Scapular kinematics during humeral elevation in adults and children. *Clin Biomech (Bristol, Avon)*. 2005; 20: 600-6.
15. Endo K, Yukata K, Yasui N. Influence of age on scapulo-thoracic orientation. *Clin Biomech (Bristol, Avon)*. 2004; 19: 1009-13.
16. McQuade KJ, Dawson J, Smidt GL. Scapulothoracic muscle fatigue associated with alterations in scapulohumeral rhythm kinematics during maximum resistive shoulder elevation. *J Orthop Sports Phys Ther*. 1998; 28: 74-80.
17. Ebaugh DD, McClure PW, Karduna AR. Effects of shoulder muscle fatigue caused by repetitive overhead activities on scapulothoracic and glenohumeral kinematics. *J Electromyogr Kinesiol*. 2006; 16: 224-35.
18. Ebaugh DD, McClure PW, Karduna AR.

Scapulothoracic and glenohumeral kinematics following an external rotation fatigue protocol. *J Orthop Sports Phys Ther.* 2006; 36: 557-71.
19. Bagg SD, Forrest WJ. Electromyographic study of the scapular rotators during arm abduction in the scapular plane. *Am J Phys Med.* 1986; 65: 111-24.
20. Ebaugh DD, McClure PW, Karduna AR. Three-dimensional scapulothoracic motion during active and passive arm elevation. *Clin Biomech (Bristol, Avon).* 2005; 20: 700-9.
21. Kibler WB, McMullen J. Scapular dyskinesis and its relation to shoulder pain. *J Am Acad Orthop Surg.* 2003; 11: 142-51.
22. Finley MA, Lee RY. Effect of sitting posture on 3-dimensional scapular kinematics measured by skin-mounted electromagnetic tracking sensors. *Arch Phys Med Rehabil.* 2003; 84: 563-8.
23. Borstad JD, Ludewig PM. The effect of long versus short pectoralis minor resting length on scapular kinematics in healthy individuals. *J Orthop Sports Phys Ther.* 2005; 35: 227-38.
24. Ludewig PM, Cook TM. Alterations in shoulder kinematics and associated muscle activity in people with symptoms of shoulder impingement. *Phys Ther.* 2000; 80: 276-91.
25. Lin JJ, Lim HK, Yang JL. Effect of shoulder tightness on glenohumeral translation, scapular kinematics, and scapulohumeral rhythm in subjects with stiff shoulders. *J Orthop Res.* 2006; 24: 1044-51.
26. Lin JJ, Yang JL. Reliability and validity of shoulder tightness measurement in patients with stiff shoulders. *Man Ther.* 2006; 11: 146-52.
27. Borich MR, Bright JM, Lorello DJ, Cieminski CJ, Buisman T, Ludewig PM. Scapular angular positioning at end range internal rotation in cases of glenohumeral internal rotation deficit. *J Orthop Sports Phys Ther.* 2006; 36: 926-34.
28. Graichen H, Stammberger T, Bonel H, Wiedemann E, Englmeier KH, Reiser M, Eckstein F. Three-dimensional analysis of shoulder girdle and supraspinatus motion patterns in patients with impingement syndrome. *J Orthop Res.* 2001; 19: 1192-8.
29. Hebert LJ, Moffet H, McFadyen BJ, Dionne CE. Scapular behavior in shoulder impingement syndrome. *Arch Phys Med Rehabil.* 2002; 83: 60-9.
30. McClure PW, Michener LA, Karduna AR. Shoulder function and 3-dimensional scapular kinematics in people with and without shoulder impingement syndrome. *Phys Ther.* 2006; 86: 1075-90.
31. Cools AM, Witvrouw EE, De Clercq GA, Danneels LA, Willems TM, Cambier DC, Voight ML. Scapular muscle recruitment pattern: electromyographic response of the trapezius muscle to sudden shoulder movement before and after a fatiguing exercise. *J Orthop Sports Phys Ther.* 2002; 32: 221-9.
32. Karduna AR, Kerner PJ, Lazarus MD. Contact forces in the subacromial space: effects of scapular orientation. *J Shoulder Elbow Surg.* 2005; 14: 393-9.
33. Paletta GA Jr, Warner JJ, Warren RF, Deutsch A, Altchek DW. Shoulder kinematics with two-plane x-ray evaluation in patients with anterior instability or rotator cuff tearing. *J Shoulder Elbow Surg.* 1997; 6: 516-27.
34. Illyes A, Kiss RM. Kinematic and muscle activity characteristics of multidirectional shoulder joint instability during elevation. *Knee Surg Sports Traumatol Arthrosc.* 2006; 14: 673-85.
35. Matias R, Pascoal AG. The unstable shoulder in arm elevation: A three-dimensional and electromyographic study in subjects with glenohumeral instability. *Clin Biomech (Bristol, Avon).* 2006; 21 Suppl 1: S52-8.
36. Ogston JB, Ludewig PM. Differences in 3-dimensional shoulder kinematics between persons with multidirectional instability and asymptomatic controls. *Am J Sports Med.* 2007; 35: 1361-70.
37. von Eisenhart-Rothe R, Matsen FA 3rd, Eckstein F, Vogl T, Graichen H. Pathomechanics in atraumatic shoulder instability: scapular positioning correlates with humeral head centering. *Clin Orthop Relat Res.* 2005; 433: 82-9.
38. Mell AG, LaScalza S, Guffey P, Ray J, Maciejewski M, Carpenter JE, Hughes RE. Effect of rotator cuff pathology on shoulder rhythm. *J Shoulder Elbow Surg.* 2005; 14: 58S-64S.

（永野　康治，清水　結，松島　愛）

4. 筋機能

はじめに

肩関節は，靱帯・関節包などの組織が静的安定性をになし，その周囲に存在する筋群が動的安定性に貢献する。肩関節筋は，腱板筋（棘上筋・棘下筋・小円筋・肩甲下筋）や上腕二頭筋長頭などの筋を三角筋や大胸筋，広背筋などの筋がおおう（**図4-1**）[1]。肩関節筋は，関節の運動を行うと同時に，安定性の低い肩関節の骨構造を補う動的安定性の役目も果たしている。本項では，肩関節筋のなかでも特に腱板・三角筋・上腕二頭筋長頭について取り上げ，筋の一般的な機能である筋力について触れ，その後，基本的な外転運動における関節運動と動的安定性への筋の貢献について述べる。また，スポーツに関連の深いものとして，投球動作および肩関節前方脱臼を取り上げ，それらにおける筋の機能について検討する。

A. 文献検索方法

文献検索は，Medlineを使用し「glenohumeral」AND「muscle」AND「biomechanics」のキーワードで検索した。ヒット件数は262件であった。このうち，筋機能について報告されている文献と，レビューした文献で引用されている文献を含め，最終的に32文献をレビューした。

B. 筋力

筋力は生理学的筋断面積（physiological cross-sectional area：PCSA）や筋放電量（EMG activity）などの筋そのものの要素やモーメントアームなどの関節運動と関係する要素について検証されてきた。本項では，スポーツ動作において重要であり，過去の文献でも多くみられる肩関節外旋運動を例に各要素についてレビューする。

1. 生理学的筋横断面積（PCSA）

PCSAは平行する筋線維の断面積の総和として定義される。値は筋体積/筋線維長で求められ，筋の発揮張力を規定する最も基本的なものである。腱板筋・三角筋・上腕二頭筋長頭のPCSA（**図4-2**）を比較すると，三角筋が最も大きな筋横断面積を有し，腱板筋のなかでは肩甲下筋が最も大きく，次いで棘下筋である[2〜4]。

2. 筋放電量（EMG activity）

EMG activityは，特定の肢位における筋の放電量を反映しているとされ，表面電極や針電極を用いて求められる。Kronbergら[5]は，肩関節運動時の各筋の筋放電量を，針電極（棘上筋・棘下筋・肩甲下筋）・表面電極（三角筋・大胸筋・広背筋）を用いて測定した。その結果，肩関節外旋運動を例にとると，全運動範囲において棘下筋の筋放電量が最も大きな値を示した（**図4-3**）。

3. モーメントアーム

モーメントアームは，関節の運動中心から各筋の作用方向へと引いた垂線の長さで定義される。肩関節における関節運動中心は上腕骨の骨頭中心となる[6]。Kuechleら[7]は，屍体肩を用いて，肩

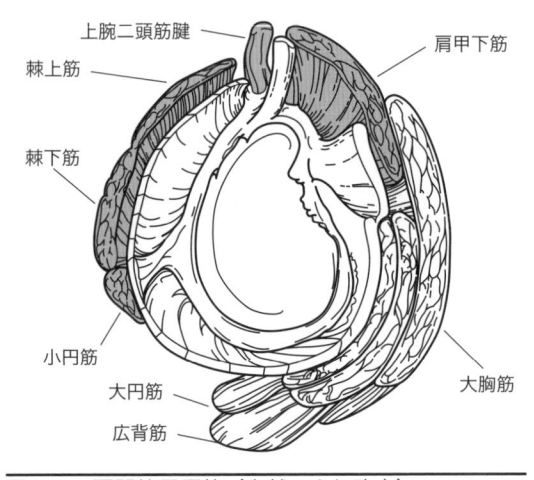

図4-1 肩関節周囲筋（文献1より改変）

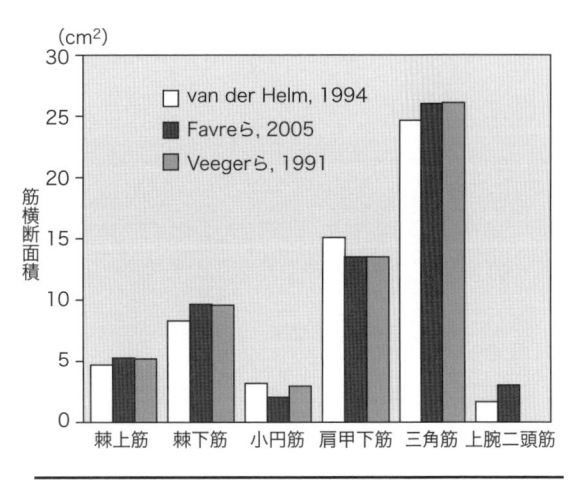

図4-2 肩関節周囲筋の生理学的筋横断面積

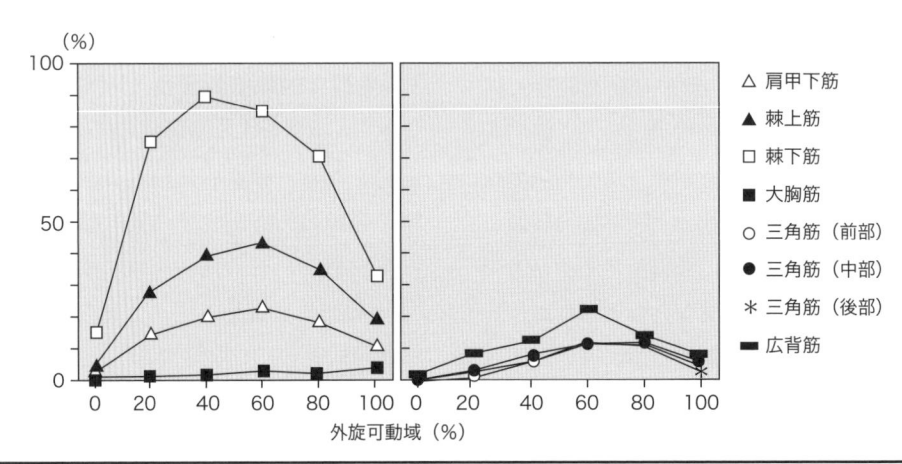

図4-3 肩関節外旋運動時の筋放電量（文献5より改変）

甲平面挙上90°での肩関節外旋時における肩関節筋のモーメントアームを求めた。全運動範囲（内旋60°〜外旋80°）において小円筋が，次いで棘下筋が最も外旋方向に大きなモーメントアームを有していた。

4. ポテンシャルモーメント

ポテンシャルモーメントは，PCSAやモーメントアームに絶対筋力を乗じ，特定の肢位における各筋の筋力を予測した値である。Kuechleら[7]は，屍体肩を用いて「ポテンシャルモーメント＝PCSA×絶対筋力（4.7 kg/cm^2）×モーメントアーム」の計算式により肩甲平面上での肩関節外旋時のポテンシャルモーメントを求め（**図4-4**），棘下筋が最もポテンシャルモーメントが大きく，次いで小円筋であったと報告した。

C. 肩関節外転運動における筋機能

肩関節の運動は，いくつかの筋の相互作用によって生じている。このことはフォースカップルメカニズム（force couple mechanism）と呼ばれ，肩関節外転運動は三角筋と棘上筋がフォースカップルを形成してスムーズな上腕骨頭の運動を導くとされ[8]，加えて，棘上筋とその他の腱板筋群（棘下筋・小円筋・肩甲下筋）もフォースカップ

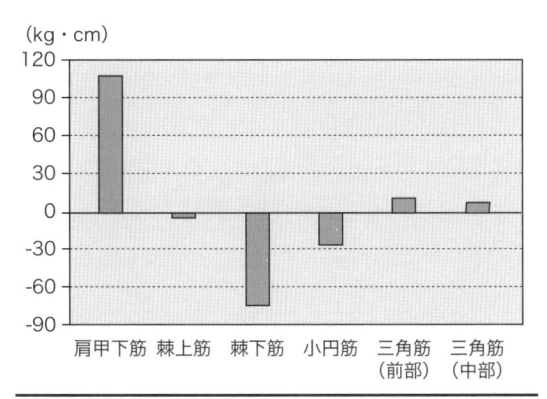

図4-4 肩関節外旋運動におけるポテンシャルモーメント（文献7より改変）
値が小さいほどポテンシャルモーメントが大きい。

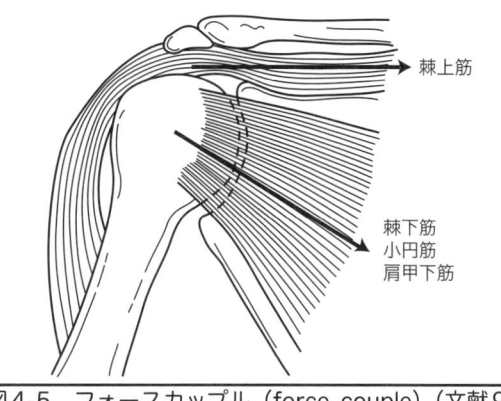

図4-5 フォースカップル（force couple）（文献9より作図）

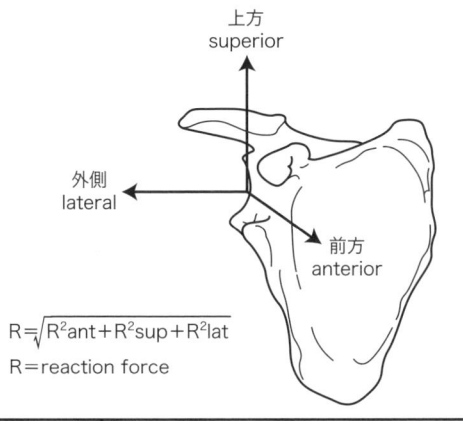

図4-6 関節間力（reaction force）（文献3より改変）
圧迫力（compression force）は外側成分（lateral force）と釣り合う力。

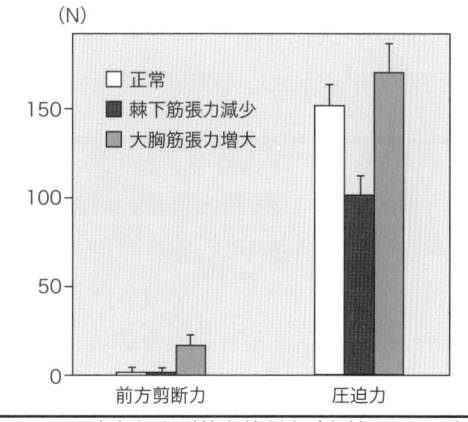

$R = \sqrt{R^2_{ant} + R^2_{sup} + R^2_{lat}}$
R = reaction force

図4-7 圧迫力および前方剪断力（文献14より改変）

ルを形成して上腕骨頭の運動を正常化する（図4-5）[9]。また，肩関節筋は関節の動的安定性にも寄与しており，特に関節包-靱帯組織が弛緩する運動中間域や関節間力（reaction force）が大きくなる最終域において，肩関節筋の活動が動的安定性に貢献する（concavity-compression mechanism）[10]。

1. 外転トルク

トルクはモーメントアームに筋張力を乗じた値と定義される。腱板筋，特に棘上筋や棘下筋の外転トルクへの貢献については，Itoiら[11]が，棘上筋完全断裂と診断された20名の患者の等速性外転筋力を除痛下で測定し，外転トルクが健側と比較して19～33％減少したと報告した。Muraら[12]は，屍体肩を用いて腱板筋群のトルクをシミュレーションした実験を行った。棘上筋の切除によって正常よりも外転トルクが39±6％減少，棘上筋・棘下筋の切除で63±7％減少し，棘上筋のみならず棘下筋の外転トルクへの貢献を示唆した。

2. 圧迫力

圧迫力（compression force）は，reaction forceの外側方向成分と釣り合う力で，関節面に垂直に作用する力として定義され，compression

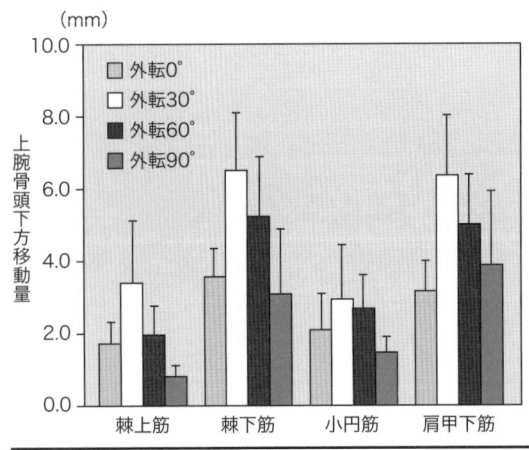

図4-8　上腕骨頭の下方移動量（文献16より改変）

force の増加は関節の安定性の増加を示すと考えられる（図4-6）。Aprelevaら[13]は，屍体肩を用いて肩関節外転運動における三角筋と棘上筋の筋張力を変化させた実験を行い，三角筋と棘上筋の筋張力の割合が3：2の場合にはreaction forceが減少し，2：3の場合には増加すると報告した。reaction force の増加は，その成分の1つであるcompression force の増加にもつながると考えられる。Labriolaら[14]も屍体肩を用いた実験を行い，棘下筋の筋張力を低下させた際に，正常と比較して肩関節外転90°におけるcompression forceが有意に減少したと報告した（図4-7）。これらより棘上筋・棘下筋が肩関節安定性に貢献していることが示唆された。

3. 上腕骨頭上方偏位の制動

腱板筋は，外転運動時に骨頭の上方偏位を制動する作用もあることが示されており[6,15]，特に三角筋と棘上筋のフォースカップルについて報告されてきた[12,16,17]。この点に関しては，屍体肩を用いた実験より，肩関節外転運動の初期に三角筋が骨頭を上方偏位させると報告された[6,15]。

Sharkeyら[17]は，屍体肩を用いた実験で，外転運動時に三角筋と棘上筋のみに張力を加えた場合に比べ，三角筋と腱板筋に張力を加えたほうが有意に骨頭の上方偏位が減少したとし，棘下筋・小円筋・肩甲下筋が骨頭の上方偏位の制動に重要な作用を有すると報告した。またHalderら[16]は，同様に屍体肩を用いた実験で，外転運動時の骨頭の下方移動の作用が，棘上筋（平均2.0±1.4 mm）よりも棘下筋（平均4.6±2.0 mm），肩甲下筋（平均4.7±1.9 mm）のほうがすべての外転角度において大きいことを示し（図4-8），同じく骨頭の正常運動に対する棘下筋や肩甲下筋の貢献を報告した。Muraら[12]は，屍体肩を用いた実験より，棘上筋のみを切除したときと比較し，棘上筋と棘下筋を切除したときのほうが骨頭の上方偏位が大きいことを示した。またX線を用いた実験より，肩甲平面挙上時に，腱板損傷患者のほうが健常者と比較して有意に骨頭の上方偏位が生じることを報告した[18,19]。このように棘上筋や棘下筋などの腱板筋の機能不全が生じると，compression forceの減少や骨頭上方偏位の増大が起こる。そのため他の肩関節筋のモーメントアームなども変化し，結果として大きな外転トルクの減少が生じる可能性がある。

D. 投球動作における筋機能

1. 投球動作時の筋活動

投球動作時の筋活動の研究では，筋電図を用いた方法が多く用いられてきた。Digiovineら[1]は，大学およびプロフェッショナルレベルの投手56名の投球動作時の筋活動を筋電図によって測定し，投球動作の相ごとにそれぞれの筋活動を%MVCとして示した（図4-9）。これによると，コッキング期において棘下筋・小円筋・肩甲下筋などの活動が増加し，さらに加速期では肩甲下筋下部の活動が増加し，減速期では急激な肩関節内旋と肘関節伸展の減速作用としての小円筋・上腕二頭筋長頭などの活動増加がみられた。以上より，投球動作における肩関節筋の活動は，コッキング

4. 筋機能

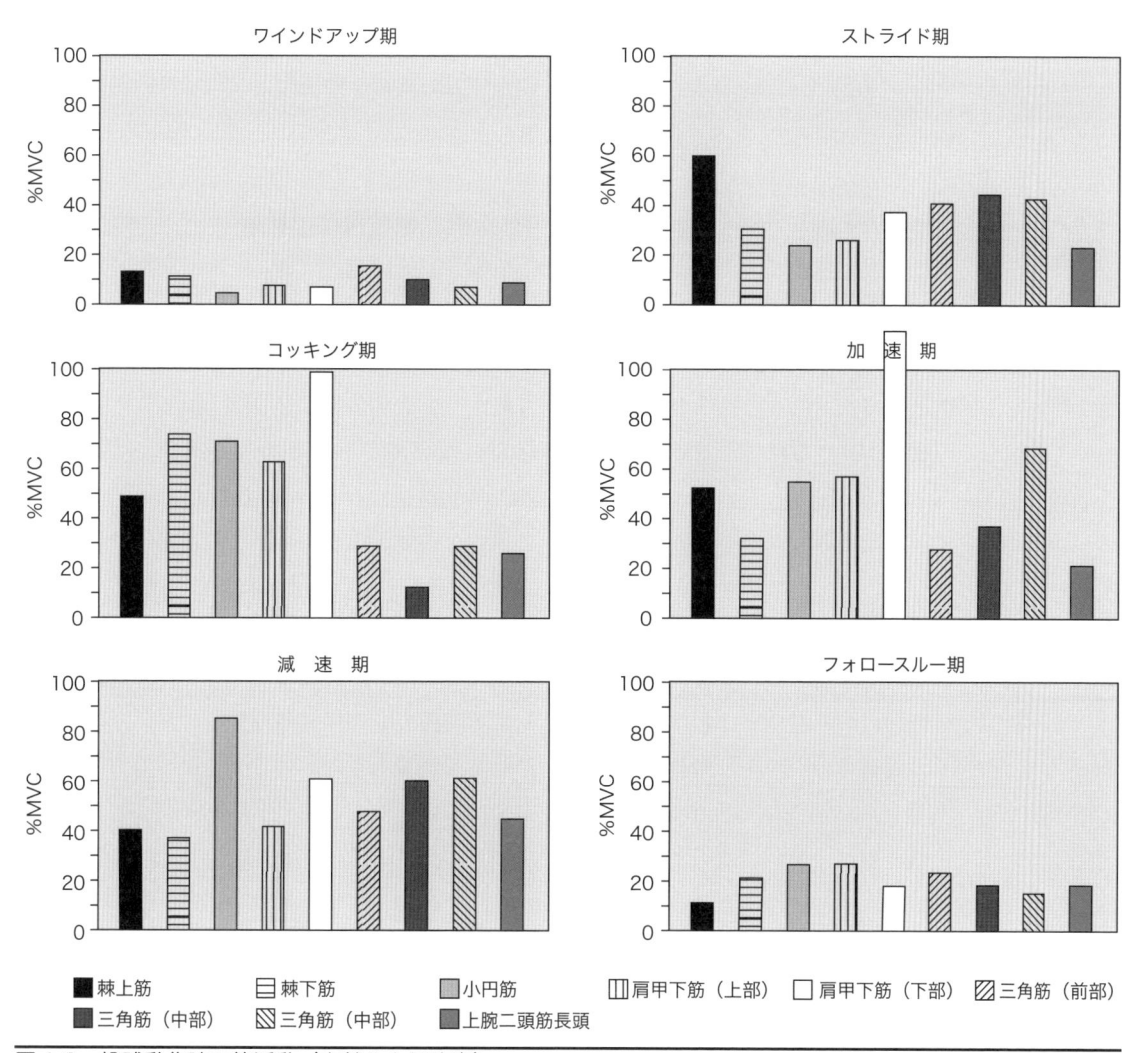

図4-9 投球動作時の筋活動（文献1より改変）

期から減速期で高く，過去の研究においてもこれらの投球相を仮定した肢位における筋機能に関する報告が多くみられる．

2. 腱板筋の貢献

コッキング期における腱板筋の貢献について，Leeら[20, 21]は，屍体肩を用いた実験を行った．上腕骨下垂位とコッキング期を仮定した肩関節外転90°・外旋90°において，それぞれの筋に張力をかけた際のcompression forceと前方剪断力（anterior shear force）を計測し，これらよりDSI（dynamic stability index） anteriorという

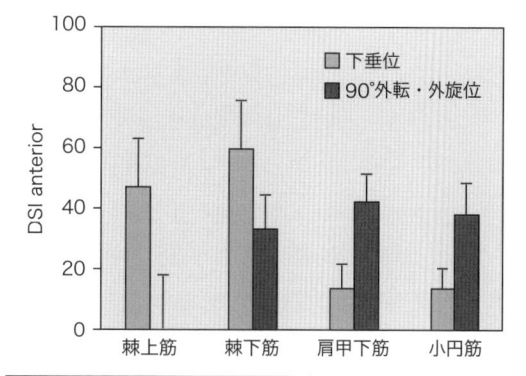

図4-10 DSI（dynamic stability index） anterior（文献20より改変）
DSI anterior ＝（% compressive force × 0.35）－（% 前方剪断力）

表4-1 関節唇への最大ストレス（文献29より引用）

相	最大ストレス（MPa）		
	後方	中央	前方
早期コッキング期	75.2	71.0	75.0
後期コッキング期	79.0	83.2	83.2
加速期	68.7	70.2	69.6
減速期	124.9	167.5	186.3

値を算出し，肩関節前方安定性への各筋の貢献について検討した（図4-10）．これによると，各腱板筋の間では，いずれの肢位においてもcompression forceに有意差はみられないものの，肩関節外転90°・外旋90°において，棘上筋の前方剪断力が他の腱板筋よりも有意に大きく，DSI anteriorが小さいため，棘上筋よりも他の腱板筋のほうが肩関節外転90°・外旋90°における肩関節前方安定性への貢献が大きいと報告した．Kuhnら[22]も，同様に屍体肩を用いた実験より，肩関節外転90°・外旋90°において肩甲下筋が肩関節前方安定性へ貢献すると報告した．これらの報告より，コッキング期から加速期における肩関節前方安定性には棘上筋よりも棘下筋・小円筋・肩甲下筋の貢献が大きいことが示唆された．

3．三角筋の貢献

Leeら[20]は，屍体肩を用いた実験より，肩関節外転90°・外旋90°と肩甲平面挙上90°・外旋90°における，三角筋のDSI anteriorを比較した．その結果，肩甲平面挙上90°・外旋90°のほうがDSI anteriorの値が大きかったことから，この肢位のほうが三角筋の肩関節前方安定性への貢献が高いことを示した．Kidoら[23]も同様の見解を示し，コッキング期においても肩甲平面上での運動のほうが，三角筋による肩関節前方安定作用が高いことを示唆した．しかし，肩関節外転90°・外旋90°における腱板筋と三角筋の肩関節前方安定性への貢献を比較すると，三角筋のほうが有意にDSI anteriorが小さいため，三角筋の肩関節前方安定性への貢献は腱板筋よりも小さいと考えられる[20]．

4．上腕二頭筋長頭の貢献

上腕二頭筋長頭は，コッキング期と減速期において活動する．Jobeら[24]は筋電図を用いた実験より，減速期において上腕二頭筋長頭の活動が最も高かったと報告した．Digiovineら[1]も筋電図を用いた実験から同様の見解を示した．一方，Glousmanら[25]とGowanら[26]は，同じく筋電図を用いた実験から後期コッキング期において上腕二頭筋長頭の活動が最も高かったと報告しており，コンセンサスは得られていない．Itoiら[27,28]は屍体肩を用いた実験より，コッキング期を仮定した肩関節外転90°・外旋90°において，上腕二頭筋長頭に張力を加えると，骨頭の前方偏位量が有意に減少したとし，コッキング期における上腕二頭筋長頭の肩関節前方安定性への貢献を示した．

タイプII SLAP病変との関係についてもコッキング期と減速期における関与が報告された．Yehら[29]はシミュレーションモデルを用いて，上腕二頭筋長頭の関節唇付着部の違いによってグルーピング（前方・中央・後方）を行い，各投球相において上腕二頭筋長頭に張力を加えた際の関節唇へのストレスを調査した．その結果，どのグループにおいても減速期で最も上腕二頭筋長頭の活動が高く，関節唇へのストレスも大きいことが示され（表4-1），減速期における関節唇へのストレス増加が，タイプII SLAP病変の発生に関与していることを示唆した．一方，Kuhnら[30]は，屍体肩を用いた実験より，後期コッキング期（肩甲平面挙上90°・最大外旋）と早期コッキング期（肩甲平面挙上60°・水平内転16°・外旋80°）を仮定した肢位において上腕二頭筋長頭に張力を加えた際，peel-backメカニズムにより後期コッキ

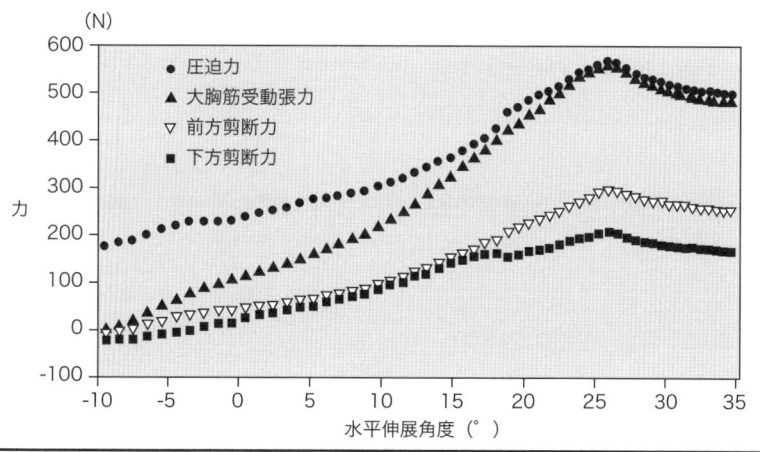

図4-11 大胸筋の受動張力と関節間力（reactiono force）（文献23より引用）

ング期のほうがより小さい張力でタイプ II SLAP病変が生じたため，タイプ II SLAP病変は後期コッキング期で生じやすいと考察した．このように，投球動作における上腕二頭筋長頭の筋活動とタイプ II SLAP病変発生との関係については，コッキング期と減速期における関与が報告されており，コンセンサスは得られていない．

E. 肩関節前方脱臼における筋機能

McMahonら[31]は，屍体肩を用いた実験より，肩関節外転90°・外旋90°のいわゆるapprehension positionから肩関節を水平伸展させた際，水平伸展角度が増加するに従って，大胸筋の受動張力とcompression forceがほぼ同じ値を示すことを報告し（**図4-11**），肩関節前方脱臼に対して大胸筋の受動張力が関与すると考察した．また，Labriolaら[14]も屍体肩を用いた実験より，肩関節外転90°における大胸筋の張力増加が，前方剪断力を有意に増加させると報告しており（**図4-7**），大胸筋の張力増加が肩関節前方脱臼に関与している可能性を示唆した．

Wernerら[32]は，シミュレーションモデルを用いた実験から，肩関節外転90°・外旋90°において肩甲下筋各線維（上部・中部・下部）に張力を

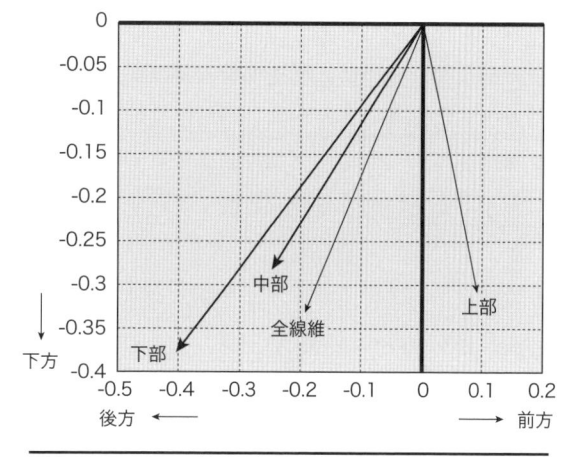

図4-12 肩甲下筋各線維の上腕骨頭への作用ベクトル（文献32より引用）

かけた際，中部・下部線維では上腕骨頭が後下方に移動したのに対し，上部線維では上腕骨頭が前上方に移動したと報告した（**図4-12**）．肩甲下筋全体としては上腕骨頭の安定化に作用すると考えられるが，上部線維の収縮は上腕骨頭を前下方に偏位させる可能性がある．

F. まとめと今後の課題

以上の報告より，肩関節における筋機能についてまとめる．

1. すでに真実として承認されていること

- 肩関節外転運動において，腱板筋の働きが上腕骨頭の正常運動に貢献し，また肩甲上腕関節の動的安定性にも関与する。
- 投球動作のコッキング期において，腱板筋の働きが肩甲上腕関節の安定性向上に貢献する。

2. 議論の余地はあるが，今後の重要な研究テーマとなること

- 上腕骨頭の下方移動に関して，棘上筋より棘下筋および肩甲下筋のほうが下方移動への関与が大きい可能性について。
- 投球動作のコッキング期において，棘上筋よりも棘下筋，小円筋，肩甲下筋のほうが肩関節前方不安定性への貢献が大きい可能性について。
- 投球動作のコッキング期において，三角筋の働きが肩関節前方安定性へ貢献する可能性について。
- 投球動作の各相（コッキング期・加速期）と上腕二頭筋長頭の活動量の関係，およびタイプⅡSLAP病変の発生機序について。

3. 真実と思われていたが，実は疑わしいこと

- 肩甲下筋上部線維の収縮は，上腕骨頭を前方へ偏位させる可能性がある。

今後は実験方法を統一したうえで，腱板筋などの筋機能低下が他の肩関節筋の筋活動やモーメントアームにどのような影響を及ぼすかという点を検討する必要がある。また，屍体を用いた実験では神経興奮性の問題などの限界もある。シミュレーションモデルを用いた実験などによって補うことで，生体・屍体・シミュレーションモデルなど，それぞれの実験の利点を合わせた基本的な動作における統合的解釈が求められる。各種スポーツ動作との関係性についてもさらなる検討が必要である。

文 献

1. Digiovine NW, Jobe FW, Pink M, Perry J. An electromyographic analysis of the upper extremity in pitching. *J Shoulder Elbow Surg*. 1992; 1: 15-25.
2. Favre P, Sheikh R, Fucentese SF, Jacob HA. An algorithm for estimation of shoulder muscle forces for clinical use. *Clin Biomech (Bristol, Avon)*. 2005; 20: 822-33.
3. van der Helm FC. A finite element musculoskeletal model of the shoulder mechanism. *J Biomech*. 1994; 27: 551-69.
4. Veeger HE, Van der Helm FC, Van der Woude LH, Pronk GM, Rozendal RH. Inertia and muscle contraction parameters for musculoskeletal modelling of the shoulder mechanism. *J Biomech*. 1991; 24: 615-29.
5. Kronberg M, Nemeth G, Brostrom LA. Muscle activity and coordination in the normal shoulder. An electromyographic study. *Clin Orthop Relat Res*. 1990; (257): 76-85.
6. Poppen NK, Walker PS. Forces at the glenohumeral joint in abduction. *Clin Orthop Relat Res*. 1978; (135): 165-70.
7. Kuechle DK, Newman SR, Itoi E, Niebur GL, Morrey BF, An KN. The relevance of the moment arm of shoulder muscles with respect to axial rotation of the glenohumeral joint in four positions. *Clin Biomech (Bristol, Avon)*. 2000; 15: 322-9.
8. Inman VT, Saunders JR, Abbott LC. Observations on the function of the shoulder joint. *J Bone Joint Surg*. 1944; 26: 1-30.
9. Burke WS, Vangsness CT, Powers CM. Strengthening the supraspinatus: a clinical and biomechanical review. *Clin Orthop Relat Res*. 2002; (402): 292-8.
10. Lippett S, Vanderhoof J, Harris SL. Glenohumeral stability from concavity-compression: a quantitative analysis. *J Shoulder Elbow Surg*. 1993; 2: 27-34.
11. Itoi E, Minagawa H, Sato T, Sato K, Tabata S. Isokinetic strength after tears of the supraspinatus tendon. *J Bone Joint Surg Br*. 1997; 79: 77-82.
12. Mura N, O'Driscoll SW, Zobitz ME, Heers G, Jenkyn TR, Chou SM, Halder AM, An KN. The effect of infraspinatus disruption on glenohumeral torque and superior migration of the humeral head: a biomechanical study. *J Shoulder Elbow Surg*. 2003; 12: 179-84.
13. Apreleva M, Parsons IMt, Warner JJ, Fu FH, Woo SL. Experimental investigation of reaction forces at the glenohumeral joint during active abduction. *J Shoulder Elbow Surg*. 2000; 9: 409-

14. Labriola JE, Lee TQ, Debski RE, McMahon PJ. Stability and instability of the glenohumeral joint: the role of shoulder muscles. *J Shoulder Elbow Surg.* 2005; 14 (1 Suppl S): 32S-38S.
15. Halder AM, Halder CG, Zhao KD, O'Driscoll SW, Morrey BF, An KN. Dynamic inferior stabilizers of the shoulder joint. *Clin Biomech (Bristol, Avon).* 2001; 16: 138-43.
16. Halder AM, Zhao KD, Odriscoll SW, Morrey B F, An KN. Dynamic contributions to superior shoulder stability. *J Orthop Res.* 2001; 19: 206-12.
17. Sharkey NA, Marder RA. The rotator cuff opposes superior translation of the humeral head. *Am J Sports Med.* 1995; 23: 270-5.
18. Paletta GA Jr, Warner JJ, Warren RF, Deutsch A, Altchek DW. Shoulder kinematics with two-plane x-ray evaluation in patients with anterior instability or rotator cuff tearing. *J Shoulder Elbow Surg.* 1997; 6: 516-27.
19. Yamaguchi K, Sher JS, Andersen WK, Garretson R, Uribe JW, Hechtman K, Neviaser RJ. Glenohumeral motion in patients with rotator cuff tears: a comparison of asymptomatic and symptomatic shoulders. *J Shoulder Elbow Surg.* 2000; 9: 6-11.
20. Lee SB, An KN. Dynamic glenohumeral stability provided by three heads of the deltoid muscle. *Clin Orthop Relat Res.* 2002; (400): 40-7.
21. Lee SB, Kim KJ, O'Driscoll SW, Morrey BF, An KN. Dynamic glenohumeral stability provided by the rotator cuff muscles in the mid-range and end-range of motion. A study in cadavera. *J Bone Joint Surg Am.* 2000; 82: 849-57.
22. Kuhn JE, Huston LJ, Soslowsky LJ, Shyr Y, Blasier RB. External rotation of the glenohumeral joint: ligament restraints and muscle effects in the neutral and abducted positions. *J Shoulder Elbow Surg.* 2005; 14 (1 Suppl S): 39S-48S.
23. Kido T, Itoi E, Lee SB, Neale PG, An KN. Dynamic stabilizing function of the deltoid muscle in shoulders with anterior instability. *Am J Sports Med.* 2003; 31: 399-403.
24. Jobe FW, Moynes DR, Tibone JE, Perry J. An EMG analysis of the shoulder in pitching. A second report. *Am J Sports Med.* 1984; 12: 218-20.
25. Glousman R, Jobe F, Tibone J, Moynes D, Antonelli D, Perry J. Dynamic electromyographic analysis of the throwing shoulder with glenohumeral instability. *J Bone Joint Surg Am.* 1988; 70: 220-6.
26. Gowan ID, Jobe FW, Tibone JE, Perry J, Moynes DR. A comparative electromyographic analysis of the shoulder during pitching. Professional versus amateur pitchers. *Am J Sports Med.* 1987; 15: 586-90.
27. Itoi E, Kuechle DK, Newman SR, Morrey BF, An KN. Stabilising function of the biceps in stable and unstable shoulders. *J Bone Joint Surg Br.* 1993; 75: 546-50.
28. Itoi E, Newman SR, Kuechle DK, Morrey BF, An KN. Dynamic anterior stabilisers of the shoulder with the arm in abduction. *J Bone Joint Surg Br.* 1994; 76: 834-6.
29. Yeh ML, Lintner D, Luo ZP. Stress distribution in the superior labrum during throwing motion. *Am J Sports Med.* 2005; 33: 395-401.
30. Kuhn JE, Lindholm SR, Huston LJ, Soslowsky LJ, Blasier RB. Failure of the biceps superior labral complex: a cadaveric biomechanical investigation comparing the late cocking and early deceleration positions of throwing. *Arthroscopy.* 2003; 19: 373-9.
31. McMahon PJ, Chow S, Sciaroni L, Yang BY, Lee TQ. A novel cadaveric model for anterior-inferior shoulder dislocation using forcible apprehension positioning. *J Rehabil Res Dev.* 2003; 40: 349-59.
32. Werner CM, Favre P, Gerber C. The role of the subscapularis in preventing anterior glenohumeral subluxation in the abducted, externally rotated position of the arm. *Clin Biomech (Bristol, Avon).* 2007; 22: 495-501.

（小林　匠）

5. 肩鎖関節・胸鎖関節

はじめに

　肩鎖関節，胸鎖関節は肩甲上腕関節および肩甲胸郭関節とともに肩の複合運動に関与する。肩鎖関節は鎖骨と肩甲骨を連結し，胸鎖関節は肩甲帯と体幹を結ぶ唯一の解剖学的関節であり，肩甲帯の動きの支点となっている。いずれも平面関節であり，骨性の安定性には欠けるが，介在する関節円板によって適合性を増し，周囲の関節包や靱帯，筋により補強される。ここでは，肩鎖関節と胸鎖関節の安定性，関節脱臼，鎖骨の運動や関節運動についてバイオメカニクス研究を中心にまとめる。

A. 文献検索方法

　文献検索はPubMedを使用し，「acromioclavicular OR coracoclavicular」「ligaments」「stability」「kinematics OR kinetics OR biomechanics」のキーワードの組み合わせで行った。

B. 肩鎖関節

　肩鎖関節は肩峰の関節面と鎖骨の遠位端からなり，関節腔内に関節円板がある。関節を囲む密な関節包と肩鎖靱帯，および鎖骨と肩甲骨の烏口突起をつなぐ烏口鎖骨靱帯（菱形靱帯，円錐靱帯）が安定性に関与する（図5-1）[1]。さらに上方に付着する三角筋，僧帽筋により安定性が強化される。

1. 肩鎖関節の安定性

　肩鎖関節の安定性に関与する靱帯について，Fukudaら[2]は，肩鎖関節に対する鎖骨の上方偏位が生理学的範囲内である場合，肩鎖靱帯が主として制動に関与し，偏位が増大すると円錐靱帯が主に制動することを示した。また後方偏位の制動には肩鎖靱帯が主に作用すると報告した。これについて，Klimkiewiczら[3]は鎖骨の後方偏位に対して，肩鎖靱帯の上部線維が最も抑制に働き（56％），次いで後部線維が関与する（25％）と述べた。一方，Debskiら[4,5]は肩鎖靱帯の上部線維が鎖骨の前方偏位を制動し，円錐靱帯が上方偏位を制動すると報告した。さらに肩鎖靱帯が存在する場合と切離した場合を比較し，肩鎖靱帯による制動が損なわれると，前方偏位に対しては円錐靱帯が，後方偏位に対しては菱形靱帯がそれぞれ働くことを明らかにした。烏口鎖骨靱帯による肩鎖関節の前後方向の制動はMazzoccaら[6]の研究でも支持されており，烏口鎖骨靱帯を解剖学的に再建することが，術後の肩鎖関節の上方動揺と前後動揺を抑制し，その後の慢性疼痛の軽減につながると述べた。安定性に関与する靱帯の機能は，測定方法や機器の違いによって結果に差がみられるが，肩関節の複合運動において肩鎖靱帯や円錐靱帯，菱形靱帯が相乗的に作用し肩鎖関節を支持していることが示唆される。

2. 肩鎖関節脱臼

　肩鎖関節脱臼は，直達ストレスまたは介達ストレスにより発生する。直達ストレスによる脱臼は，転倒などにより上肢下垂位あるいは肩関節内転位で肩の外側部に衝撃が加わった際に肩

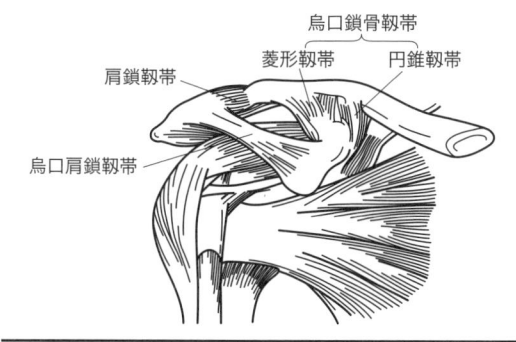

図5-1 肩鎖関節（文献1より改変）

甲骨を下内側に押し下げる力が働いて起こる（図5-2）[7]。一方，介達ストレスによる脱臼は，上肢外転位で手や肘をついた際，上腕骨に沿って伝達される上内側方向の力が肩峰に集中することによって引き起こされる（図5-3）[7]。この時，肩甲骨が上方に偏位して烏口鎖骨靱帯は弛緩するため，烏口鎖骨靱帯の損傷はまれとされる。

Rockwood[8]は肩鎖関節脱臼を靱帯の損傷度，脱臼方向や程度によって，図5-4のように分類した[9]。一般的にタイプⅠ，Ⅱは保存治療の適応となり，100％以上偏位する重度損傷のタイプⅣ～Ⅵについては観血的治療が選択され，タイプⅢは議論の余地があるとされている。

3. 骨溶解（osteolysis）

肩関節水平内転によって肩鎖関節は狭小する[10]。ベンチプレスやプッシュアップ動作のような肢位で上肢に高い負荷が加わった場合，肩関節周囲筋の活動が高まり，鎖骨を肩峰に押しつける力が働くため，肩鎖関節に強い圧縮力が加わる。関節圧の増加が肩鎖関節の安定性に関与するとの報告[11]もあるが，過剰な関節圧は肩鎖関節の病態の1つである骨溶解を引き起こすといわれ，これは重量挙げ選手などにみられる[12, 13]。しかし，現時点でこの報告は症例報告にとどまっており，発生メカニズムについては明らかにされていない。

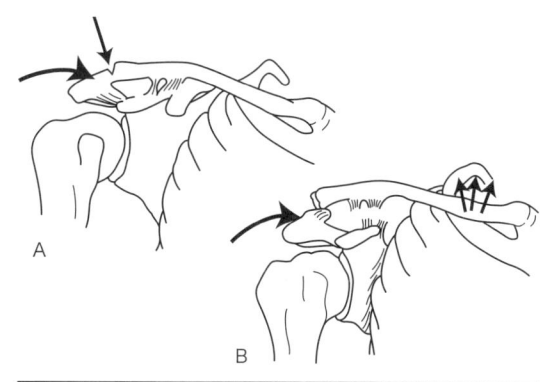

図5-2 直達ストレスによる肩鎖関節脱臼の受傷メカニズム（文献7より作図）
肩甲骨に下内側への力が加わり，肩鎖靱帯の断裂が起こる（A）。肩甲骨とともに鎖骨が下内側へ押し下げられると，第1肋骨に鎖骨が押し付けられることによって，鎖骨には上方向の力が働き，烏口鎖骨靱帯も断裂する（B）。

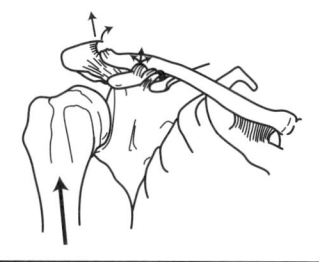

図5-3 介達ストレスによる肩鎖関節脱臼の受傷メカニズム（文献7より作図）
上腕骨に沿って上内側方向の力が肩峰に伝わり，肩鎖靱帯が断裂する。烏口鎖骨靱帯は弛緩する。

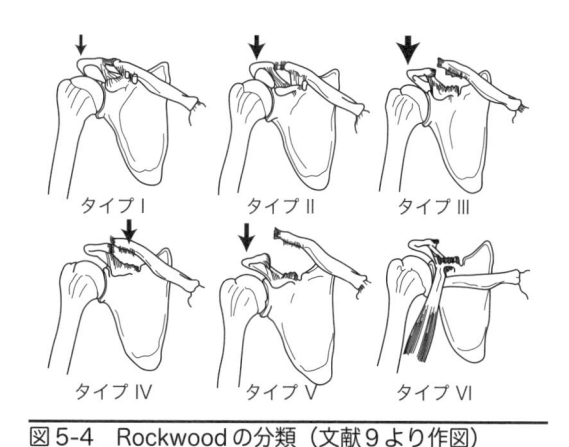

図5-4 Rockwoodの分類（文献9より作図）
タイプⅠ：肩鎖靱帯の軽度損傷。タイプⅡ：肩鎖靱帯と関節包が断裂して肩鎖関節が離開する。タイプⅢ：肩鎖靱帯，烏口鎖骨靱帯とも断裂し，鎖骨の上方脱臼がみられる。タイプⅣ：鎖骨が後方に脱臼する。タイプⅤ：偏位が重度な上方脱臼。タイプⅥ：鎖骨の遠位端が烏口突起より下方へ偏位する。

第1章 肩のバイオメカニクス

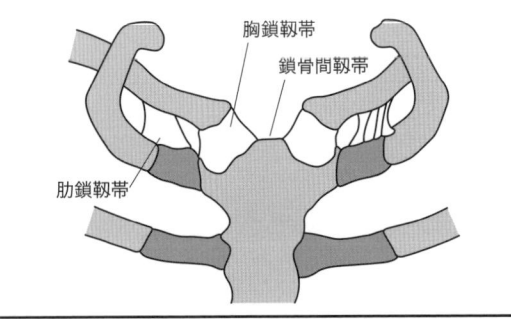

図5-5 胸鎖関節（文献14より作図）

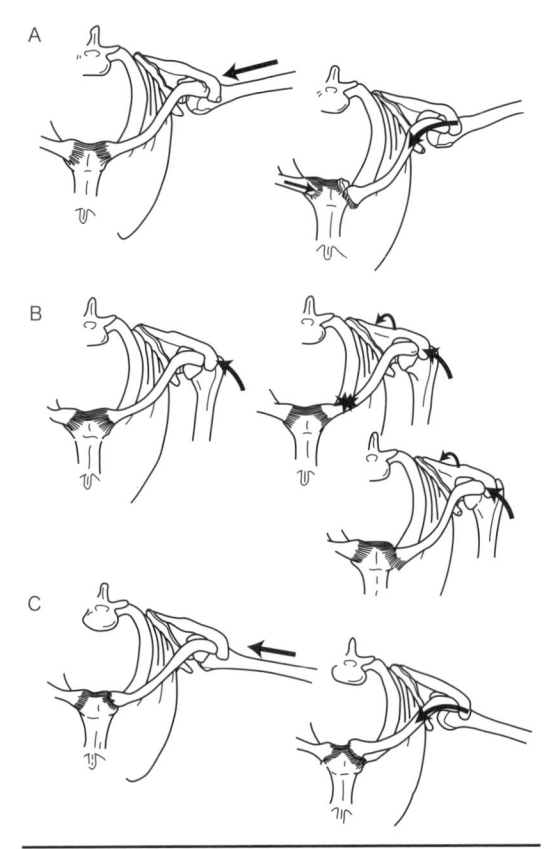

図5-6 介達ストレスによる胸鎖関節脱臼の受傷メカニズム（文献7より作図）
肩関節伸展・外転位では，前下方へ脱臼する（A）。肩関節の前外側に加わった力が伝わり，第1肋骨が支点となって前上方に脱臼する（B）。上肢帯挙上・肩関節屈曲位では後方に脱臼する（C）。

C. 胸鎖関節

1. 胸鎖関節の安定性

胸鎖関節は胸骨切痕と鎖骨の内側端からなり，関節腔内の円板によって適合性を増し，関節周囲の関節包と靱帯によって安定性を得ている（図5-5）[14]。過去の文献では胸鎖靱帯および肋鎖靱帯が胸鎖関節の安定性に関与すると述べられてきたが，力学的には証明されていなかった。

Spencerら[14]は，新鮮凍結肩を用いた研究で，24肩について関節包と靱帯が正常な場合と，無作為にそのなかの1つを切離した場合で，胸骨面に対して垂直方向のストレスを鎖骨に加え，このときの鎖骨の前後の偏位量を測定した。その結果，後方関節包を切離したとき，鎖骨の前方偏位量は4.67 ± 0.40 mm（41.6％）増加し，後方偏位量は3.91 ± 0.85 mm（106.5％）増加した。また前方関節包を切離したときと肋鎖靱帯を切離したときも鎖骨の前方偏位量がそれぞれ3.28 ± 0.81 mm（25.7％），0.63 ± 0.21 mm（5.7％）と有意に増加した。この結果から，胸鎖関節の安定性には後方関節包が重要な役割を果たすと述べた。

2. 胸鎖関節脱臼

胸鎖関節は強靱な靱帯によって支持されているため脱臼はまれであるが，その大部分は介達ストレスによる前方脱臼である。肩関節の肢位によって脱臼する方向が決まり，肩関節伸展・外転位では前方脱臼が起こりやすい（図5-6A）[7]。上肢が下垂位で肩関節が伸展している場合は，肩関節前外側に加わった力が一方では鎖骨に沿って内側に伝わり，もう一方では肩甲骨を通じて後方に伝わる。この2つの力が胸鎖関節に集中し，また第1肋骨が支点になることで，鎖骨が前上方に脱臼する（図5-6B）[7]。上肢帯挙上・肩関節屈曲位では胸鎖関節の後方関節唇にストレスが集中し，鎖骨の後方に脱臼する（図5-6C）[7]。

D. 鎖骨の運動

鎖骨の運動の表現や座標の取り方は報告により異なる[15〜19]。たとえば，Ludewigら[17]は胸鎖関

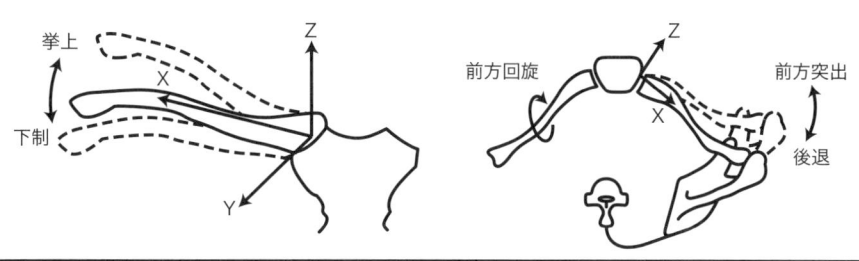

図5-7 鎖骨の運動の定義（文献17より作図）
肩鎖関節と胸鎖関節を通り，鎖骨の長軸に沿う軸をX軸と定め，これを矢状軸として，胸鎖関節を通り，水平面に垂直な軸をZ軸，X軸とZ軸に直角に交わる軸をY軸とする。

表5-1 測定方法と上肢挙上時の鎖骨の運動の比較

	発表者（発表年）	評価方法	方法	開始肢位			挙上位		
				後退	挙上	後方回旋	後退	挙上	後方回旋
屍体実験	Fungら（2001）[15]	3D	3Dセンサー，骨マーカー	17	3	2	30	18	27
In vivo	Inmanら（1944）[16]	2D	X線，骨ピン	−	4	0	−	25	40
	Ludewigら（2004）[17]	3D	3Dセンサー，皮膚マーカー	18.2 ± 5.8	1.6 ± 3.3	0.5 ± 2.5	10	10	15
	Saharaら（2007）[19]	3D	open MRI	28.6 ± 7.1	6.3 ± 5.6	0	30.6	7.3	33.2

節を座標の中心として鎖骨の長軸上をX軸（矢状軸）と定め，前額面上の運動を挙上 elevation-下制 depression，水平面上の運動を前方突出 protraction-後退 retraction，長軸上の運動を後方回旋 posterior rotation-前方回旋 anterior rotation と定義した（図5-7）。

上腕骨挙上に伴い鎖骨は elevation, retraction, posterior rotation するが[15〜19]，運動の程度は報告によって異なる（表5-1）。近年は皮膚マーカーや open MRI による in vivo の実験で三次元的に鎖骨の長軸に対する回旋が計測されている[17,19]。

E. 関節運動

これまでの研究で，上腕骨挙上時には鎖骨の運動の大半が胸鎖関節で起こり，肩鎖関節においてはわずかであると報告されている[8,15〜18]。

また，肩鎖関節，胸鎖関節の運動は肩甲胸郭関節の運動に影響されると報告されており[15,16]，Ludewigら[17]が行った胸鎖関節と肩甲胸郭関節の運動の分析によると，肩甲胸郭関節において肩甲骨が上方回旋 upward rotation する際，胸鎖関節では鎖骨の elevation および posterior rotation が起こり，肩甲骨が後傾 posterior tilting する際には鎖骨が posterior rotation する。また肩甲骨が内旋 internal rotation すると鎖骨は protraction し，外旋 external rotation すると retraction する。肩峰下でのインピンジメントが起こる際，上腕骨挙上に対して肩甲胸郭関節では肩甲骨の upward rotation および posterior tilting が減少することも報告されており[20]，臨床上，胸鎖関節においてはこの双方の運動に関係する posterior rotation が重要であることが示唆される。

このように肩鎖関節，胸鎖関節と肩甲胸郭関節は互いに影響しあい，肩鎖関節，胸鎖関節の機能不全は肩甲胸郭関節，さらには肩甲上腕関節にまで影響を及ぼすことが推察される。

F. まとめと今後の課題

肩鎖関節や胸鎖関節の安定性については，近年，観血的治療の観点からの報告が大半を占めてい

る。肩鎖関節の安定性機構として，肩鎖靱帯および烏口鎖骨靱帯が作用するとされる。報告によって関与の程度は異なるが，それらの靱帯が相乗的に働いて肩鎖関節を支えることが示唆されている。胸鎖関節の安定性に関しては，過去の報告では胸鎖靱帯と肋鎖靱帯の関与が述べられていたが，胸鎖関節の前後方向の制動に対して後方関節包が大きく作用すると報告された。鎖骨の運動については，上肢の挙上に伴い，鎖骨は挙上，後退，後方回旋するという点で見解は一致している。近年の三次元計測により，上肢挙上時の鎖骨の後方回旋角度は，過去の研究結果と比較して小さい値を示すことが報告された。関節運動に関して，上肢の挙上と鎖骨の運動や肩甲胸郭関節と胸鎖関節の運動の関係性など，正常運動については報告されているが，鎖骨の後方回旋の減少が，腱板のインピジメントに対して影響を及ぼす可能性など，鎖骨の異常運動と疾患を関連させた研究は少なく，推察にとどまっているのが現状である。

　肩鎖関節，胸鎖関節の機能不全は慢性疼痛や早期の退行性変化をもたらすだけでなく，相互に関する肩甲胸郭関節，あるいは肩甲上腕関節の運動に影響するといわれており，肩鎖関節，胸鎖関節の不安定性とほかの関節との関係や，病態に言及した鎖骨の運動解析などが今後期待される。

文献

1. Beim GM. Acromioclavicular joint injuries. *J Athl Train*. 2000; 35: 261-7.
2. Fukuda K, Craig EV, An KN, Cofield RH, Chao EY. Biomechanical study of the ligamentous system of the acromioclavicular joint. *J Bone Joint Surg Am*. 1986; 68: 434-40.
3. Klimkiewicz JJ, Williams GR, Sher JS, Karduna A, Des Jardins J, Iannotti JP. The acromioclavicular capsule as a restraint to posterior translation of the clavicle: a biomechanical analysis. *J Shoulder Elbow Surg*. 1999; 8: 119-24.
4. Debski RE, Parsons IM 3rd, Fenwick J, Vangura A. Ligament mechanics during three degree-of-freedom motion at the acromioclavicular joint. *Ann Biomed Eng*. 2000; 28: 612-8.
5. Debski RE, Parsons IM, Woo SL, Fu FH. Effect of capsular injury on acromioclavicular joint mechanics. *J Bone Joint Surg Am*. 2001; 83: 1344-51.
6. Mozzocca AD, Santangelo SA, Johnson ST, Rios CG, Dumonski ML, Arciero RA. A biomechanical evaluation of an anatomical coracoclavicular ligament reconstruction. *Am J Sports Med*. 2006; 34: 236-46.
7. Hoyt WA. Etiology of shoulder injuries in athletes. *J Bone Joint Surg Am*. 1967; 49: 755-66.
8. Rockwood CA, Williams GR, Young DC. Disorders of the acromioclavicular joint. In: Rockwood Jr CA, Mattson FA, eds., The Shoulder. 2nd ed. Philadelphia, WB Saunders. 1998; 483-553.
9. Nuber GW, Bowen MK. Acromioclavicular joint injuries and distal clavicle fractures. *J Am Acad Orthop Surg*. 1997; 5: 11-8.
10. Stenlund B, Goldie I, Marions O. Diminished space in the acromioclavicular joint in forced arm adduction as a radiographic sign of degeneration and osteoarthrosis. *Skeletal Radiol*. 1992; 21: 529-33.
11. Costic RS, Jari R, Rodosky MW, Debski RE. Joint compression alters the kinematics and loading patterns of the intact and capsule-transected AC joint. *J Orthop Res*. 2003; 21: 379-85.
12. Scavenius M, Iversen BF. Nontraumatic clavicular osteolysis in weight lifters. *Am J Sports Med*. 1992; 20: 463-7.
13. Slawski DP, Cahill BR. Atraumatic osteolysis of the distal clavicle. Results of open surgical excision. *Am J Sports Med*. 1994; 22: 267-71.
14. Spencer EE, Kuhn JE, Huston LJ, Carpenter JE, Hughes RE. Ligamentous restraints to anterior and posterior translation of the sternoclavicular joint. *J Shoulder Elbow Surg*. 2002; 11: 43-7.
15. Fung M, Kato S, Barrance PJ, Elias JJ, McFarland EG, Nobuhara K, Chao EY. Scapular and clavicular kinematics during humeral elevation: a study with cadavers. *J Shoulder Elbow Surg*. 2001; 10: 278-85.
16. Inman VT, Saunders JB, Abbott LC. Observations of the function of the shoulder joint. *J Bone Joint Surg Am*. 1944; 26: 1-30.
17. Ludewig PM, Behrens SA, Meyer SM, Spoden SM, Wilson LA. Three-dimensional clavicular motion during arm elevation: reliability and descriptive data. *J Orthop Sports Phys Ther*. 2004; 34: 140-9.
18. McClure PW, Michener LA, Sennett BJ, Karduna AR. Direct 3-dimensional measurement of scapular kinematics during dynamic movements *in vivo*. *J Shoulder Elbow Surg*. 2001; 10: 269-77.
19. Sahara W, Sugamoto K, Murai M, Yoshikawa H. Three-dimensional clavicular and acromioclavicular rotations during arm abduction using vertically open MRI. *J Orthop Res*. 2007; 25: 1243-9.
20. Ludewig PM, Cook TM. Alterations in shoulder kinematics and associated muscle activity in people with symptoms of shoulder impingement. *Phys Ther*. 2008; 80 276-91.

〈小笠原雅子，坂田　淳〉

第2章
外傷性脱臼

　肩甲上腕関節は球関節で大きな可動性を有する反面，非常に不安定な関節で，人体における全関節脱臼の50〜85％を肩関節が占める。外傷性肩関節脱臼の95〜98％は前方脱臼で，肩関節外転・外旋・水平伸展の複合的動作によって発生する。好発年齢は男性21〜30歳，女性61〜80歳で，男性に比して女性が高齢で受傷しているが，初回脱臼が若年層に起こると再発率は高くなり，反復性肩関節脱臼に移行しやすい。

　機能解剖学的には，前方脱臼が生じやすい肩関節外転・外旋位では，下関節上腕靭帯（IGHL）複合体が関節制動に対して最も重要である。Zarinsらは初回前方脱臼患者の関節鏡視下所見で97％にBankart損傷がみられ，その全例においてIGHL複合体損傷が認められたと報告した。肩関節脱臼の理学的検査には，前方脱臼不安感テストなど種々あるが，どれも完全に病態を表わすものではなく，確定診断のためには画像所見や関節鏡所見が必要となる。

　受傷後の保存療法に関して，従来の内旋位固定では再脱臼率を減少させるという報告は少なく，固定期間にかかわらず筋力増強を中心としたリハビリテーションに移行することが望ましいといわれている。また，腱板機能訓練や肩甲骨を含めた協調性訓練の必要性は指摘されつつも再脱臼の予防に有効とされる運動療法の報告は少ない。一方，Itoiらは下垂位外旋固定により再脱臼率が減少すると報告し，近年では再発予防の可能性として外旋位固定が注目されている。

　不安定性の残存により日常生活活動やスポーツ動作に支障をきたす場合は，手術療法が選択される。術式に関しては数多く報告されているが，Roweらは肩関節前方脱臼の病態としてBankart病変が最も重要であるため，Bankart病変を解剖学的に再接着させるBankart法が"gold standard"であると述べている。術後のリハビリテーションに関して，関節可動域（ROM）の回復は，鏡視下法による手術が直視下法よりも良好だが，どちらもROM制限は残存することが報告されている。術後の組織変化の観点から，関節包に過負荷が生じる運動は術後6〜8週より開始する必要があるため，これらを考慮しつつ動的安定化機構である筋をトレーニングする。また，スポーツ復帰はノンコンタクトスポーツでは術後4〜6ヵ月，コンタクトスポーツでは6〜8ヵ月とある程度統一された見解が得られている。

第2章編集担当：加賀谷善教

6. 疫　　学

はじめに

　外傷性肩関節脱臼（以下，肩関節脱臼）は活動性の高いスポーツなどでみられる。しかし，スポーツ外傷全体からみた肩関節脱臼に関する「疫学」に関しては不明な点が多い。今回，①肩関節脱臼の方向，②年齢，性別での違い，③スポーツ種目別にみた発生頻度，受傷機転，④反復性肩関節脱臼に的を絞り，文献をもとに調査を行った。

A. 文献検索方法

　文献検索にはPubMedを用いた。キーワードおよび文献件数は，「epidemiology of shoulder dislocation」91件，「shoulder dislocation」3,708件，「shoulder injuries in sports」1,193件であった。

B. 身体関節全体からみた肩関節脱臼

　肩関節は人体関節のなかで最も可動範囲が大きく，それに伴い全関節脱臼の50〜85％を肩関節が占める。

C. 脱臼の方向

　脱臼（dislocation）とは，関節窩から骨頭が完全に移動した状態が診断時まで維持されたものであり，亜脱臼（subluxation）とは分けている。肩甲上腕関節において，上腕骨頭が関節窩から脱臼する方向は，前方（anterior）・後方（posterior）・下方（infrior）の3方向がある。肩関節脱臼の95〜98％が前方脱臼である。Chalidisら[1]は，14歳以上の骨折の合併のない肩関節脱臼患者369名で，前方脱臼が96％，後方脱臼が4％

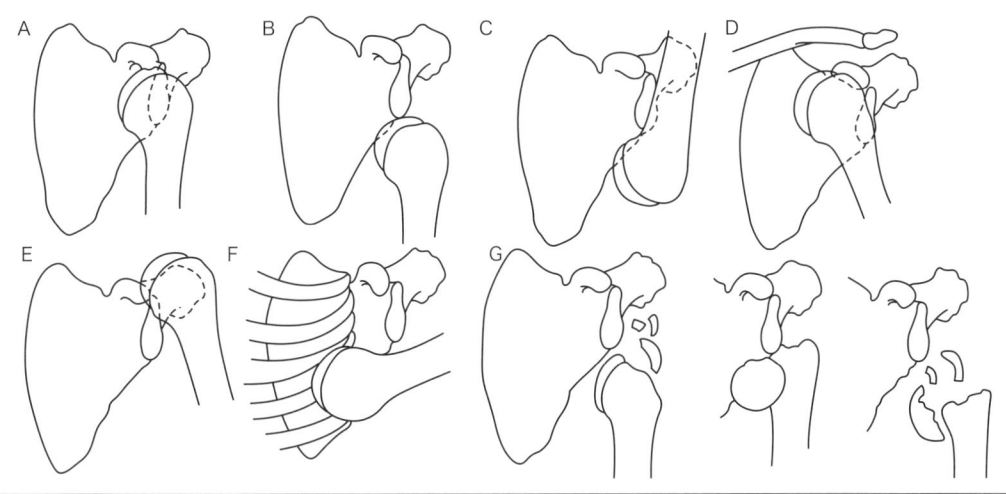

図6-1　前方脱臼の分類（文献2より作図）
A：烏口下（subcoracoid），B：臼蓋下（subglenoid），C：直立脱臼（luxatio erecta），D：鎖骨下（subclaviculer），E：臼蓋下（supraglenoid），F：肋骨内（intrathoracic），G：脱臼骨折（fracture-dislocation）。

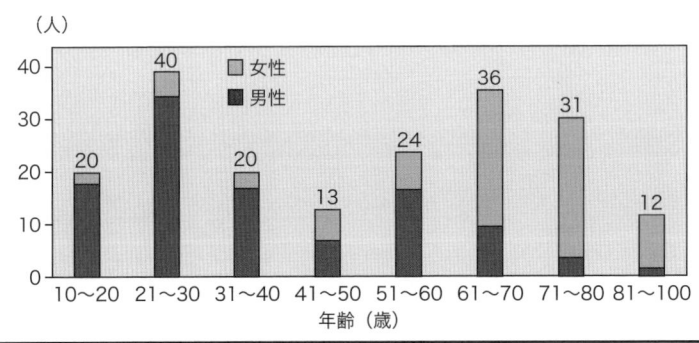

図6-2　196例の初回前方脱臼患者の年齢および男女内訳（文献5より引用）

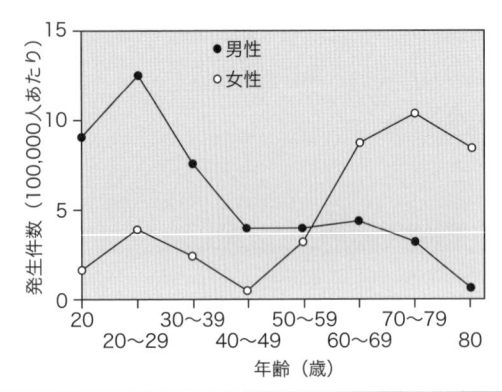

図6-3　肩関節脱臼の受傷年齢（文献6より引用）

表6-1　肩関節前方脱臼の受傷機転（文献1より引用）

受傷機転	例　数	割合（％）
転倒	198	64.3
自転車の転倒	4	1.3
高所からの転倒	2	0.6
暴行	2	0.6
急激な動き	58	18.8
くしゃみ	2	0.6
水泳	2	0.6
直達外力	6	1.9
自動車事故	6	1.9
ウエイトトレーニング	4	1.3
労災事故	2	0.6
睡眠中	8	2.6
引っぱる	14	4.5
合　計	308	100

であったと報告した。前方脱臼は，烏口下（subcoracoid），臼蓋下（subglenoid），鎖骨下（subclaviculer），肋骨内（intrathoracic）の4種類に大きく分けられ（図6-1）[2]，なかでも烏口下タイプと臼蓋下タイプが大半を占める。Visserら[3]は，肩関節前方脱臼を呈した77例（年齢平均52.3歳，16〜94歳，男性38例，女性39名，左35例，右42例）の内訳を示したなかで，60例が烏口下タイプであった。

D. 脱臼の発生年齢および男女比

Kralingerら[4]は，241例〔男性176例（73％），女性65例（27％）〕，平均年齢は45.6歳（13〜76歳）の初回肩関節脱臼症例を追跡調査した。そのうち追跡しえた180例中53例が再脱臼しており，再脱臼した61.3％が21〜30歳であった。

Hoelenら[5]は，計196例の初回肩関節脱臼症例の受傷年齢を調査した。受傷者の平均年齢は49.6歳（15〜94歳）で，男性の平均年齢は37.5歳，女性の平均年齢は64.8歳であったことから，男女で受傷時期のピークが異なることが示された（図6-2）。Kronerら[6]は肩関節脱臼の発生率は年間100,000名あたり17名程度と報告した。また前述の報告と同様，調査を行った計216例の平均年齢は51歳（12〜92歳）で，男性は20〜29歳間，女性は70〜79歳間にそれぞれ受傷のピークが生じていた（図6-3）。

表6-2 年齢と受傷場所の関係（文献6より引用）

	50歳未満（件数）	50歳以上（件数）	合計
自宅	21	51	72
病院・介護施設など	2	5	7
公共施設	8	0	8
職場	10	4	14
公共の場・グラウンドなど	25	29	54
その他	40	21	61
合計	106	110	216

表6-3 年齢と受傷機転の関係（文献6より引用）

	50歳未満（件数）	50歳以上（件数）	合計
腕を伸ばしたままでの転倒	12	29	41
肩への衝撃	46	53	99
腕のひねり	11	7	18
機転不詳	17	7	24
その他	20	14	34
合計	106	110	216

E. 受傷機転について

Chalidisら[1]は369名の肩関節脱臼患者のうち調査可能であった前方脱臼患者308名（男性170例，平均年齢37歳，女性138例，平均年齢59歳）の受傷機転を報告した。その結果は，大半（64.3％）が単純に転倒したものであった（**表6-1**）。Slaaら[7]は，初回肩関節脱臼患者105例107肩を71ヵ月（46～91ヵ月）追跡調査した。このうち34％がスポーツ活動中，28％が家庭で受傷していた。年齢内訳は不詳だが，40歳以下の男性はスポーツ活動，40歳以上の女性は家庭内での受傷機転が多いと報告した。**表6-2**および**表6-3**はKronerら[6]が216例の肩関節脱臼疾患者の受傷場所および機転をまとめたものである。これによれば，女性は高齢者層が家庭内で転倒により手をついた状態で受傷したケースが多く，逆に若年層は屋外やスポーツ現場あるいは機転不詳で受傷したケースが多いなど，年齢，男女間での特徴を示した。

表6-4 アメリカ国内の高校，大学アメリカンフットボール選手に多くみられた外傷（1997～1998年シーズン）（文献8より引用）

	外傷	受傷率	受傷率（1,000 A-E）
高校生	靱帯損傷	28.94	1.43
高校生	筋挫傷	16.70	0.82
高校生	打撲	16.08	0.79
高校生	脳振盪	11.44	0.56
高校生	骨折	8.89	0.44
高校生	脱臼	2.42	0.12
大学生	靱帯損傷	30.86	1.82
大学生	筋挫傷	19.64	1.16
大学生	打撲	12.22	0.72
大学生	脳振盪	9.79	0.58
大学生	骨折	5.17	0.31
大学生	熱射病	2.77	0.16
高校生＋大学生	靱帯損傷	30.05	1.64
高校生＋大学生	筋挫傷	18.40	1.00
高校生＋大学生	打撲	13.85	0.76
高校生＋大学生	脳振盪	10.47	0.57
高校生＋大学生	骨折	6.74	0.37
高校生＋大学生	脱臼	2.35	0.13

F. 競技種目からみた肩関節脱臼

1. アメリカンフットボール

Eric[8]は1997年にアメリカ国内の56高校，46大学，そして1998年に36高校，48大学でアメリカンフットボールを行っている選手の外傷調査を行った。2シーズンのplayer-seasonは14,997，athlete-exposures（A-E）は，1,042,117であった。case rate／1,000 athlete-exposuresは高校4.93，大学5.91であった。これは，10人の選手がそれぞれ100回の練習あ

第2章 外傷性脱臼

表6-5 ラグビー選手の受傷部位，内容，受傷機転（2000〜2003年）（文献9より引用）

		率	95%信頼区間
受傷部位	大腿・腓腹筋	11.7	8.0〜15.3
	肩	10.2	6.8〜13.6
	膝	8.4	5.3〜11.5
	足関節・足	6.6	3.8〜9.4
	頭部・頚部	5.7	3.1〜8.3
	胸部・腹部	4.5	2.2〜6.8
	腕・手	4.5	2.2〜6.8
	顔面	1.2	0.0〜2.4
	その他	2.7	0.9〜4.5
受傷の種類	捻挫	19.2	14.5〜23.8
	筋損傷	11.1	7.5〜14.7
	骨折・脱臼	7.5	4.6〜10.4
	血腫	6.0	3.4〜8.6
	脳振盪	3.0	1.1〜4.9
	挫傷	2.7	0.9〜4.5
	裂傷	1.5	0.2〜2.8
	裂離	0.3	0.0〜0.9
	その他	3.3	1.4〜5.2
受傷機転	タックルを受けた	16.5	12.1〜20.9
	タックル中に	13.2	9.3〜17.1
	転倒・つまずく	5.4	2.9〜7.9
	力の出しすぎ	3.9	1.8〜6.0
	選手による打撃	3.6	1.6〜5.6
	選手・物への衝突	3.3	1.4〜5.2
	オーバーユース	1.2	0.0〜2.4
	パス・加速の際のひねり	0.9	0.0〜1.9
	その他	7.5	4.6〜10.4

受傷率の単位は1,000 playing hours。

表6-6 ラグビー選手の外傷の主な診断名（2000〜2003年）（文献9より引用）

診断名	率	95%信頼区間
足関節捻挫（外側）	6.9	4.1〜9.7
肩鎖関節損傷	4.5	2.2〜6.8
膝内側靱帯損傷・断裂	3.9	1.8〜6.0
脳振盪	3.0	1.1〜4.9
大腿四頭筋血腫	2.7	0.9〜4.5
前十字靱帯損傷・断裂	2.1	0.5〜3.7
ローテーターカフ異常	2.1	0.5〜3.7
腓腹筋血腫	1.8	0.4〜3.2
腓腹筋損傷	1.8	0.4〜3.2
ハムストリング損傷	1.8	0.4〜3.2
頚部損傷	1.8	0.4〜3.2
肩関節脱臼	1.5	0.2〜2.8
腰部捻挫	1.5	0.2〜2.8
中手骨骨折	1.5	0.0〜2.8
膝外側靱帯損傷/断裂	1.2	0.0〜2.4
肋骨骨折・打撲	1.2	0.0〜2.4
胸骨骨折・打撲	1.2	0.0〜2.4
顔面裂傷	0.9	0.0〜1.9
鼡径部捻挫	0.9	0.0〜1.9
アキレス腱炎	0.6	0.0〜1.4
腓腹筋打撲	0.6	0.0〜1.4
鎖骨骨折	0.6	0.0〜1.4
頭部裂傷	0.6	0.0〜1.4
肩関節損傷	0.6	0.0〜1.4
脛骨/腓骨骨折	0.6	0.0〜1.4
鎖骨打撲	0.3	0.0〜0.9
指骨脱臼	0.3	0.0〜0.9
膝関節脱臼	0.3	0.0〜0.9
顔面骨折	0.3	0.0〜0.9

受傷率の単位は1,000 playing hours。

いは試合に参加した時，延べ4.93件のスポーツ外傷が発生したことになる。2年間で595件（高校273件，大学322件）の外傷が発生しており，多くみられる受傷部位としては，高校生で足部（14.36％），膝（13.07％），頭部（11.77％），肩（10.31％），大学生では膝（16.54％），足部（14.02％），肩（11.40％），頭部（9.85％）であった。多い疾患としては，靱帯損傷，筋挫傷，打撲傷，脳振盪，脱臼であった（表6-4）。ここでの脱臼は肩部位だけではなく，他部位も含まれていた。この報告はアメリカンフットボール選手の脳振盪の受傷状況を中心に調査した内容である

ため，他疾患の受傷機転や身体各部位の外傷の詳細は不明な点が多かった。

2. ラグビー

Gabbettら[9]は，オーストラリアを中心とするラグビーリーグに所属する153選手の外傷を調査した。2000〜2003年の4年間に延べ244選手が計219試合を行った。競技総時間は3,341時間である。これは，153選手のうち1試合のみ出場の選手もいれば，数試合出場した選手もおり，個々のプレー時間が219試合で計3,341時間であったと解釈される。153選手中94選手（61.4％）が1ヵ所以上を受傷（外傷総数185例）した。外傷部位は大腿，下腿部が最も多く，次いで肩，膝の順であった。これらの外傷の受傷機転として最も多いのが，タックル動作による接触プレーであった。**表6-5**に1,000 playing hoursあたりの外傷部位を示した。肩部位は10.2，脱臼疾患は骨折と合わせて7.5であった。**表6-6**では肩関節脱臼は1.5であった。また，肩関節脱臼と分けて手指，膝関節の脱臼も報告された。

Yardら[10]は，1978〜2004年の間に複数の医療機関からアメリカ国内のラグビーでの外傷者を集計した。この間，アメリカ国内に236,539名のラグビー選手が存在し，4,835件の外傷報告があった。外傷者の87.2％が男性で，86.0％が18歳以上であった。**表6-7**は実際の外傷内訳とそのデータをもとに算出したアメリカ国内での年間外傷の概算値である。受傷した男性選手の平均年齢は23.3歳，女性選手の平均年齢は21.2歳であった。外傷部位は多い順から，顔面（20.5％），肩（14.1％），頭部（11.5％），足部（9.1％）である。疾患は多い順に，肉ばなれ，筋挫傷（24.3％），裂傷（22.1％），骨折（18.7％），挫傷，打撲（16.6％）と続く。脱臼は7.2％であった。しかし，前述の報告と比較して，本報告は脱臼の部位が明確でなく，肩部位がどれほどの割合

表6-7 アメリカにおけるラグビー選手外傷調査（1978〜2004年）（文献10より引用）

		損傷数（％）	年度における受傷の推定値（％）
	合　計	4,835	8,854
受傷部位	頭部・顔面・頸部	1,844 (38.1)	3,382 (38.1)
	頭部	555 (11.5)	952 (10.7)
	顔面	989 (20.5)	1,905 (21.4)
	目	26 (0.5)	59 (0.7)
	耳	70 (1.4)	122 (1.4)
	口	104 (2.2)	188 (2.1)
	頸部	100 (2.1)	156 (1.8)
	上肢	1,449 (30.0)	2,695 (30.3)
	肩	683 (14.1)	1,257 (14.1)
	上腕	8 (0.2)	15 (0.2)
	肘	61 (1.3)	120 (1.4)
	前腕	62 (1.3)	139 (1.6)
	手関節	122 (2.5)	215 (2.4)
	手	146 (3.0)	259 (2.9)
	指	367 (7.6)	690 (7.8)
	体幹	373 (7.7)	657 (7.4)
	体幹上部	241 (5.0)	411 (4.6)
	体幹下部	129 (2.7)	241 (2.7)
	鼠径部	3 (0.1)	5 (0.1)
	下肢	1,147 (23.7)	2,097 (23.6)
	下肢上部	40 (0.8)	80 (0.9)
	膝	410 (8.5)	713 (8.0)
	下肢下部	135 (2.8)	270 (3.0)
	足関節	438 (9.1)	791 (8.9)
	足部	107 (2.2)	207 (2.3)
	つま先	17 (0.4)	36 (0.4)
	その他	22 (0.5)	55 (0.6)
診断名	肉ばなれ・挫傷	1,173 (24.3)	2,055 (23.1)
	裂傷	1,067 (22.1)	1,982 (22.2)
	骨折	903 (18.7)	1,718 (19.3)
	挫傷・裂離	805 (16.6)	1,494 (16.8)
	脱臼	348 (7.2)	659 (7.4)
	脳振盪	161 (3.3)	275 (3.4)
	その他	378 (7.8)	691 (7.8)

第2章 外傷性脱臼

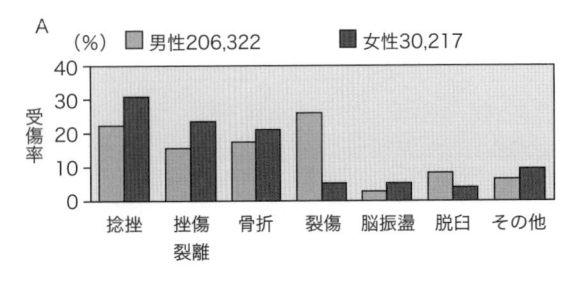

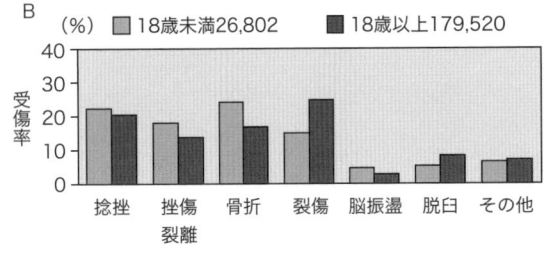

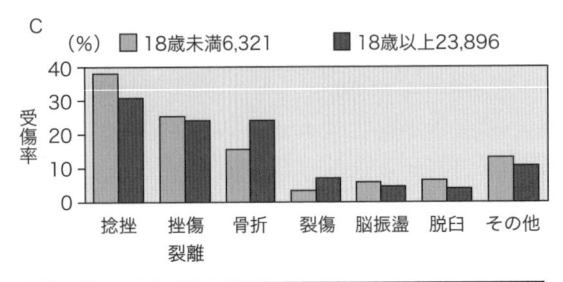

図6-4 アメリカにおけるラグビー選手の外傷者内訳(1978～2004年)(文献10より引用)
A：全受傷者を性別で比較，B，C：男性の受傷者(B)，女性の受傷者(C)を18歳未満と18歳以上で比較した。

表6-8 フィンランドアイスホッケーリーグに所属するメジャー選手50名の外傷部位，内容（文献11より引用）

外傷	数
眼外傷（目の打撲，前房出血）	2
顔面（骨折）	2
肩（5件）	
肩の脱臼	4
その他	1
上腕遠位（11件）	
手関節骨折	5
母指の靱帯損傷または骨折	2
中指骨や指骨骨折	4
鼡径部損傷	1
膝（12件）	
内側側副靱帯断裂（グレードⅡ～Ⅲ）	5
半月板断裂	4
前十字靱帯断裂	1
膝蓋骨骨折	1
前十字靱帯と内側側副靱帯の複合断裂	1
下肢遠位（16件）	
下肢骨折	2
前踵腓靱帯損傷	5
顆骨折	4
足部（骨折）	1
顆骨折と靱帯損傷合併	2
その他	2
胸部打撲	1

を示すかは不明である。また，図6-4に性別，年代別の内訳を示す。

3. アイスホッケー

Molsaら[11]は，1976～1979年，1988～1989年，1992～1993年の3シーズンにわたり，Finnish National League（FNL）に所属するアイスホッケーチームの外傷調査を行った。合計641選手の負傷者のうち，メジャー選手50名の外傷部位および内容を表6-8に示した。またMolsら[12]はフィンランドのアイスホッケー選手の全外傷者から上肢に限定した調査を行った。1996年のシーズンに延べ760例の上肢外傷が発生しており，発生率は14.8／1,000 player-yearsであった。これは，アイスホッケー選手1,000人あたり年間14.8件の上肢外傷が発生したことになる。これらの外傷者の70％が試合中の受傷であり，861例の外傷のうち打撲傷（32％），筋挫傷（28％），骨折（27％）の順に多く，肩関節脱臼は2％であった（表6-9）。

4. フィギュアスケート

Sandaら[13]は，2002～2003年の2年間，カナダのフィギュアスケート選手469名の外傷調査をした。ジュニアクラスの男子233名（シングルス104名，ペア61名，アイスダンス68名），

6. 疫　学

女子236名（シングルス107名，ペア61名，アイスダンス68名）が対象で，外傷内訳を**表6-10**に示す。平均年齢は男子18歳，女子16歳である。興味深いのは，シングルス，アイスダンス競技よりペア競技の急性外傷が多いことである。また，ペア競技のみに肩関節脱臼が発生していた。詳細は記載されていないが，ペア競技でのリフティング動作および高い空中ジャンプからの転倒が受傷機転として考えられる。

5．スノーボード

Hagelら[14]は2001～2002年ウィンターシーズンにケベック州（カナダ）内の計19スキー場で起こったスノーボード競技者の外傷内容を報告した。上肢に限定すると，1,066名1,108件の外傷が発生した。手56件，手関節527件，前腕119件，肘71件，上腕51件，肩284件で手首・肩・前腕の順に外傷が多いことが示された（**表6-11**）。今回の報告では，肩部位は手関節527名に次いで多く284名であった。また肩部位

表6-9　フィンランドのアイスホッケー選手における上肢外傷（760例）の内訳（文献10より引用）

外傷	数（％）
打撲　275件（32％）	
手関節および手	140（16）
肩	90（10）
肘	45（5）
筋挫傷　245件（28％）	
手関節および手	126（15）
肩	107（12）
肘	12（2）
骨折　232件（27％）	
手関節および手	205（24）
舟状骨	7（1）
肩	17（2）
肘	3（1）
創傷	46（5）
上腕関節の脱臼（肩関節脱臼）	20（2）
肩鎖関節脱臼（グレードIII）	16（2）
その他	24（3）

表6-10　フィギュアスケートジュニア強化選手の外傷と競技復帰期間（文献13より引用）

| 外傷 | 女子（236例） | | | 男子（233例） | | | 合計（469例） |
| | シングル（107例） | ペア（61例） | アイスダンス（68例） | シングル（104例） | ペア（61例） | アイスダンス（68例） | |
	例数（％）	例数（％）	例数（％）	例数（％）	例数（％）	例数（％）	例数（％）
足関節捻挫	10（16.8）	8（13.5）	2（3.4）	10（15.4）	7（10.8）	2（3.1）	39（8.3）
膝靱帯損傷	3（5.1）	1（1.8）		3（4.6）	2（3.1）	1（1.5）	10（2.1）
肩関節脱臼		2（3.4）			3（4.6）		5（1.1）
下肢裂傷		8（13.5）	4（6.8）		5（7.7）	4（6.2）	21（4.5）
頭部損傷		8（13.5）			5（7.7）	1（1.5）	14（2.9）
骨折（腕）	2（3.4）	4（6.8）			4（6.2）	2（3.1）	12（2.6）
骨折（下肢）	3（5.1）	2（3.4）			4（6.2）	2（3.1）	11（2.3）
膝損傷		2（3.4）		3（4.6）	1（1.5）		6（1.3）
骨折（手関節）					3（4.6）	2（3.1）	5（1.1）
骨折（指）					1（1.5）		1（0.2）
小計	18（30.5）	35（59.3）	6（10.2）	24（36.9）	31（36.9）	10（15.4）	
合計	59（100）			65（100）			124（26.4）
復帰までの期間	2週間～2ヵ月			5日～4ヵ月			

第2章 外傷性脱臼

表6-11 2001～2002年シーズンにおけるケベック州（カナダ）内の19のスキー場で発生したスノーボード競技者の上肢外傷内訳（文献14より引用）

	手	手関節	前腕	肘	上腕	肩
	例数（%）	例数（%）	例数（%）	例数（%）	例数（%）	例数（%）
打　撲	4 (7.1)	4 (0.8)	5 (4.2)	12 (16.9)	9 (17.7)	28 (9.9)
脱　臼	4 (7.1)	1 (0.2)	1 (0.8)	8 (11.3)	1 (2.0)	90 (31.7)
骨　折	13 (23.2)	245 (46.5)	94 (79.0)	20 (28.2)	24 (47.1)	92 (32.4)
捻　挫	28 (50.0)	239 (45.4)	10 (8.4)	17 (23.9)	7 (13.7)	47 (16.6)
複合損傷	1 (1.8)	22 (4.2)	6 (5.0)	4 (5.6)	4 (7.8)	6 (2.1)
その他	6 (10.7)	16 (3.0)	3 (2.5)	10 (14.1)	6 (11.8)	21 (7.4)
合　計	56 (100)	527 (100)	119 (100)	71 (100)	51 (100)	284 (100)

表6-12 フィンランドにおけるスポーツ外傷調査（1987～1991年）（文献14より引用）

スポーツ種目	受傷数（人年）	損傷数	受傷率（95%信頼区間）*
サッカー	296,646	26,330	89 (88～90)
アイスホッケー	179,798	16,836	94 (92～95)
バレーボール	87,668	5,235	60 (58～61)
バスケットボール	39,541	3,472	88 (85～91)
柔道	9,936	1,163	117 (111～123)
空手	8,102	1,150	142 (134～150)

*受傷率は損傷数/1,000人年。

のうち骨折92名（32.4%），脱臼90名（31.7%），捻挫47名（16.6%）と肩関節脱臼の受傷者が多かった（表6-11）。

諸家の報告では，スキー競技外傷全体の4～11%が肩部位であり，腱板損傷，肩関節脱臼，肩鎖関節脱臼，鎖骨骨折などが多いとされた[15]。

6．その他の競技

肩関節脱臼に関して，柔道や体操も受傷しやすいと予測したが，明確な文献を収集できなかった。また諸家の報告では，投球動作を要する競技を危険因子としてあげており，野球，バレーボール，バスケットボールなどの競技やオーバーヘッド動作を要する水泳競技なども調査した。しかし，ローテーターカフやインピンジメントに関する文献が多かった。その中でもKujalaら[16]は1987～1991年にわたり，フィンランドのサッカー，アイスホッケー，バレーボール，バスケットボール，柔道，空手の競技者のうち54,186件の外傷報告を行った（表6-12）。15歳以下は外傷発生が少ないのに比して20～24歳間の外傷発生が多いとされている。各競技別に下肢外傷が目立つのはサッカー（66.8%），バレーボール（57.4%），バスケットボール（56.0%）などの競技で，上肢外傷は柔道（37.6%）に最も多くみられた。

競技別にみた外傷内訳（複数による受傷率，95%信頼区間）を表6-13に示す。肩および肘関節脱臼は多い順に柔道（1.9%），アイスホッケー（0.7%），バスケットボール，空手（各0.3%），バレーボール，サッカー（各0.2%）であった。コンタクトスポーツにおける転倒などの外力による受傷が多いことが考えられる。Backxら[17]は，さまざまな競技で外傷の危険の高いものとしてコンタクトスポーツ，ハイジャンプ，室内種目などをあげ，また受傷機転として転落・つまずき，踏み損ない・ひねり，キック・プッシュなどが多いと報告した。

6. 疫　学

表6-13　フィンランドにおけるスポーツ外傷の内訳（1987〜1991年）（文献16より引用）

外傷の種類	サッカー	アイスホッケー	バレーボール
捻挫とストレイン	56.1 (14769) [50 (49〜51)]	36.9 (6213) [35 (34〜35)]	74.6 (3905) [45 (43〜46)]
膝	16.4 (4321) [15 (14〜15)]	11.2 (1886) [11 (10〜11)]	15.4 (807) [9 (9〜10)]
足関節	16.7 (4401) [15 (14〜15)]	4.8 (812) [5 (4〜5)]	29.2 (1527) [17 (17〜18)]
打撲と裂傷	31.1 (8184) [28 (27〜28)]	42.0 (7069) [39 (38〜40)]	16.3 (853) [10 (9〜10)]
骨折	9.6 (2515) [8 (8〜9)]	17.1 (2885) [16 (16〜17)]	5.9 (311) [4 (3〜4)]
歯以外の骨折	7.0 (1844) [6 (6〜7)]	10.6 (1785) [10 (9〜10)]	4.0 (212) [2 (2〜3)]
足と足関節	25.0 (461) [2 (1〜2)]	11.3 (201) [1 (1〜1)]	29.2 (62) [1 (1〜1)]
足関節より近位の下肢	16.1 (297) [1 (1〜1)]	6.8 (122) [1 (1〜1)]	7.5 (16) [0 (0〜0)]
手指，手掌，手関節	35.5 (654) [2 (2〜2)]	48.1 (858) [5 (4〜5)]	53.8 (114) [1 (1〜2)]
手関節より近位の上肢	8.4 (154) [1 (0〜1)]	21.6 (386) [2 (2〜2)]	0.9 (2) [0 (0〜0)]
その他（歯以外）	15.1 (278) [1 (1〜1)]	12.2 (218) [1 (1〜1)]	8.5 (18) [0 (0〜0)]
歯の骨折	2.5 (671) [2 (2〜2)]	6.5 (1100) [6 (6〜6)]	1.9 (99) [1 (1〜1)]
脱臼	0.8 (215) [1 (1〜1)]	1.1 (191) [1 (1〜1)]	1.4 (73) [1 (1〜1)]
膝関節	0.3 (76) [0 (0〜0)]	0.2 (39) [0 (0〜0)]	0.3 (17) [0 (0〜0)]
肩関節と肘関節	0.2 (52) [0 (0〜0)]	0.7 (113) [1 (1〜1)]	0.2 (11) [0 (0〜0)]
指	0.1 (31) [0 (0〜0)]	0.1 (13) [0 (0〜0)]	0.5 (25) [0 (0〜0)]
その他、不明	2.5 (647) [2 (2〜2)]	2.8 (478) [3 (2〜3)]	1.8 (93) [1 (1〜1)]

外傷の種類	バスケットボール	柔道	空手
捻挫とストレイン	61.3 (2128) [54 (52〜56)]	59.8 (696) [70 (65〜75)]	44.7 (514) [63 (58〜69)]
膝	12.4 (432) [11 (10〜12)]	15.3 (178) [18 (15〜21)]	9.0 (104) [13 (10〜15)]
足関節	29.5 (1023) [26 (24〜27)]	6.5 (76) [8 (6〜9)]	6.3 (72) [9 (7〜11)]
打撲と裂傷	22.2 (773) [20 (18〜21)]	23.1 (269) [27 (24〜30)]	35.1 (404) [50 (45〜55)]
骨折	12.6 (436) [11 (10〜12)]	11.3 (131) [13 (11〜15)]	16.9 (194) [24 (21〜27)]
歯以外の骨折	7.6 (265) [7 (6〜8)]	8.8 (102) [10 (8〜12)]	10.8 (124) [15 (13〜18)]
足と足関節	18.5 (49) [1 (1〜2)]	34.3 (35) [4 (2〜5)]	21.0 (26) [3 (2〜4)]
足関節より近位の下肢	3.8 (10) [0 (0〜0)]	3.9 (4) [0 (0〜1)]	4.0 (5) [1 (0〜1)]
手指，手掌，手関節	57.0 (151) [4 (3〜4)]	18.6 (19) [2 (1〜3)]	36.3 (45) [6 (4〜7)]
手関節より近位の上肢	4.2 (11) [0 (0〜0)]	31.4 (32) [3 (2〜4)]	5.6 (7) [1 (0〜2)]
その他（歯以外）	16.6 (44) [1 (1〜1)]	11.8 (12) [1 (1〜2)]	33.1 (41) [5 (4〜7)]
歯の骨折	4.9 (17) [4 (4〜5)]	2.5 (29) [3 (2〜4)]	6.1 (70) [9 (6〜11)]
脱臼	1.7 (59) [1 (1〜2)]	3.9 (45) [5 (3〜5)]	1.1 (13) [2 (1〜2)]
膝関節	0.5 (16) [0 (0〜1)]	1.0 (12) [1 (1〜2)]	0.1 (1) [0 (0〜0)]
肩関節と肘関節	0.3 (10) [0 (0〜0)]	1.9 (22) [2 (1〜3)]	0.3 (3) [0 (0〜1)]
指	0.3 (12) [0 (0〜0)]	0.3 (4) [0 (0〜1)]	0.3 (3) [0 (0〜1)]
その他、不明	2.2 (76) [2 (1〜2)]	1.9 (22) [2 (1〜3)]	2.2 (25) [3 (2〜4)]

G. 反復性肩関節脱臼

Chalidisら[1]は，前述の報告で骨折の合併がない肩関節前方脱臼患者308例のうち154例（50％）が再脱臼したと報告した。男性170例中96例（56.5％），女性138例中58例（42.0％）であった。初回脱臼年齢が若年者ほど再脱臼の危険率が高かった（図6-5）。Kralingerら[4]は，骨挫傷を合併していない180例の肩関節脱臼患者のうち53例が再脱臼したと報告した。また21〜

第2章 外傷性脱臼

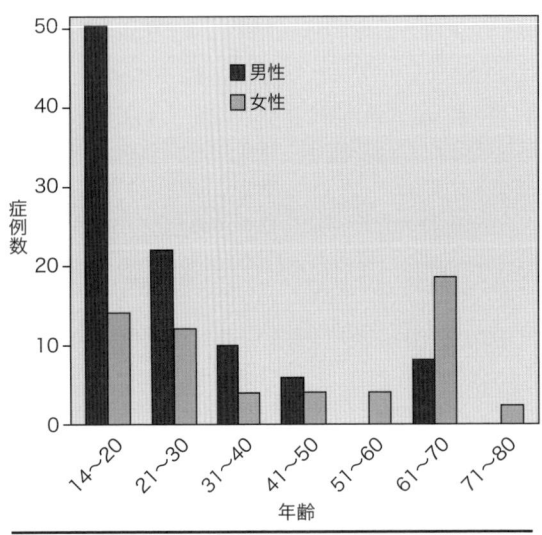

図6-5 肩関節前方再脱臼した症例の初回脱臼時年齢（文献1より引用）

表6-14 肩の再脱臼患者の初回脱臼年齢（文献4より引用）

年　齢	再発率（数）
0～20	16.7（2/12）
21～30	61.3（19/31）
31～40	34.6（9/26）
41～50	10.5（2/19）
51～60	27.0（10/37）
61～70	13.6（3/22）
71～80	22.2（4/18）
81～90	26.7（4/15）
合　計	29.4（53/180）

表6-15 肩の再脱臼患者の活動レベル（文献4より引用）

スポーツ活動タイプ	再発率（数）
1	22.2（20/90）
2	36.4（20/55）
3	37.1（13/35）
合　計	29.4（53/180）

活動タイプ1：肩部位に負担のかからない種目で，ハイキング，登山，サイクリング，乗馬，ジョギングなどがあげられる。タイプ2：中等度の負担が肩部位にかかる種目で，スキー，クロスカントリー，スノーボード，水泳，ウインドサーフィン，フィットネス体操，ボウリングなど。タイプ3：強度の負荷が肩部位にかかる種目で，ウエイトリフティング，ボディビル，ロッククライミング，アイスホッケー，テニス，スカッシュ，ハンドボール，バレーボール，バスケットボールなど。

30歳で初回肩関節脱臼を受傷した患者が最も再脱臼が多かった（**表6-14**）。

再脱臼者の活動タイプを**表6-15**に示す。肩部位に負荷がかかる種目ほど再脱臼の可能性が高かった。しかし，軽い負荷でも再脱臼した例もあり，背景に習慣性脱臼と関節弛緩の関連が推測される。**表6-16**は肩関節脱臼患者の脱臼前と脱臼後での活動レベルの変化を示す。肩関節脱臼が直接原因となったかは不明だが，活動レベルを下げた患者が数名存在し，特に若年層での移行が目立つ。

H. まとめ

- 人体関節のうち，最も脱臼しやすい部位は肩関節（50～85％）であり，肩関節脱臼の95～98％は前方脱臼であった。
- 肩関節脱臼の好発年齢は，男性は10～30歳，女性は61～80歳であった。男女間，年代間の差の原因として，活動レベルの相違があげられた。
- スポーツ外傷における肩関節脱臼は，コンタクトスポーツおよび雪上のスポーツでの発生が多い傾向にあった。また受傷機転として，選手同士の衝突や強い衝撃で上肢部位から転倒した場合などに起こりやすく，投動作およびオーバーハンド動作を行う競技はカフの損傷やインピンジメントの報告が多く，肩関節脱臼の報告はきわめて少なかった。
- 肩関節脱臼は，スポーツ外傷全体からみた発生頻度としてはきわめて少ない。しかし，初回脱臼が若年で起こると脱臼を再発する危険性が高く，またそのなかには活動レベルを下げなければならない者も存在した。
- 今回，肩関節脱臼が起こりやすい年齢，性別，

表6-16　肩関節脱臼前と脱臼後の活動レベルの変化（文献4より引用）

年齢	患者数	脱臼前のスポーツ活動			脱臼後のスポーツ活動		
		タイプ1	タイプ2	タイプ3	タイプ1	タイプ2	タイプ3
		例数（%）	例数（%）	例数（%）	例数（%）	例数（%）	例数（%）
0〜20	12	4（33.3）	5（41.7）	3（25.0）	5（41.7）	5（41.7）	2（16.7）
21〜30	31	3（9.7）	14（45.2）	14（45.2）	10（32.3）	12（38.7）	9（29.0）
31〜40	26	8（30.8）	7（26.9）	11（42.3）	10（38.5）	6（23.1）	10（38.5）
41〜50	19	8（42.1）	6（31.6）	5（26.3）	9（47.4）	6（31.6）	4（21.1）
51〜60	37	14（37.8）	14（37.8）	9（24.3）	17（45.9）	13（35.1）	7（18.9）
61〜70	22	11（50.0）	7（31.8）	4（18.2）	14（63.6）	5（22.7）	3（13.6）
71〜80	18	12（66.7）	6（33.3）	0（0）	12（66.7）	6（33.3）	0（0）
81〜90	15	13（86.7）	2（13.3）	0（0）	13（86.7）	2（13.3）	0（0）
合計	180（100）	73（40.6）	61（33.9）	46（25.6）	90（50.0）	55（30.6）	35（19.4）

活動レベルを知ることができた。しかし，「肩関節脱臼の予防」という点からみて，スポーツ種目ごとの肩関節脱臼者と関節弛緩やその他の関連因子との関係を追及することが重要である。また，現場で活動する選手・指導者へどのようにフィードバックし，予防のために定期検査やトレーニングの実施に取り入れてもらうかが課題である。

文献

1. Chalidis B, Sachinis N, Dimitriou C, Papadopoulos P, Samoladas E, Pournaras J. Has the management of shoulder dislocation changed over time? Int Orthop (SICOT). 2007; 31: 385-9.
2. Gleeson AP. Anterior glenohumeral dislocation: What to do and how todo it. Acad Emerg Med. 1998; 15: 7-12.
3. Visser CPJ, Coene LNJEM, Brand R, Tavy DLJ. The incidence of nerve injury in anterior shoulder dislocation and its influence on functional recovery. J Bone Joint Surg Br. 1999; 81: 679-85.
4. Kralinger FS, Golser K, Wischatta R, Wambacher M, Sperner G. Predicting recurrence after primary anterior shoulder dislocation. Am J Sports Med. 2002; 30: 116-120.
5. Hoelen MA, Burgers AM, Rozing PM. Prognosis of primary anterior shoulder dislocation in young adults. Arch Orthop Trauma Surg. 1990; 110: 51-4.
6. Kroner K, Lind T, Jensen J. The epidemiology of shoulder dislocations. Arch Orthop Trauma Surg. 1989; 108: 288-90.
7. Slaa RL, Wijffels MPJM. The prognosis following acute primary glenohumeral dislocation. J Bone Joint Surg Br. 2004; 86: Issue 1, 58-64.
8. Eric DZ. A two-year prospective study of cerebral concussion in American football. Res Sports Med. 2003; 11: 157-72.
9. Gabbett TJ, Domrow N. Risk factors for injury in subelite rugby league players. Am J Sports Med. 2005; 33: 428-34.
10. Yard E, Comstock RD. Injuries sustained by rugby players presenting to united states emergency departments, 1978 through 2004. J Athl Train. 2006; 41: 325-31.
11. Molsa J, Kujala U, Myllynen P, Torstila I, Airaksinen O. Injuries to the upper extremity in ice hockey. Am J Sports Med. 2003; 31: 751-7.
12. Molsa J, Kujala U, Nasman O, Lehtpuu TP, Airaksinen O. Injury profile in ice hockey from the 1970s through the 1990s in Finland. Am J Sports Med. 2000; 28: 322-7.
13. Sanda DS, Marko P, Harm K, Jane M, Miroslav H. The incidence of injuries in elite junior figure skaters. Am J Sports Med. 2003; 31: 511-7.
14. Hagel B, Pless IB, Goulet C. The effect of wrist guard use on upper-extremity injuries in snowboarders. Am J Epidemiol. 2005; 162: 149-56.
15. Robert EH. Skiling injuries. Am J Sports Med. 1999; 27: 381-9.
16. Kujala U, Taimela S, Poika A, Orava S, Tuominen R, Myllynen P. Acute injuries in soccer, ice hockey, volleyball, basketball, judo, and karate: analysis of national registry data. BMJ. 1995; 311: 1465-8.

（本田　隆広）

7. 病態と診断

はじめに

　肩甲上腕関節は球関節であり，大きな可動性を有する反面，非常に不安定な関節である。肩甲骨の関節窩は上腕骨頭に対して1/3程度であり，関節窩の上下の長さは9 mm，前後幅は5 mm，深さは2.5 mmである[1]。今回は特に多いといわれている肩関節前方脱臼についての関節制動機構の病態と診断について文献的に調査した。

A. 文献検索方法

　文献検索にはMedlineを用い，「anterior shoulder dislocation」，「diagnosis」という用語にて検索した。またいくつかのレビュー文献を参考にした。

B. 関節制動機構

1. 静的関節制動機構

　肩甲上腕関節の静的安定性を保つ機構は，関節唇，関節包，靱帯で構成される（**図2-1**，11ページ参照）[2~4]。関節唇は主に3つの役割を果たしている。第一に骨構造として肩甲骨関節窩の深さが2.5 mmであるのに対し，関節唇によって5 mmとなり約2倍に大きくすることによって肩甲上腕関節の安定性を高くする。第二に関節唇は上腕骨頭との関節面積を大きくすることにより，関節の安定性を高めている。最後に最も重要な役割として，関節上腕靱帯と連絡する線維性軟骨の役割がある[5]。Lippittら[6]は屍体を使用し，肩甲上腕関節の上腕骨頭に上下および前後の方向へ力を加えた実験で，関節唇を取り除くことにより約20％制動力が低下すると報告した（**図7-1**）。次に靱帯であるが，主なものとして上関節上腕靱帯（SGHL），中関節上腕靱帯（MGHL），下関節上腕靱帯（IGHL）があり，それぞれ挙上角度において肩甲上腕関節の安定性に寄与している[2~4, 7]。

2. 動的関節制動機構

　肩関節の不安定性を制動する動的関節制動機構には，主に棘上筋，棘下筋，小円筋，肩甲下筋の回旋筋腱板があげられる。また，上腕二頭筋も関節制動に働いていると考えられている[6]。回旋筋腱板は，その走行より上腕骨頭を肩甲骨関節窩に求心位に保持する働きがある。Lippittら[6]は屍体を用いた実験において，上腕骨頭を肩甲骨関節面方向への圧縮応力を50 Nから100 Nにすることにより，上下および前後方向の安定性が高くなると報告した（**表7-1**）。さらに，三角筋などの肩甲上腕関節周囲に付着している筋群と回旋筋腱板のバランスが崩れると上腕骨頭に対して前方へ力が働き，脱臼にいたることを示した[6]。

C. 外傷性肩関節脱臼

　外傷性肩関節脱臼は95～98％が前方への脱臼であり，後方への脱臼は2～3％である[8~11]。肩関節前方脱臼は，肩関節の複合的な動きにより，上腕骨頭に対して前方への力が間接的に働くことによって起こることが多く[12]，特に肩関節外転・

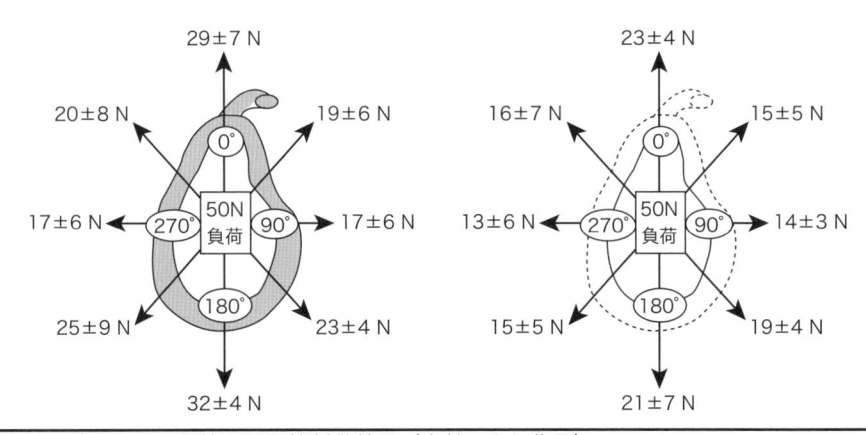

図7-1 肩甲上腕関節における関節唇の関節制動効果（文献6より作図）

表7-1 関節圧縮応力が肩甲上腕関節の安定性に与える影響（文献6より引用）

角　度	圧縮応力（N）	最大移動力（N）
上方0°	50	29 ± 7
	100	51 ± 9
前方90°	50	17 ± 6
	100	29 ± 5
下方180°	50	32 ± 4
	100	56 ± 12
後方270°	50	17 ± 6
	100	30 ± 12

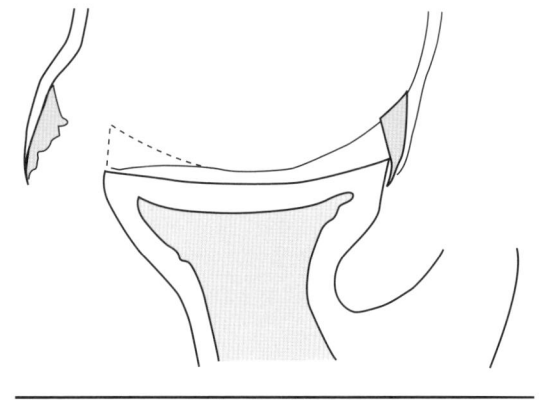

図7-2 Bankart損傷（文献6より作図）

外旋にて脱臼が発生しやすい。また，非外傷性脱臼の多くは，過去にオーバーユースや不安定感を有したものや，関節弛緩性の大きな患者で生じやすい[12]。

1. 病　態

肩甲上腕関節は，上腕遠位が後方へ引かれる際に，骨頭が前方へ移動しようとする力が働き，そのとき関節包，関節唇が損傷され，同時に関節窩の骨折が起こる[13]。Taylorら[14]が行った初回前方脱臼患者の関節鏡視下所見では，63名の患者中61名（97％）でBankart損傷がみられ，その全例に下関節上腕靱帯-関節唇複合体損傷があったと報告された。Bankart損傷とは肩甲骨関節唇の前方部分の剥離損傷のことである（**図7-2**）[6,15,16]。57名（89％）にHill-Sachs病変といわれる上腕骨後外側に骨欠損がみられた[14]。同様に15名（22％）に肩甲窩の骨折がみられ（**図7-3**），6名にSLAP損傷が認められた（**図7-4**）[14]。

機能解剖学的には，脱臼が発生しやすい外転外旋位では下関節上腕靱帯複合体が関節制動に対して最も重要である[1]。Biglianiら[20]は屍体を使用し下関節上腕靱帯複合体の遠心方向への引っぱり試験を行った結果，下関節上腕靱帯の前方線維が破断した割合が，上方および後方線維が破断した割合よりも大きかったと報告した。破断の形態としては肩甲骨付着部での破断の割合が最も多かった（**表7-2**）。McMahonら[8,21]は屍体を使用し，肩関節90°外転位，90°外旋位にて，回旋筋腱板と三角筋の作用を模擬的に作製し，その肢位より

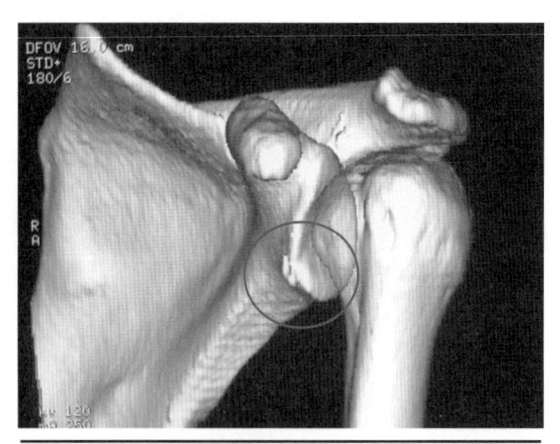

図7-3　肩甲骨関節窩骨折

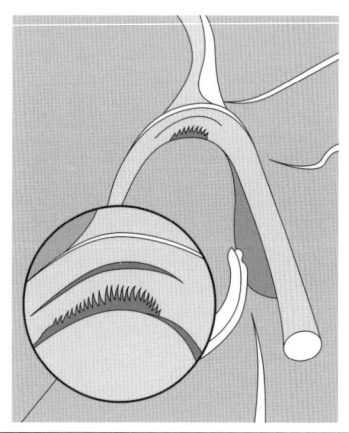

図7-4　SLAP病変

表7-2　下関節上腕靱帯破断試験結果（平均±SD）（文献20より引用）

病変部位	破断形態			強度・割合		
	厚さ（mm）	幅（mm）	長さ（mm）	腱内応力（MPa）	割合[a]（%）	割合[b]（%）
上方（n＝16）	2.79±0.49	13.33±2.66	41.3±4.5	5.2±2.7	24.0±6.2	8.3±3.2
前方（n＝16）	2.34±0.43	12.61±3.05	39.8±5.6	5.5±2.0	34.0±10.5	15.1±5.7
後方（n＝16）	1.70±0.55	10.86±2.94	41.0±4.2	5.6±1.9	23.1±4.6	9.9±5.3
平均（n＝48）	2.28±0.66	12.27±2.88	40.7±4.7	5.5±2.2	27.0±8.9	10.9±5.5

[a]：全体が破断した強度，[b]：ビデオ分析。

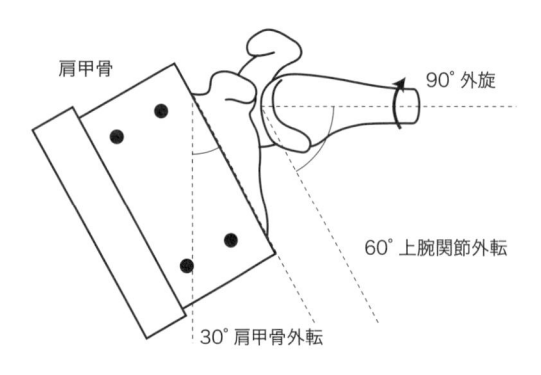

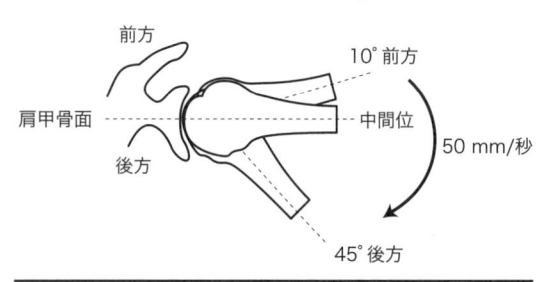

図7-5　脱臼肢位を再現した実験（文献21より作図）

水平外転するように脱臼を再現した実験（図7-5）で，14検体中6検体で関節唇の剥離が，8検体で関節包の伸張がみられたと報告した。

2．診　断

1）前方脱臼不安感テスト（図7-6）

　典型的な脱臼肢位を再現するもので，肩関節外転位で検者は一方の手で肩後方より上腕骨頭を前下方へ圧迫しながら，反対の手で外旋強制させる。陽性の場合，患者は突然不安感を訴える。Levyら[22]は，このテストは外転45°では中関節上腕靱帯，外転90°以上で下関節上腕靱帯の機能を調べることになると報告した。このテストの検者間の再現性は47％であった[22]。

2）前方引き出しテスト（図7-7）

　膝関節の不安定性テストを模倣したものであり，検者は一方の手で肩甲骨を固定し，反対側の

7. 病態と診断

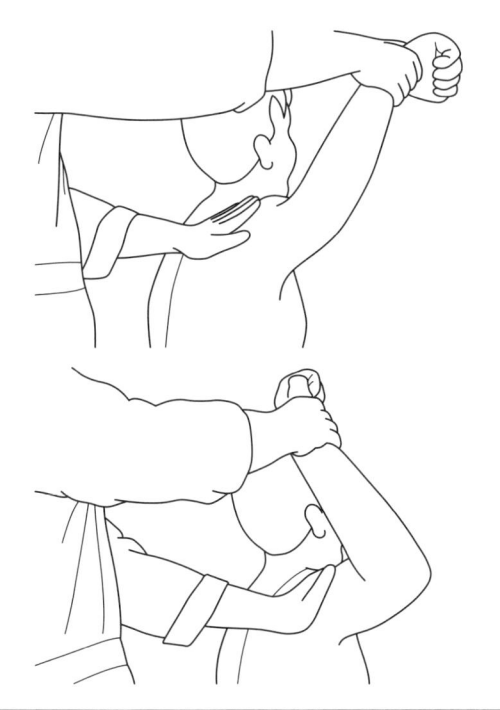

図7-6 前方脱臼不安感テスト（文献23より作図）

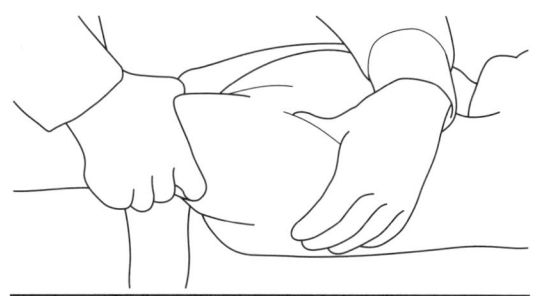

図7-7 前方引き出しテスト（文献6より作図）

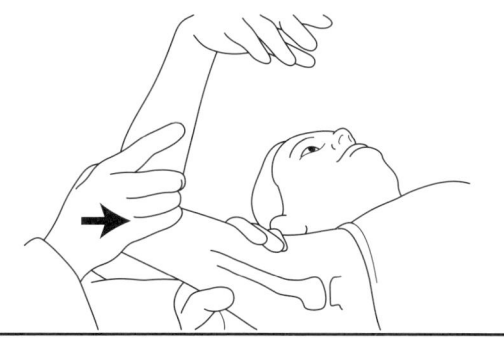

図7-8 ロードアンドシフト（load and shift）テスト（文献16より作図）

手で上腕骨頭を前方に引き出す[6]。

3) ロードアンドシフト（load and shift）テスト（図7-8）

このテストはいくつかのバリエーションがある。患者は背臥位になり，肩関節90°外転位，内外旋中間位に，検者は上腕骨頭を前方へ圧迫する。図7-9のように3つのグレードで分類する。Waltonら[16]によると，このテストの特異度は高く98〜100％であった。しかし，感度は低く26〜41％であった。再現性については同一検者間で74％，検者間で78％であると報告された[16]。

なお感度とは，検査結果が陽性であった人のなかで疾患を有していた人の割合のことであり，特異度とは，検査結果が陰性であった人で疾患を有していなかった人の割合のことである。

4) リロケーション（relocation）テスト（図7-10）

肩関節外転外旋位で被検者が不安感を訴えた

グレード1：上腕骨頭は肩甲窩縁を越えない。

グレード2：上腕骨頭は肩甲窩を越えるが，自己整復できる。

グレード3：上腕骨頭は肩甲窩を越え，自己整復できない。

図7-9 前方不安定性のグレード（文献16より作図）

際，上腕骨頭を後方へ圧迫することで不安定感が解消される。Gerberら[23]によると，このテストの正確性は95％程度であり，感度は68％，特異度は100％であると報告された。

5) 後方引き出しテスト（図7-11）

前方引き出しテストと同様であり，上腕骨頭を後方へ圧迫し，後方への不安定性をみるテストである[23]。

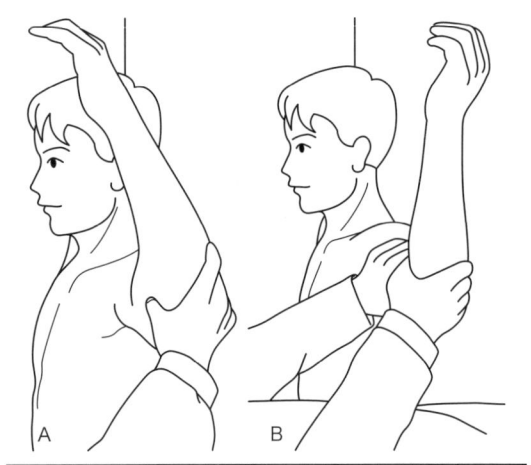

図7-10 リロケーションテスト（relocation test）（文献23より作図）

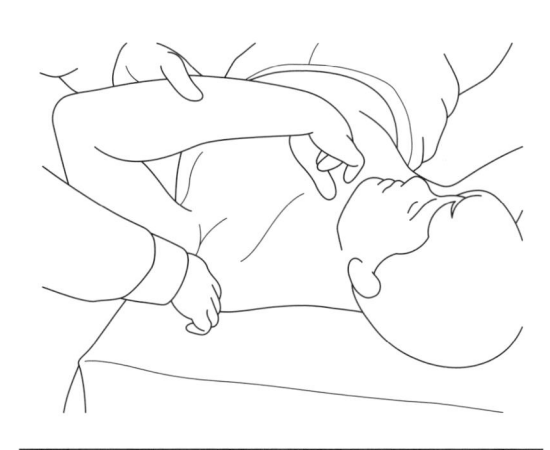

図7-11 後方引き出しテスト（文献23より作図）

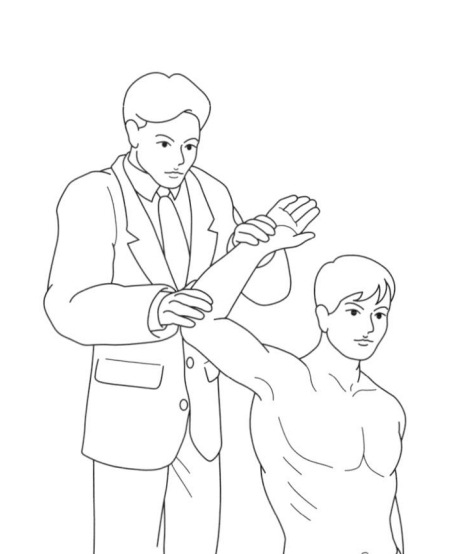

図7-12 クランク（crank）テスト（文献26より作図）

6）サルカス（sulcus）徴候（図19-2，159ページ参照）

検者は被検者の上腕を下方へ牽引する。主に上関節上腕靱帯の評価であり，2 cm以上の偏位がみられると下方への不安定性は高いといわれている。Tzannersら[24]およびSillimanら[25]によると，このテストの尤度比は6：1であった。ちなみに尤度とは，疾患を有する人がある検査結果となる尤度（もっともらしい度合）を，疾患を有しない人が同じ検査結果となる尤度で割ったものである〔尤度比＝P（検査結果；疾患あり）/P（；検査結果｜疾患なし）〕。

7）クランクテスト（crank test）（図7-12）

このテストは関節唇の損傷をみるものであり，被検者は坐位または立位となり，肩甲面上にて160°外転位にし，肩甲骨関節面方向に圧縮力を加えながら肩関節を回旋させる。その際に疼痛を訴えたり，引っかかるような感覚を訴えた場合に陽性とする。Tennetら[26]によると，このテストの感度は91％，特異度は93％であった。

D. まとめ

- 肩関節脱臼の多くは前方脱臼であり，肩関節外転・外旋・水平伸展の複合的な動作にて発生しやすい。
- 肩関節前方脱臼は，前方関節包の伸張，関節唇の剥離，肩甲骨関節窩の骨折が多くみられる。
- さまざまな理学的検査があるが，どれも完全に病態を表わすものはなく，検査は診断の過程の1つとしてとらえるべきであり，確定診断のためには画像所見や関節鏡所見が必要となる。

文 献

1. Bowen MK, Warren RF. Ligamentous control of shoulder stability based on selective cutting and static translation experiments. *Clin Sports Med.* 1991; 10: 757-82.
2. O'Brien SJ, Neves MC, Arnoczky SP, Rozbruck SR, Dicarlo EF, Warren RF, Schwartz R, Wickiewicz TL. The anatomy and histology of the inferior glenohumeral ligament complex of the shoulder. *Am J Sports Med.* 1990; 18: 449-56.
3. Schwartz E, Warren RF, O'Brien SJ, Fronek J. Posterior shoulder instability. *Orthop Clin North Am.* 1987; 18: 409-19.
4. Turkel SJ, Panio MW, Marshall JL, Girgis FG. Stabilizing mechanisms preventing anterior dislocation of the glenohumeral joint. *J Bone Joint Surg Am.* 1981; 63: 1208-17.
5. Levine WN, Flatow EL. The pathophysiology of shoulder instability. *Am J Sports Med.* 2000; 28: 910-7.
6. Lippitt S, Matsen F. Mechanisms of glenohumeral joint stability. *Clin Orthop Relat Res.* 1993; (291): 20-8.
7. Reeves B. Experiments on the tensile strength of the anterior capsular structures of the shoulder in man. *J Bone Joint Surg Br.* 1968; 50: 858-65.
8. McMahon PJ, Dettling J, Sandusky MD, Tibone JE, Lee TQ. The anterior band of the inferior glenohumeral ligament. Assessment of its permanent deformation and the anatomy of its glenoid attachment. *J Bone Joint Surg Br.* 1999; 81: 406-13.
9. Rowe CR. Anterior dislocations of the shoulder: prognosis and treatment. *Surg Clin North Am.* 1963; 43: 1609-14.
10. Rowe CR. Complicated dislocations of the shoulder. Guidelines in treatment. *Am J Surg.* 1969; 117: 549-53.
11. Rowe CR, Zarins B. Recurrent transient subluxation of the shoulder. *J Bone Joint Surg Am.* 1981; 63: 863-72.
12. Wen DY. Current concepts in the treatment of anterior shoulder dislocations. *Am J Emerg Med.* 1999; 17: 401-7.
13. Zarins B, McMahon MS, Rowe CR. Diagnosis and treatment of traumatic anterior instability of the shoulder. *Clin Orthop Relat Res.* 1993; (291): 75-84.
14. Taylor DC, Arciero RA. Pathologic changes associated with shoulder dislocations. Arthroscopic and physical examination findings in first-time, traumatic anterior dislocations. *Am J Sports Med.* 1997; 25: 306-11.
15. Speer KP, Deng X, Borrero S, Torzilli PA, Altchek DA, Warren RF. Biomechanical evaluation of a simulated Bankart lesion. *J Bone Joint Surg Am.* 1994; 76: 1819-26.
16. Walton J, Paxinos A, Tzannes A, Callanan M, Hayes K, Murrell GA. The unstable shoulder in the adolescent athlete. *Am J Sports Med.* 2002; 30: 758-67.
17. Sanders TG, Morrison WB, Miller MD. Imaging techniques for the evaluation of glenohumeral instability. *Am J Sports Med.* 2000; 28: 414-34.
18. Nam EK, Snyder SJ. Clinical sports medicine update. The diagnosis and treatment of superior labrum, anterior and posterior (SLAP) lesions. *Am J Sports Med.* 2003; 31: 798-810.
19. Sanders TG, Miller MD. A systematic approach to magnetic resonance imaging interpretation of sports medicine injuries of the shoulder. *Am J Sports Med.* 2005; 33: 1088-105.
20. Bigliani LU, Pollock RG, Soslowsky LJ, Flatow EL, Pawluk RJ, Mow VC. Tensile properties of the inferior glenohumeral ligament. *J Orthop Res.* 1992; 10: 187-97.
21. McMahon PJ, Chow S, Sciaroni L, Yang BY, Lee TQ. A novel cadaveric model for anterior-inferior shoulder dislocation using forcible apprehension positioning. *J Rehabil Res Dev.* 2003; 40: 349-59.
22. Levy AS, Lintner S, Kenter K, Speer KP. Intra- and interobserver reproducibility of the shoulder laxity examination. *Am J Sports Med.* 1999; 27: 460-3.
23. Gerber C, Ganz R. Clinical assessment of instability of the shoulder. With special reference to anterior and posterior drawer tests. *J Bone Joint Surg Br.* 1984; 66: 551-6.
24. Tzannes A, Murrell GA. Clinical examination of the unstable shoulder. *Sports Med.* 2002; 32: 447-57.
25. Silliman JF, Hawkins RJ. Classification and physical diagnosis of instability of the shoulder. *Clin Orthop Relat Res.* 1993; (291): 7-19.
26. Tennet TD, Beach WR, Meyers JF. A review of the special tests associated with shoulder examination. Part II: laxity, instability, and superior labral anterior and posterior (SLAP) lesions. *Am J Sports Med.* 2003; 31: 301-7.

(佐藤　孝二)

8. 保存療法

はじめに

若年層の外傷性肩関節脱臼の保存療法は，近年では高率に再発するという報告が多く[1〜5]，過去の研究でも，同様の報告がなされてきた[6]。これは受傷時に下関節上腕靱帯-関節唇複合体が関節窩から剥離し（Bankart損傷），前方安定機構が破綻することが大きな原因とされている。また，下関節上腕靱帯の前方制動力の低下，関節唇による骨頭の安定化作用の低下が再発率を高くする原因とされている。

本項では受傷後の保存療法について，固定法による再発率の検討，理学療法の効果，スポーツ復帰に関する調査，報告をまとめ，現状と今後の課題について述べる。

A. 文献検索方法

文献検索にはPubMedを使用した。検索用語，ヒット数は「dislocation shoulder」3,396件，「dislocation shoulder conservative」112件，「dislocation shoulder immobilization」169件であった。

B. 肩甲上腕関節の安定性

肩甲上腕関節における安定性は静的安定性[7]と動的安定性[6]に分けられる（図8-1)[8]。保存療法においては，静的安定性は初期固定法に委ねられ，動的安定性は運動療法に委ねられることになる。

C. 初期固定

脱臼後整復が行われた後，肩関節の固定が実施される。固定については，その方法，期間についてさまざまな見解が報告されている。以下，報告内容について検討した。

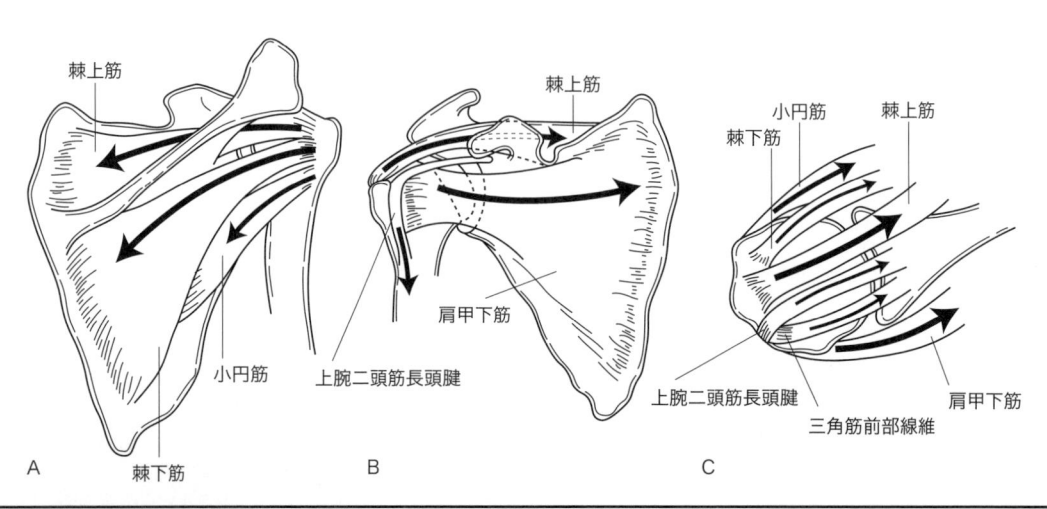

図8-1　腱板筋群，三角筋による動的安定性（文献8より作図）

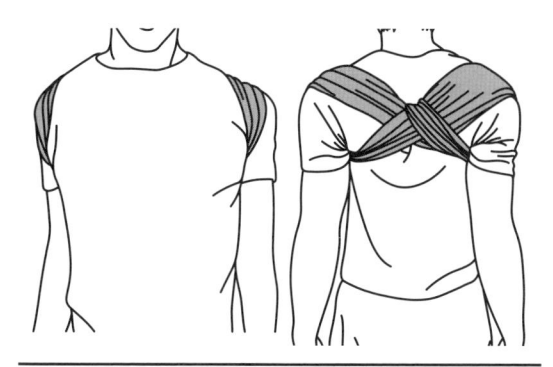

図8-2 胸を前に突き出し，弾性包帯で8の字に固定する

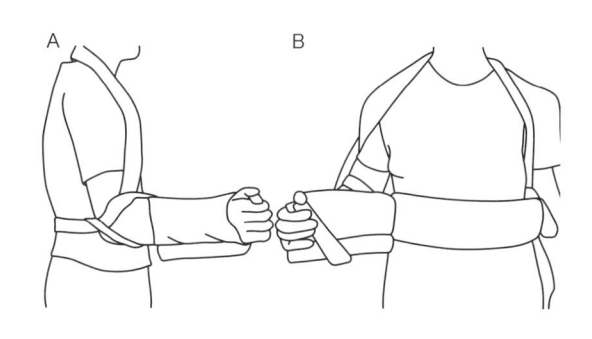

図8-3 下垂位外旋位固定（文献7より作図）

　固定法および固定期間による再発率に関して1984年Kuriyamaら[9]は，スキーにおける外傷性肩関節脱臼に対し，8の字にした弾性包帯用いて，胸を前に出した形で初期固定を実施した（図8-2）。4つの固定期間を設定し再発率を検討したところ，2日以内61.5％，2日以上7日以内36.7％，7日以上3週間以内42.9％，3週間以上3.4％と3週以上の固定の再発率が低いことを示した（n＝75）。1996年Hoveliusら[10]は，初回外傷性脱臼後3〜4週の固定群と，非固定群の再発率に有意な差はないと報告した（n＝245）。Simonetら[5]は，3〜6週の固定期間群と6週以上の固定を行った群で再脱臼率に差がなかったことから，6週以降は筋力訓練を中心とするリハビリテーションへ移行することが望ましいと報告した。

　固定の有無，固定期間について再脱臼率に差がないという報告が多いなか，固定肢位の影響に関して，Itoiら[4]は下垂位外旋位固定（図8-3）に再脱臼の防止の可能性を見出した。1999年屍体肩を用いて，Bankart損傷モデルを作製し，肢位の変化による損傷部位の転位を調べた[4]。その結果，下垂位において内・外旋にかかわらず損傷部位に転位はないことを報告した（図8-4）。さらに2001年MRIを用いて外旋位での固定法に有益な結果がもたらされたと報告した。Bankart損傷を伴う外傷性肩関節脱臼の症例に対し，内旋位固

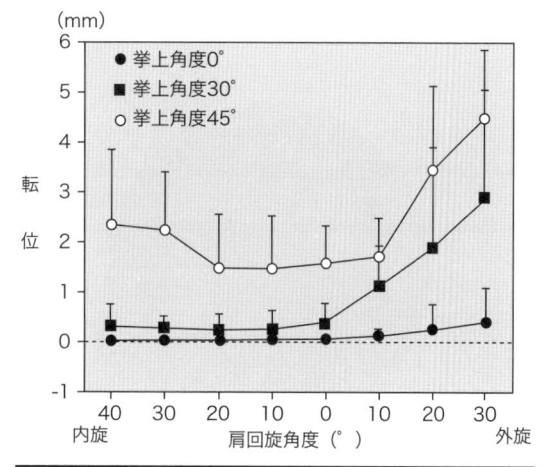

図8-4 肩の内外旋角度と転位の関係（文献4より引用）

定と外旋位固定でのBankart損傷の状態を確認した。その結果，内旋位固定では関節唇は内方に転位し，関節包は肩甲骨の頚部から剥離していることを確認した。一方外旋位固定では，剥れた関節唇が関節窩に密着した状態が確認され，関節包も肩甲骨頚部に整復され，肩甲下筋を含めた軟部組織が緊張した状態を示した[11]。これに伴い，2000年より前方脱臼の症例に対し前向き無作為研究を開始した。下垂位外旋位固定群（n＝20, 17〜84歳，平均20歳）と下垂位内旋位固定群（n＝20, 17〜81歳，平均38歳）で再脱臼率を比較した。平均15.5ヵ月の追跡調査の結果，外旋位固定群の再脱臼率は0％（0/20），内旋位固定群の再脱臼率は30％（6/20）であった。特に

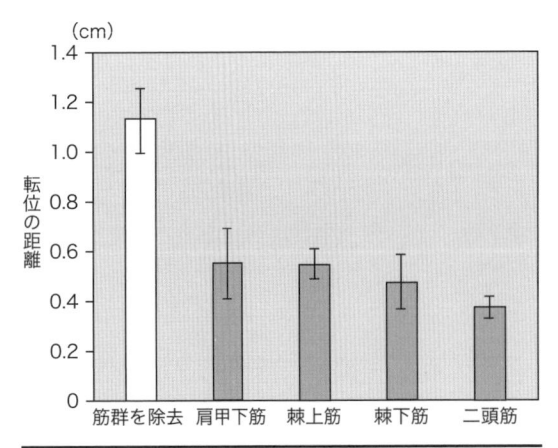

図8-5 人工的にBankart損傷を作製し骨頭中心と関節窩の転位距離を測定（文献12より引用）

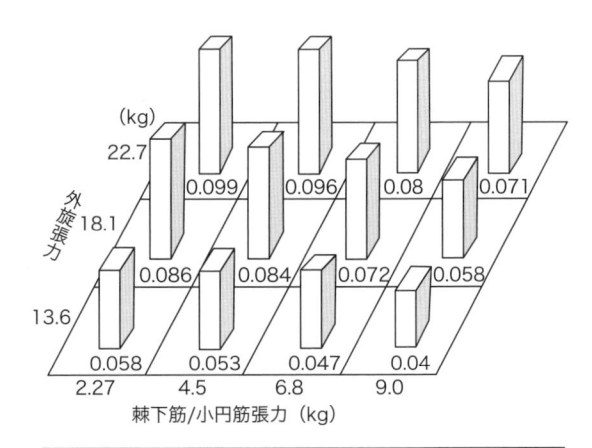

図8-6 小円筋，棘下筋張力と関節上腕靱帯張力の関係（文献13より引用）

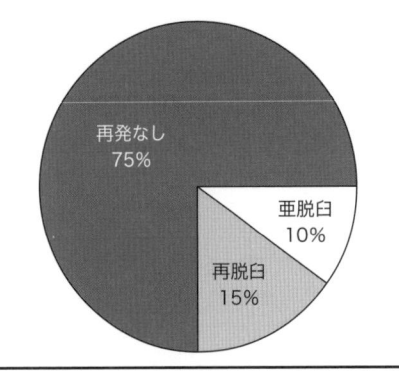

図8-7 運動療法による再発率（文献14より引用）

内旋位30歳以下の症例では45％（5/11）の再脱臼率であった。内旋位固定より外旋位固定のほうが再脱臼率を低下させる治療法として報告した[7]。

D. 理学療法

理学療法の大きな目的は，スポーツなどの動作中に，骨頭を求心位に保持する動的安定性を得ることである[2,6,8]。そのためには，上腕骨頭を支える肩甲骨の可動性と安定性，腱板を中心とする筋機能の向上および再発防止を目的とした動作の獲得が求められる。

1. 筋機能

1994年Itoiら[12]は，屍体を用いた研究で上腕二頭筋は肩外転，外旋時に腱板による骨頭の関節窩への求心力を高めると報告した。また同様に個々の腱板筋群が骨頭を求心位に保つために寄与していると報告した（図8-5）。1987年Cainら[13]による屍体を用いた研究では，小円筋，棘下筋が臼蓋上腕靱帯の張力を減少させた（図8-6）。このように屍体を用いた研究では，上腕二頭筋，腱板が骨頭を求心位に保ち臼蓋上腕関節の安定性に寄与する報告がなされている。

2. 運動療法の効果

保存療法における運動療法の効果として，1984年Aronenら[14]は初回外傷性肩関節脱臼患者に対し，腱板，肩内転筋のトレーニングをアイソメトリック，アイソトニック，アイソキネティックの順に行ったところ75％の高い確率で再発を起こさなかったと報告した（図8-7）。Yonedaら[15]は初期固定後の運動療法により再発防止率82.7％と報告した。しかし有効な運動療法を示した報告は少なく，後に提示する再発率の検討においても再発予防に対する運動療法の効果は期待ができない。

肩甲骨の可動性や固定性を高める訓練，プライ

オメトリックエクササイズが重要ともいわれているが[8,16]，有効なエビデンスを示した報告は見当たらない。1992年Burkheadら[17]は，外傷性と非外傷性の肩関節亜脱臼患者に対し，同一理学療法プログラム（**表8-1**）を115例に実施し，その成績を検討した。その結果「良」または「優」の成績を残したのは，外傷性亜脱臼で16％，非外傷性亜脱臼で80％であった。腱板および肩甲骨を含めた運動療法も外傷性脱臼にはその効果は期待できないものと示唆された。

3. 関節可動域

Bottoniら[18]は，保存群と手術群の外旋可動域を比較している。保存群で3°（0～16°），手術群では4°（0～15°）と両群とも健側に比し患側が減少していたが，有意差は認められなかった。またEdmondsら[19]は他動および自動運動における関節位置覚（肩90°外転位での外旋，内旋）を保存群と手術群で比較した結果，両群ともばらつきに有意差は認められなかった。

E. 再発率

近年の初回外傷性肩関節脱臼の保存療法では，3～4週間の初期固定後，腱板および肩甲骨周囲筋のエクササイズを平均4ヵ月行った保存療法プログラムが行われている。しかし，**表8-2**の前向き研究に示すとおり高率に再発する。

Hoveliusら[10]およびRoweら[20]は再発率は若年層に高い傾向があると報告した。**表8-3**に示すとおり再発率は受傷時の年齢に大きな要因があるようである[5,20～23]。Kuriyamaら[9]は初回脱臼後の肩関節を造影検査したところ，関節包の付着部からの剥離タイプと関節包自体の損傷タイプに分けられることを示した。再発率は剥離タイプ90％，関節包損傷タイプ10％であった（n＝40）。Bankart修復群と保存群を比較した前向き研究[1～4,18]の結果は，Bankart修復群が10％以下の再発率となっており，Bankart損傷を含む外傷性脱臼では手術が望まれる。

表8-1 三角筋，回旋筋腱板，肩甲骨周囲筋エクササイズ

第1段階	弾性バンド負荷（6段階）にて実施	
①下垂位外旋運動		5秒保持×5回 2～3セット/日 2～3週で1つ上の弾性バンドへ
②0～45°外転運動		
③0～45°伸展運動		
④下垂位内旋運動		
⑤肩屈曲運動		
第2段階	重錘負荷にて実施	
①0～45°伸展運動		2～4 kgより開始。最大11 kgを上限に徐々に増加
②肩すくめ運動		
負荷エクササイズ		
①壁押しの腕立て伏せ		徐々に①から③へ移行する
②膝をついての腕立て伏せ		
③腕立て伏せ		

表8-2 初回外傷性肩関節脱臼に対する保存療法の再発率（前向き研究）

報告者（発表年）	年齢（歳）	再発率	再発のタイプ	経過観察期間
Bottoni（2000）	18～26	75％（n＝12）	不安定肩	4ヵ月
Arclero（1994）	18～21	80％（n＝15）	6/12再脱臼　6/12亜脱臼	4ヵ月
TaylorとArciero（1997）	17～23	90％（n＝53）	不安定肩	4ヵ月
James（1989）	17～22	92％（n＝38）	31/35再脱臼　4/35亜脱臼	3ヵ月
KIrkley（1999）	16～30	58％（n＝19）	9/11再脱臼　2/11亜脱臼	4ヵ月

第2章 外傷性脱臼

表8-3 保存療法における初回脱臼後の再発率（文献5, 20〜23より作成）

年　齢	再発率
20歳以下	66〜100%
20〜40歳	13〜63%
40歳以上	0〜13%

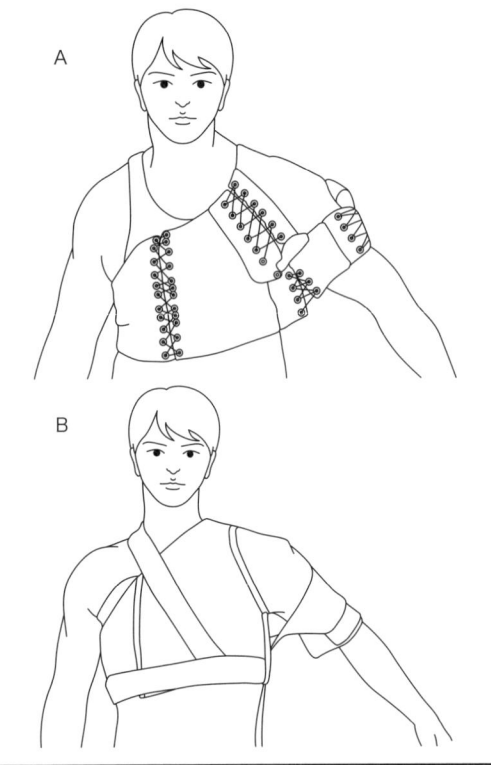

図8-8 脱臼防止装具（文献24より作図）

F. スポーツ復帰

Simonetら[5]は，若年層のスポーツ競技選手と非競技者の脱臼後の再発率を比較した。再発率は競技選手82%（n=33），非競技者30%（n=27）と報告し，スポーツ競技選手の再発率が高いことを示した。Bussら[24]は外傷性肩関節脱臼を受傷した19名の競技選手のシーズン中における復帰を調査した。理学療法を実施後，肩90°外転位から外旋を防止する装具を着用させた（図8-8）。その結果，16名がシーズン中に復帰（バスケットボール，アイスホッケー，フットボール，スキー），3名が復帰困難（バスケットボール，レスリング，アイスホッケー）であった。しかし，シーズン後12名がBankart修復術を施行することになったと報告した。Kralingerら[25]は保存療法における再発率をスポーツタイプと年齢について検討した。その結果，スポーツ活動の強度による再発率に差はなかった（表6-15, 62ページ参照）が，21〜30歳の年齢に影響があった（表6-16, 63ページ参照）。

G. まとめ

- 若年層の外傷性肩関節脱臼に対する保存療法は再発率が高く，手術療法を選択することが統一見解にある。年齢が若いほど再脱臼の危険性が高く，そのほとんどがBankart損傷によるものであるとされている。
- 受傷後の初期固定は，従来の内旋位固定で再発率が引き下げることは少ないとされ，外旋位固定に再発予防の可能性が見出されている。今後，外旋角度や固定期間についての研究も期待される。
- 外傷性脱臼により静的安定性が破綻した肩関節においては，動的安定性が重要と述べられてきたが，再脱臼の防止に有効とされる運動療法の報告は少なく，そのほとんどが再脱臼，不安定肩に進むとされている。
- 腱板機能訓練や肩甲骨を含めた協調性訓練はインナーマッスルとアウターマッスルのインバランスの改善，神経-筋機構の活性化の点において必要であるとされている。
- スポーツ復帰に関しては，スポーツ種目によって若干再脱臼率の違いがみられたが，そのほとんどが年齢による影響であった。

H. 今後の課題

- スポーツにおける肩関節の外傷・障害においては，今後着目点を肩関節にとどめず，体幹や下肢の影響を考慮した研究が必要と思われる。
- 簡易的・客観的に筋力を評価できる徒手筋力計を用いた肩周囲筋の研究により，多くの施設，現場で効果判定や復帰の指標をより客観的に行う必要がある。

文献

1. Taylor DC, Arciero RA. Pathologic changes associated with shoulder dislocations. Am J Sports Med. 1997; 25: 306-11.
2. Wheeler H, Ryan B, Arciero MRA, Molinari CRN. Arthroscopic versus nonoperative treatment of acute shoulder dislocations in young athletes. Arthroscopy. 1989; 5: 213-7.
3. Kirkley A, Griffin S, Richards C, Miniaci A, Mohtadi N. Prospective randomized clinical trial comparing the effectiveness of immediate arthroscopic stabilization versus immobilization and rehabilitation in first traumatic anterior dislocation of the shoulder. Arthroscopy. 1999; 15: 507-14.
4. Warme WJ, Arciero RA, Taylor DC. Anterior shoulder instability in sport. Sports Med. 1999; 28: 209-20.
5. Simonet WT, Cofield RH. Prognosis in anterior shoulder dislocation. Am J Sports Med. 1984; 12: 19-24.
6. Hayes K, Callanan M, Walton J, Paxions A, Murrell GAC. Shoulder instability: Management and rehabilitation. J Orthop Sports Phys Ther. 2002; 32: 497-509.
7. Itoi E, Hatakeyama Y, Kido T, Sato T, Minagawa H, Wakabayashi I, Kobayashi M. A new method of immobilization after traumatic anterior dislocation of the shoulder: a preliminary study. J Shoulder Elbow Surg. 2003; 12: 413-5.
8. Wilk KE, Arrigo CA, Andrews AR. The stabilizing structures of the glenohumeral joint. J Orthop Sports Phys Ther. 1997; 25: 364-79.
9. Kuriyama S, Fujimaki E, Katagiri T, Uemura S. Anterior dislocation of the shoulder joint sustained through sking. Am J Med. 1984; 12: 339-46.
10. Hovelius L, Augustini GBG, Frendin OH, Johansson O, Norlin KR, Thorling J. Primary anterior dislocation of the shoulder in young patient. J Bone Joint Surg Am. 1996; 78: 1677-84.
11. Itoi E, Sashi R, Minagawa H, Shimizu T, Wakabayashi I, Sato K. Position of immobilizaition after dislocation of the glenohumeral joint. J Bone Joint Surg Am. 2001; 83: 661-7.
12. Itoi E, Newman SR, Kuechle DK, Morrey BF. Dynamic anterior stabilizers of the shoulder with arm in abduction. J Bone Joint Surg Br. 1994; 76: 834-6.
13. Cain PR, Mutschler TA, Fu Fh, Lee SK. Anterior stability of the glenohumeral joint a dynamic model. Am J Sports Med. 1987; 15: 144-8.
14. Aronen JG, Regan K. Decreasing the incidence of recurrence of first time anterior shoulder dislocations with rehabilitation. Am J Sports Med. 1984; 12: 283-91.
15. Yoneda B, Welsh RP, Macintosh DL. Conservative treatment of shoulder dislocation in young males. J Bone Joint Surg Br. 1982; 64: 254-5.
16. Kibler WB. The role of the scapula in athletic shoulder function. Am J sports Med. 1998; 26: 325-37.
17. Burkhead WZ Jr, Rockwood CA Jr. Treatment of instability of the shoulder with an exercise program. J Bone Joint Surg Am. 1992; 74: 890-6.
18. Bottoni CR, Wilckens JH, Berardino TM, D'Alleyrand JCG, Rooney RC, Harpstrite JK, Arciero RA. A rospective, randomized evaluation of arthroscopic stabilization versus nonoperative treatment in patients with acute, traumatic, first-time shoulder dislocations. Am J Sports Med. 2000; 30: 576-94.
19. Edmonds G, Kirkley A, Birmingham TB, Fowler PJ. The effect of early arthroscopic stabilization compared to nonsurgical treatment on proprioception after primary traumatic anterior dislocation of the shoulder. Knee Surg Sports Traumatol Arthrosc. 2003; 11: 116-21.
20. Rowe CR, Zarins B. Recurrent transient subluxation of the shoulder. J Bone Joint Surg Am. 1981; 63: 863-72.
21. Hovelius L, Eriksson K, Fredin H, Hagberg G, Hussenius A, Lind B, Thorling J, Weckstrom J. Recurrences after initial dislocation of the shoulder. Results of a prospective study of treatment. J Bone Joint Surg Am. 1983; 65: 343-9.
22. Marans HJ, Angel KR, Schemitsch EH, Wedge JH. The fate of traumatic anterior dislocation of the shoulder in shildren. J Bone Joint Surg Am. 1992; 74: 1242-4.
23. McLaughlin HL, Cavallaro WU. Primary anterior dislocation of the shoulder. Am J Surg. 1950; 80: 615-21.
24. Buss DD, Lynch GP, Mayer CP, Houber SM, Freehill MQ. Nonoperative management for in-season athletes with anterior shoulder instability. Am J Sports Med. 2004; 32: 1430-3.
25. Kralinger FS, Golser K, Wischatta R, Wambacher M, Sperner G. Predicting recurrence after primary anterior shoulder dislocation. Am J Sports Med. 2002; 30: 116-20.

〈石井　斉〉

9. 手術療法

はじめに

外傷性肩関節脱臼は反復性脱臼に移行することが多く[1,2]，不安定性の残存により日常生活動作（ADL）やスポーツ動作に支障をきたす場合は手術療法が選択される[3]。数多くの術式が報告されている（各術式の詳細については成書を参照）が，Roweら[4]は肩関節前方脱臼の病態としてBankart病変が最も重要であるためBankart法が"gold standard"であると述べた。一方，屍体肩の研究では，Bankart病変のみの病態で前方脱臼までいたらず，完全脱臼の際には前方関節包の損傷をはじめ広範囲な軟部組織の損傷を伴うことが報告された[5〜7]。GillとZarins[3]は術前および術中の確かな診断により，おのおの異なる原因病態に対して適切に治療すべきと指摘した。手術療法は不安定性の原因病態の特定とその解剖学的機能的修復に集約される。手術方法は直視下が主流であったが，1990年代以降は鏡視下手術の発達によりその普及が著しく拡大している。

本項では，外傷性および反復性肩関節前方脱臼に限定し，Bankart法を中心に直視下法と鏡視下法の比較と，病態やスポーツ種目などが術式や術後成績にどう影響するかを文献的に調査，検討した。

A. 文献検索方法

文献検索にはPubMedを利用し，言語は英語に限定した。キーワードは「traumatic」，「shoulder」，「anterior」，「dislocation」，「surgery」で163件ヒットした。その他「Bankart」，「recurrent」，「sports」などをキーワードに検索した。

B. 直視下手術と鏡視下手術

1. 術式の整理

肩関節前方脱臼の手術療法は，関節包を切開して関節内を展開する直視下手術と関節鏡を挿入して行う鏡視下手術がある。術式によって生理的構造へ復元しようとする解剖学的治療と関節構造を変化させる非解剖学的治療に分けられる。

解剖学的治療とは，Bankart病変（図9-1）を解剖学的位置に再接着させるBankart法（Bankart修復術）（図9-2）を指し，それ以外の術式は非解剖学的治療に分類される。当初の直視下Bankart法は手技が困難で他の術式ほど普及していなかった。しかし，suture anchorの開発によりこの術式が一般的となり，術後の再発率は5％前後[4,5]となった。鏡視下法は1980年代後半からtransglenoid sutureやtacksといった術式で行われていたが，再発率は安定しなかった[8]。1990年代前半より鏡視下でもsuture anchorが用いられ（図9-2），その有用性が報告された[9]。Kimら[10]は，167名を対象に平均44ヵ月の経過観察で再発率4％と直視下法と変わらない成績を報告した。

非解剖学的治療は現在第一選択とされることは少ない[3]が，代表としてBristow法（図9-3）があげられる。上腕二頭筋腱と烏口腕筋腱が付着した

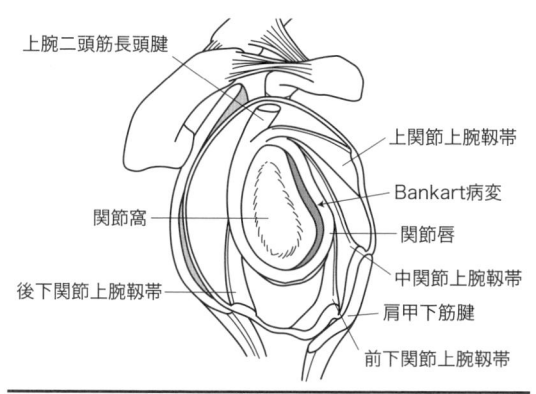

図9-1 肩甲上腕関節構造とBankart病変（文献59より作図）

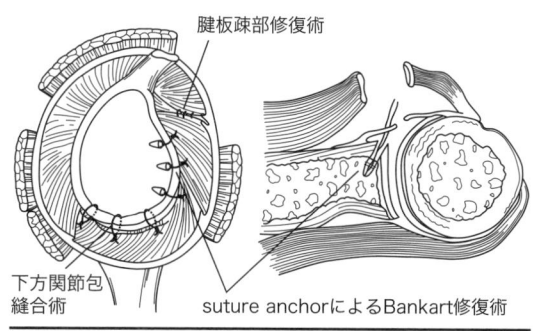

図9-2 suture anchorによるBankart修復術および下方関節包縫合術（inferior capsular plicate），腱板疎部修復術（rotator interval repair）（文献47，62より作図）

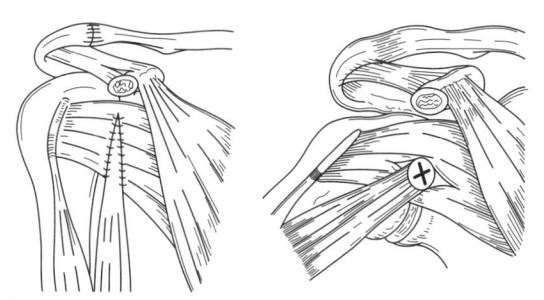

図9-3 Bristow原法（左）およびBristow変法（右）
烏口腕筋腱付きの烏口突起を関節窩前縁に移動している。原法では大胸筋を縦切し，変法では横切してスクリューで固定している。

表9-1 直視下および鏡視下手術と術後合併症の比較（文献20のデータより作成）

	直視下（n＝12）	鏡視下（n＝20）
平均手術時間（分）	166	86.4
出血量（ml）	200	22
熱発者数	15	4
鎮痛薬使用量	8.6	3.1
平均入院日数	3.1	1.1
平均休業日数	25.7	14.6
術後合併症	3	0

烏口突起を関節窩前縁に移行させ，骨ブロック効果と付着腱による骨頭の前方偏位を制動する効果が期待でき，強固な安定を求めるコンタクトスポーツにおいては第一選択とされることが多い[11, 12]。再発率は0～5％[3]とされているが，外旋制限やスクリュー，移植骨などによる合併症が多い[3, 13]ことが問題とされている。その他では前方関節包と肩甲下筋を重ねて縫縮するPutti-Platt法があげられ[3]，本邦でも変法として選択されている。また，関節包の弛緩や多方向不安定性の治療として下方関節包縫合術（inferior capsular shift）[14]や，レーザーや電気による熱エネルギーで関節包を短縮させるthermal shrinkage[15～18]がある。

2．直視下手術と鏡視下手術の利点と欠点

直視下手術は肩甲下筋腱や関節包の切開が必要となるため，その瘢痕形成により肩関節の外旋制限が生じやすい。鏡視下手術の利点として，①正常組織への侵襲が少ないために瘢痕の形成が少ない，②術後の疼痛の低下や関節可動域を含む機能回復が早い，③外見上美観であること[19, 20]があげられる。GreenとChristensen[20]は直視下法と鏡視下法の比較を行い，鏡視下法は侵襲が少ないことから有意に術後合併症が少ないことを実証し，入院期間および仕事復帰までの期間が短縮したと報告した（表9-1）。欠点としては，関節鏡を利用しての診断や治療にある程度の技術を要し，術者により確実性が劣ることである[3]。

PagnaniとDome[21]は直視下法が有利な点として，①術中の視野が良好で確実な修復が可能であること，②鏡視下法では困難な腱板疎部損傷の診断が容易であること，③弛緩した関節包に対す

表9-2 Rowe scoreとConstant score

Rowe clinical score	
stability（安定性）	50点
motion（可動性）	20点
function（機能性）	30点
合計100点満点のスケール	

Constant score	
pain（疼痛）	15点
ADL（日常生活動作）	20点
ROM（関節可動域）	40点
power（筋力）	25点
合計100点満点のスケール	

Roweは安定性，ConstantはROMの比重が多い。

表9-3 BakerによるBankart病変の分類（文献27より引用）

タイプ1：	関節唇損傷を伴わない関節包の断裂
タイプ2：	関節唇の部分的な剥離と関節包の断裂
タイプ3：	完全な関節唇損傷と前関節上腕靱帯の剥離

表9-4 YonedaによるBankart病変の分類（文献28より引用）

タイプ1：	関節上腕靱帯の発達が良好な関節唇損傷
タイプ2：	関節上腕靱帯の発達が不良な状態の関節唇損傷
タイプ3：	関節唇損傷を伴った靱帯断裂
タイプ4：	骨欠損を伴った靱帯断裂
タイプ5：	陳旧性のBankart病変がない弛緩した関節上腕靱帯

表9-5 GreenとChristensenによるBankart病変の分類（文献19より引用）

タイプ1：	正常関節唇
タイプ2：	関節唇の肩甲窩からの単純な剥離
タイプ3：	関節唇実質部の断裂
タイプ4：	著明にすり切れ，変性した関節唇の剥離
タイプ5：	関節唇の完全な変性や消失

る手技が容易であり，正確に関節包の張力を回復する方法が期待できることをあげている。

3. 術後成績の比較

直視下と鏡視下Bankart法の術後成績のメタ分析として，Freedmanら[22]は2つの無作為臨床試験（randomized clinical trial：RCT）を含む6文献の分析で，再脱臼と再亜脱臼を含めた再発率とRowe score（表9-2）で有意に直視下のほうが良好だったと報告した。Mohtadiら[23]は1つのRCTを含む11文献の分析を行い，再発率の関係では11文献中9文献，スポーツ活動への復帰率の関係では7文献中6文献で直視下をすすめていると報告した。Lentersら[24]は4つのRCTを含む18文献で，全文献の分析，4つのRCTのみの分析，鏡視下でsuture anchorのみ使用した文献の分析を行い，いずれもRowe scoreでは鏡視下のほうが良好だったが，再発率とスポーツ復帰，仕事復帰の面で有意に鏡視下のほうが成績不良であったとした。一方，Kimら[25]はsuture anchorで再発率に有意差を認めず，Rowe scoreは鏡視下のほうが良好だったと報告した。Fabbricianiら[26]はRCTにより，原因病態がBankart病変のみのコンタクトスポーツを行わない対象で，ともにsuture anchorを使用して同様のリハビリテーションプロトコールを施行した。その結果，再発は両群ともに認めずConstant score（表9-2）およびRowe scoreの関節可動域の項目で有意に鏡視下のほうが良好で，病態がBankart病変に限局していてコンタクトスポーツを行わない症例には鏡視下を推薦した。

C. 病態生理と術後成績への影響

1. Bankart病変および下関節上腕靱帯損傷

肩関節の前下方安定化機構として下関節上腕靱帯（inferior glenohumeral ligament：IGHL）のanterior band（AB）とaxillary pouchと呼ばれる下方関節包が知られている。IGHLの破綻により前方脱臼をきたすとされ，関節窩からのIGHLを含む前方関節唇の剥離のことをBankart病変（図9-1）と呼ぶ。Bankart病変を分類したものを表9-3[27]，表9-4[28]，表9-5[19]に示す。通常，Bakerの分類が用いられることが多い。

9. 手術療法

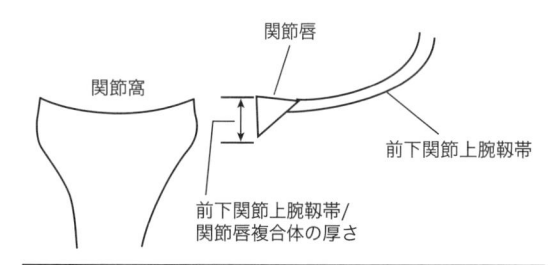

図9-4 前下関節上腕靱帯/関節唇複合体の厚さ（文献28より作図）

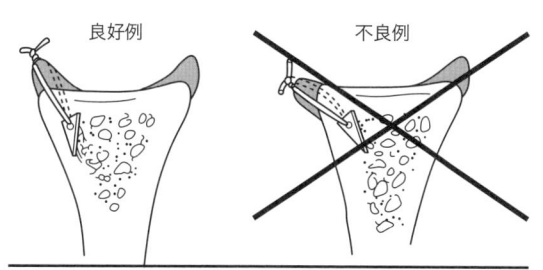

図9-5 suture anchorの良好例と不良例（文献30より作図）

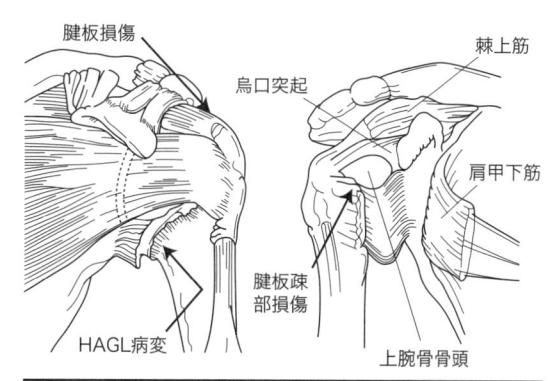

図9-6 HAGL病変および腱板損傷（左），腱板疎部損傷（右）（文献63より一部改変）

屍体肩の研究ではBankart病変のみでは完全脱臼は起こりえないとの報告[5〜7]がある．TaylorとArciero[29]は若年者の初回脱臼肩の97％にBakar分類タイプ3を認め，その他の関節内損傷はなかったと報告した．現在でも外傷性肩関節脱臼におけるBankart病変は最も修復すべき病態とされている[3,4,8,29]．Hayashidaら[28]は鏡視下Bankart法での成績不良例について分散分析を行った結果，再発と有意に関係があった項目はBankart病変のYoneda分類タイプ2，タイプ3と前下関節上腕靱帯/関節唇複合体（anteroinferior glenohumeral ligament/labrum complex：AIGHL/LC）の厚さ（図9-4）が3 mm以下の場合であったと報告した．もともとAIGHLの発達が不良で緊張が弱い，もしくは損傷により顕著に質が低下した症例では，直視下またはその他の方法でAIGHL/LCの緊張を復元する必要がある[8]ことが示唆された．

GreenとChristensen[19]は独自の分類で，タイプ2，3は鏡視下の適応があるが，タイプ4，5は鏡視下の適応はなく直視下で手術すべきとした．術式に関して，Bankart病変の修復が十分に得られていないこと[3]やanchorの打ち方が不良であること（図9-5）[30]，anchorの数が少ないこと[25,30]が，術後再発の危険因子として報告されており，特に鏡視下では術者の技量による術後成績の差が指摘されている[8,30]．

IGHL損傷はBankart病変のほかに関節包実質部の断裂や上腕骨側での剥離（humeral avulsion of the glenohumeral ligament：HAGL）病変（図9-6左），両端での剥離によるfloating IGHLなどさまざまな形態が報告されており[31]，適切な処置がなされなければ再発の危険因子となる[31〜33]．

2. 年齢

Reeves[34]は屍体肩での研究で，若年であるほど前方関節包や肩甲下筋腱の弛緩性が強く，関節唇が肩甲窩から剥離する張力も低いことを報告した（図9-7）．前方脱臼の臨床知見においても若年ほど関節唇の剥離が多く[29]，40歳以上で関節包実質部の断裂や腱板断裂の合併が多くなる[3]．Hoveriusら[35]は，直視下Bankart法とPutti-Platt変法の術後成績を比較した．若年者に対するPutti-Platt変法で有意に成績不良例が多く，前方関節包と肩甲下筋腱を縫縮する術式において若年であることが成績不良になりやすい原因では

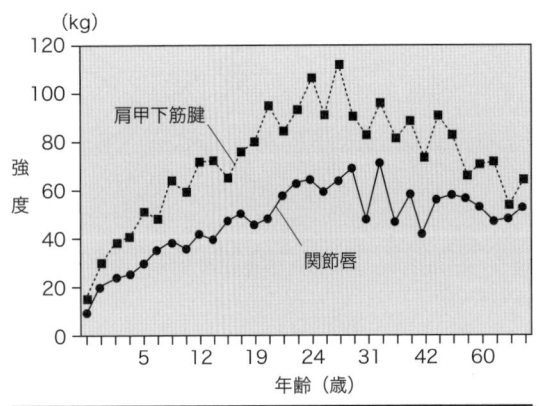

図9-7 各年齢における肩甲下筋腱の断裂する張力と関節唇の剥離する強度（文献34のデータより作図）

ないかと推測した。Bankart法では，Savoieら[36]が対象163名に鏡視下（Caspari）法を施行した結果，Bankartスコアが「優 excellent」または「良 good」だった割合が18歳未満の症例では74％，22歳以上では97.5％で，有意差を認めた。一方，鏡視下法の成績不良例についての分散分析を行った報告[28,37]では，28歳未満を成績不良要因とする報告と年齢は関係しないとする報告に分かれた。

3．弛緩性（laxity）

Roweら[4]は直視下Bankart法で145名中5名の再脱臼を認め，5名中2名が重度の弛緩性によるloose shoulderを認めたと報告した。Reschら[38]は100名を対象に鏡視下（bioabsorbable tacks）法を施行した結果，再発率は7％だった。そのうち術前に8名に下方への弛緩性を認め，8名中3名が再発（37.5％）したことから弛緩性を成績不良の要因と指摘した。Boileauら[30]は91名を対象に鏡視下（absorbable suture anchor）法を施行し，術前に下方および前方への弛緩性を認めた症例で有意に再発と関係が深かったと報告した。

thermal shrinkageは弛緩性による多方向不安定性を呈する病態に頻繁に用いられているが，D'Alessandroら[15]は外傷性脱臼，亜脱臼，多方向不安定性を含む84名に電気熱によるthermal capsulorrhaphy（関節包縫合術）を施行し，37％が不満足な結果であり，多方向不安定性群でも41％が不満足な結果で，単独の術式では満足な結果が得られなかったと報告した。MishraとFanton[16]は鏡視下Bankart法にthermal shrinkageを追加して，再発率7％と直視下法に匹敵する成績となったと報告した。一方，比較文献ではBohnsackら[17]は鏡視下（Caspari）法とlaser-assisted shrinkageとの複合手技を比較し，有意に複合手技の成績が良好だったと報告したが，Chenら[18]は鏡視下（bioabsorbabale tacks）法とradiofrequency shrinkageとの複合手技の比較で術後成績に差がなかったと報告した。このように，thermal shrinkageの追加効果は一定していない。

4．Hill-Sacks病変

Roweら[4]は直視下Bankart法を行った161名中，Hill-Sacks病変を110名（77％）に認めた。そのうち骨欠損の大きさが軽度群では再脱臼を認めなかったが，中等度〜重度群で80名中4名（5％）に再脱臼を認めた。Reschら[38]は鏡視下法を行った100名中92名（92％）にHill-Sacks病変を認めたが，病変の大きさと再発率に統計学的な有意差を認めなかったと報告した。

Boileauら[30]はlarge Hill-Sacks病変と再発に有意な関係があると報告した。BurkhartとDeBeer[39]は，2000年にHill-Sacks病変の形状によって再脱臼の危険が変わることを報告した。ほとんどの病変は肩関節機能的肢位（外転・外旋位）で肩甲窩前縁と対角に接することが多い（図9-8下段）。水平伸展が少なく外転と過度な外旋により脱臼した際に起こった病変（図9-8上段）は，機能的肢位で肩甲窩前縁と平行になっており，骨形状の不良から安定性が著明に低下する（図9-9）。これを"engaging" Hill-Sacks病変と定

義した．鏡視下法を施行した194名中3名（1.5％）にこれを認め，全例が再脱臼したと報告した．病変が大きいほど"engage"しやすくなることは容易に推測され，capsular shiftなどで確実な外旋制限をつけることや，上腕骨近位回旋骨切り術，骨移植を行って"engage"させないこと，Bristow法のように強固な安定性が得られる手技にすべきと指摘した[39]．

5．骨性Bankart病変，肩甲窩骨欠損

Roweら[4]は161名中51名（44％）に肩甲窩前縁の骨折を認め，そのうち2名が再発（4％）したと報告した．Biglianiら[40]は肩甲窩前縁の骨折をタイプ分類した（図9-10）．タイプIからタイプIIIAは鏡視下での修復術が適応され，肩甲窩の25％以上の欠損（タイプIIIB）の場合は鏡視下に適応はなくBristow法による骨ブロック効果を期待すべきと指摘した．

BurkhartとDeBeer[39]は，肩甲窩前縁の骨欠損は骨性Bankart病変が反復脱臼により圧縮されて形づくられる（図9-11C）と報告し，これを"inverted pear（逆西洋ナシ）glenoid"と定義した．鏡視下Bankart法を施行した194名中18名（9.2％）に骨欠損を認め，そのうち11名（61％）が再発した．著明な骨欠損のない群（4％）より有意に再発率が高かったため，Bristow法で肩甲窩前下方の骨欠損を補填するべき（図9-12）と指摘した[39]．Boileauら[30]は関節包の弱化した症例（図9-13）ほど脱臼や亜脱臼が反復されて骨欠損に変化を起こしやすく，鏡視下法の再発の分散分析にて肩甲窩の骨欠損と下方関節弛緩性を認める症例は75％の再発率だったと報告した．

Porcelliniら[41]は受傷後3ヵ月以内にタイプI〜IIIAの病変がある25名に鏡視下（mini revo screw）に骨病変の再接着を施行し，再発はなく良好な成績を報告した．一方，Sugayaら[42]は慢

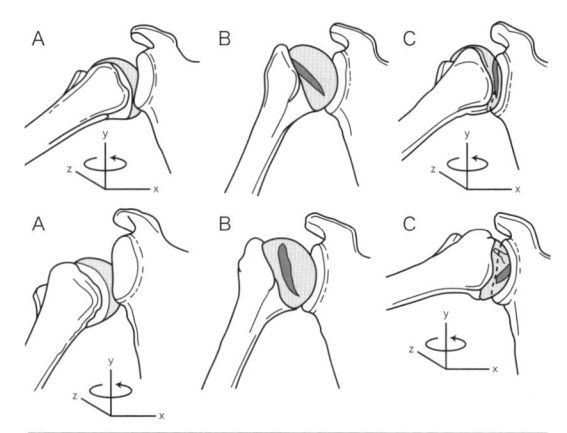

図9-8　engaging Hill-Sacks病変とnonengaging Hill-Sacks病変（文献39より作図）
上段：engaging，下段：nonengaging，A：脱臼時，B：整復下垂位，C：機能的肢位．

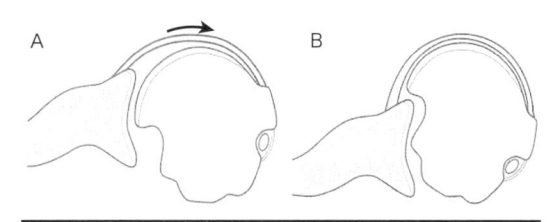

図9-9　Hill-Sacks病変と上腕骨外旋時の関節面の不良安定性（文献39より作図）
A：中間位，B：外旋位．

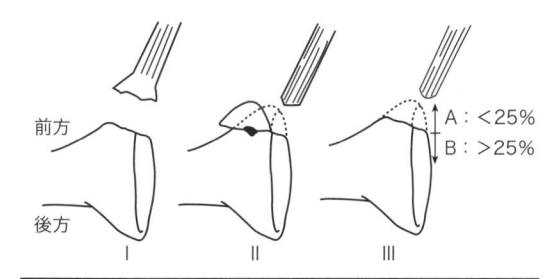

図9-10　関節窩の骨折型（文献40より引用）
I：ununited fragment attached to labrum，II：malunited fragment detached to labrum，IIIA：anterior glenoid deficiency＜25％，IIIB：anterior glenoid deficiency＞25％．

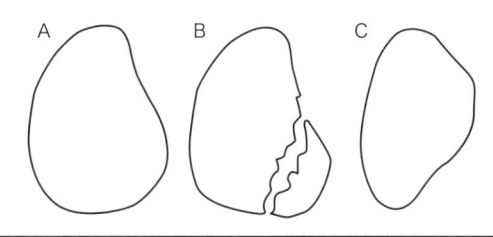

図9-11　関節窩の骨折型（文献39より引用）
A：正常，B：骨性Bankart病変，C：逆西洋ナシ型．

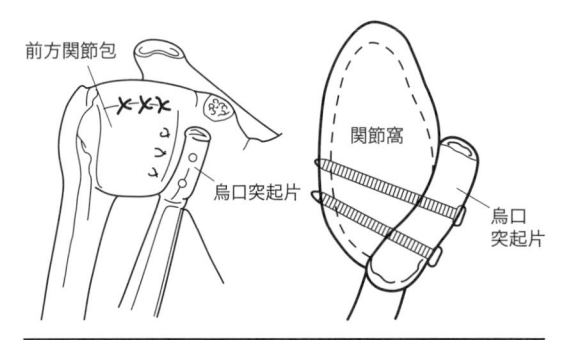

図9-12　関節唇の欠損に対する烏口突起片の移植（文献39より作図）

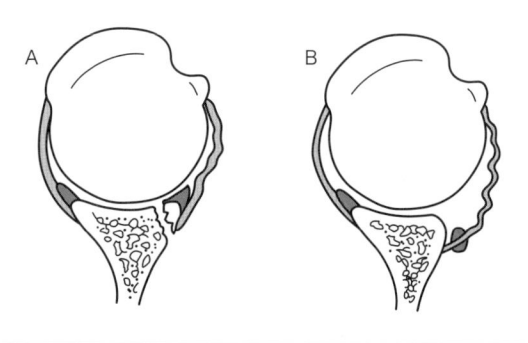

図9-13　関節包の弱化による関節窩の欠損（文献30より作図）
A：関節包の弱化のない症例，B：関節包の弱化のある症例。

性期で骨欠損が平均24.8％という対象42名に鏡視下でsuture anchorを使用して再発率が4.7％と良好な成績を報告した。

Montgomeryら[43]は屍体肩の研究で，人為的に肩甲窩の欠損を作製して安定性を健常時と比較したところ，前下方への安定性が50％低下した。自家腸骨もしくは人工骨を使用して肩甲窩を6〜8mmの深さで再建したところ，安定性が150〜229％増加したと報告した。Itoiら[44]は肩甲窩の欠損率が少なくとも21％以上の場合に骨移植の適応があると報告した。近年は自家腸骨を用いた症例報告[45]が散見される。

6. 腱板疎部損傷

腱板疎部（rotator interval）（図9-6右図矢印）は肩甲上腕関節の下方と前上方の静的安定化機構として知られている。Harrymanら[46]は屍体肩の研究で，腱板疎部損傷肩は，健常肩と比較して前方偏位は最大1.8±2.3mm，後方偏位が最大6.1±5.1mm，下方偏位が最大8.2±7.9mm増加したと報告した。前方脱臼の術後成績への詳細な影響に関しては報告が見当たらないが，前方不安定性や多方向不安定性につながるため，多くの著者が腱板疎部修復術を施行すべき[3,8,47]と述べた。

7. 上方関節唇（SLAP）損傷

上方関節唇の部分損傷では上腕骨頭の有意な不安定性は生じないが，完全損傷では低い挙上位と外転外旋位における前下方への不安定性が増大する[48]。SLAP損傷とBankart病変との合併はより不安定性を増大させる[8]。

D. 初回脱臼への適応

これまで初回の前方脱臼ではほぼ保存療法が選択されてきたが，近年では初回脱臼に対しても手術を行うという報告がある。BoszottaとHelperstorfer[49]はスポーツ活動継続の希望がある対象に対し，初回脱臼時に鏡視下（transglenoid suture）法を施行した。その結果，平均5年の観察期間で再脱臼は6.7％，85％が完全にスポーツ復帰した。Bottoniら[50]は若年の軍人を対象に，初回脱臼受傷時から48時間以内に鏡視下（bioabsorbable tack）法を行った群と保存療法群との成績をRCTにより比較した。その結果，再脱臼率は保存療法群で75％だったが，手術群では11.1％だった。Jakobsenら[51]は10年の経過観察で直視下法を施行した群と保存療法群の比較を行い，Oxford shoulder scoreでは手術群は72％が「良good」または「優excellent」だったが，保存療法群は74％が不満足な結果だった。再発率では手術

群が9％，保存療法群が62％であり，そのうち80％が後に手術療法を必要とした。

以上より初回脱臼に対する手術により，保存療法と比べその後の再発率を著明に低下できることが示された。一方，Hoveliusら[1]は若年者の初回脱臼のうち最終的に手術を受けるのは30～40％にすぎないとした。Itoiら[52]は保存療法での外旋位固定の有用性を報告しており，初回脱臼の初期治療は保存療法にすべきとした。このように，初回脱臼に対する手術適応に一定の見解は得られていない。

E. スポーツ選手への適応

1. コンタクトスポーツ

スポーツ中の外傷性肩関節脱臼の受傷機転には，転倒や衝突，脱臼肢位への強制がある。コンタクトスポーツの代表ともいえるラグビーやアメリカンフットボールでは，ディフェンスが不良肢位でタックルを行った際に受傷しやすい。また柔道やレスリングでは，相手を背負う動作や，相手に上肢を伸展位に引かれた際に脱臼肢位を強制され受傷することが多い。

術後の再発の危険因子としてコンタクトスポーツをあげている著者は多い[3, 4, 8, 11, 28, 30, 37, 54]。Yonedaら[11]は不安感なくスポーツができ，かつ脱臼しないことがコンタクトスポーツにおいて最も重要であると指摘した。

直視下法による報告では，Uhorchakら[53]は若年の士官学校生66名に，直視下Bankart法と関節包縫合術（capsulorrhaphy）の複合手技を行った。その結果，経過観察は平均47ヵ月で再脱臼は2名（3％），亜脱臼を含めた再発は13名（22.7％）であった。PagnaniとDome[21]はアメリカンフットボール選手58名を対象に，直視下Bankart法とT-plastyの複合手技を施行した結果，経過観察2年で再脱臼は0名，再亜脱臼は2名（3.4％）であった。Yonedaら[11]は，ラグビーやアメリカンフットボール，柔道を主としたコンタクトスポーツ選手85肩（83名）を対象にBankart法にBristow法を追加する手技を行い，再脱臼が1肩（1.2％），再亜脱臼は0肩であったと報告した。

直視下法によるスポーツ復帰については，術前レベル以上に復帰した場合を完全復帰とし，レベルを落とした場合を部分復帰とすると，Uhorchakら[53]は100％が完全復帰，PagnaniとDome[21]は89.6％が完全復帰，Yonedaら[11]は88％が完全復帰し，部分復帰を含めると92％と高いスポーツ復帰率を報告した。

鏡視下法による報告では，Granaら[54]が再脱臼した症例のうち75％がコンタクトスポーツ中であったと報告した。Reschら[38]はbioabsorbable tacks法で手術を行った症例の再発率は，コンタクトスポーツ群14.2％，オーバーヘッドスポーツ群10％，その他のスポーツ群6.6％で有意差を認めなかったと報告した。Ideら[55]はsuture anchorを使用した症例のうち，コンタクトスポーツ選手は21名中2名（9.5％）が，それ以外では34名中2名（5.9％）が再発したが，両群間に有意差を認めなかったと報告した。Mazzoccaら[47]は20歳未満のコンタクト，コリジョンスポーツ選手18名に対してsuture anchorを用い，病態によりinferior capsular plicateやrotator interval closure，thermal shrinkageを追加した術式を施行した結果，2名（11.1％）の再発を認め，いずれもアメリカンフットボール中の再受傷だったと報告した。

鏡視下法による術後のスポーツ復帰については，Reschら[38]はコンタクトスポーツ群の完全復帰は70％にとどまったと報告したが，Ideら[55]は完全復帰が85.7％，部分復帰を合わせると100％が復帰したと報告した。Mazzoccaら[47]も完全復帰かどうかの記載はないが100％復帰し

第2章 外傷性脱臼

病態に基づいた術式の選択

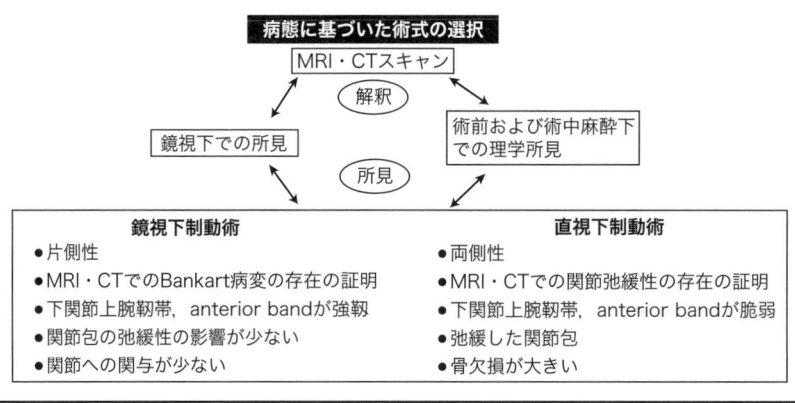

MRI・CTスキャン
↕ 解釈
鏡視下での所見 ↔ 術前および術中麻酔下での理学所見
↕ 所見

鏡視下制動術
- 片側性
- MRI・CTでのBankart病変の存在の証明
- 下関節上腕靭帯，anterior bandが強靱
- 関節包の弛緩性の影響が少ない
- 関節への関与が少ない

直視下制動術
- 両側性
- MRI・CTでの関節弛緩性の存在の証明
- 下関節上腕靭帯，anterior bandが脆弱
- 弛緩した関節包
- 骨欠損が大きい

図9-14 術式決定までのアルゴリズム（文献8より一部改変）

たと報告した。

以前よりもコンタクトスポーツでの鏡視下法の選択は多くなってきており，スポーツ復帰の面では直視下法に近似してきているが，再発率は依然として直視下法のほうが良好である。Robertsら[56]はオーストラリアンフットボール選手を対象として，後ろ向きに直視下法と鏡視下法の成績を比較した。Rowe score，スポーツ復帰率，再発率ともに鏡視下法のほうが不良であり，コンタクトスポーツ選手に対する鏡視下法の適応を危惧した。

スポーツ復帰に関して受傷前のレベルにもどったら完全復帰とする報告が多いが，その基準は曖昧である。ほとんどの報告はどれくらい試合に出ていたかなどが反映されておらず，そのため参加機会の減少により再発率も低いといった可能性も考えられる。一方，不良肢位でのタックルなどが受傷機転の場合では，術後も同様の身体の使い方をすれば再発しやすいことは明らかであり，動作の指導をすることで，術後のリハビリテーションのいっそうの効果が期待される。

2．オーバーヘッドスポーツ

オーバーヘッドスポーツは主に投球動作および挙上位での動作を要するスポーツである。転倒や接触で急性に受傷し，オーバーヘッド動作での不安感が主訴となることが多い。非外傷性脱臼は投球動作などの肩関節外転と過度な外旋，水平伸展による連続的なストレスによって慢性障害として前方不安定性が起こり，オーバーヘッド動作での亜脱臼やインピンジメントを呈する例が多い[57]。術後は挙上位でのパフォーマンスを必要とし，特に投球動作では関節可動域や筋力は健側以上の機能が求められるため，術式は原因病態のみを治療する最小の侵襲であるべきである[58,59]。

Roweら[4]は直視下Bankart法を行った30名のオーバーヘッドスポーツ選手のうち，10名しかスポーツ復帰できなかった。Lombardoら[60]はBristow変法を18名の投球スポーツ選手に施行し，術後の関節可動域訓練を早期から開始したが，外転位外旋制限が平均11°で術前レベルまでスポーツ復帰できたものはいなかった。Ideら[55]はsuture anchorを用いた鏡視下法を行い，関節可動域は健側差で外転位外旋で平均2°，オーバーヘッドスポーツへは68％が完全復帰し，部分復帰を合わせると96％が復帰可能だったと報告した。Bacillaら[59]はハイレベルなスポーツ選手を含む対象にsuture anchorを用いた鏡視下法を施行した結果，野球投手5名を含む90％が完全復帰したと報告した。鏡視下法は低侵襲で術後の機能低下を最小限にできることが特徴であり[16]，鏡視下法の普及によりオーバーヘッドスポーツへの復帰率が

高まった。

非外傷性脱臼に対しては，Bigliani ら[61]は投球スポーツ選手のうち，反復性亜脱臼を呈した22名では全例で前方から下方関節包の弛緩を認めたが，Bankart病変を認めた症例は1名のみだったと報告した。この下方関節包に対し，inferior capsular shift を術式に用い，術後成績は関節可動域では外転位外旋が健側差で平均7°，スポーツ復帰は71％が完全復帰したが，10名の競技レベルまたはプロ野球の投手のうち5名（50％）しか完全復帰できなかった。Jobe ら[58]も同様の術式を報告した。関節可動域は外転位外旋が25名中19名で完全に獲得したが，残りの6名は平均13°の制限を認めた。スポーツ復帰は18名（72％）が完全復帰したが，12名の野球投手のうち6名（50％）しか完全復帰できず，残りの6名は投球可能であるが，投球スピードや遠投距離が術前レベルまでもどらなかった。これらから競技レベルが高い，特に野球投手では復帰率が低いことがうかがえる。

F. まとめ

本項では，外傷性肩関節前方脱臼においてBankart法を中心とした手術療法と病態やスポーツ種目との関係について述べた。ColeとWarnar[8]は病態に基づき直視下法か鏡視下法の選択をすべきとし，術前の理学所見のほかにMRIやCT，術中の麻酔下における検査や鏡視下での確実な診断の重要性を強調した（図9-14）。また，スポーツ種目により安定性や関節可動域，筋力など求める機能が異なることも術式の選択に影響する。

1. すでに真実として承認されていること

● Bankart法では一般的に関節可動域の回復に関しては直視下法より鏡視下法のほうが良好だが，術後成績は鏡視下法のほうが不良である。
● 術後の再発の危険因子として，大きな骨欠損（Hill-Sacks病変，骨性Bankart病変を含む肩甲窩の骨欠損），弛緩性，コンタクトスポーツがあげられ，上記以外にもIGHLが脆弱な場合は直視下法がすすめられる。
● オーバーヘッドスポーツでは鏡視下法の普及により復帰率が高くなっているが，投球動作における完全復帰率は依然として低い。

2. 今後の重要な研究テーマとなること

● 初回脱臼への手術適応は鏡視下Bankart法の適応が広がりつつあるが，一定の見解がない。
● スポーツ復帰後の経過や参加度合いと再発との関係が曖昧である。

文 献

1. Hovelius L, Augustini BG, Fredin H, Johansson O, Norlin R, Thorling J. Primary anterior dislocation of the shoulder in young patients: a ten-year prospective. Shoulder instability after arthroscopic Bankart repair. *J Bone Joint Surg Am.* 1996; 78: 1677-84.
2. Rowe CR. Acute and recurrent anterior dislocation of the shoulder. *Orthop Clin North Am.* 1980; 11: 253-70.
3. Gill TJ, Zarins B. Open repair for the treatment of anterior shoulder instability. *Am J Sports Med.* 2003; 31: 142-53.
4. Rowe CR, Patel D, Southmay WW. The Bankart procedure: A long-term end-result study. *J Bone Joint Surg Am.* 1978; 60: 1-16.
5. Speer KP, Deng X, Borrero S, Torzilli PA, Altchek DA, Warren RF. Biomechanical evaluation of a simulated Bankart lesion. *J Bone Joint Surg Am.* 1994; 76; 1819-26.
6. Pouliart N, Marmor S, Gagey O. Simulated sapsulolabral lesion in cadavers: Dislocation does not result from a Bankart lesion only. *Arthroscopy.* 2006; 22: 748-54.
7. Ovesen J, Nielsen S. Anterior and posterior shoulder instability: A cadaver study. *Acta Orthop Scand.* 1986; 57: 324-7.
8. Cole BJ, Warner JJ. Arthroscopic versus open Bankart repair for traumatic anterior shoulder instability. *Clin Sports Med.* 2000; 19: 19-48.
9. van Oostveen PH, Schild FJA, van Haeff MJ, Saris DBA. Suture anchors are superior to transglenoid sutures in arthroscopic shoulder stabilization. *Arthroscopy.* 2006; 22: 1290-7.
10. Kim SH, Ha KI, Cho YB, Ryu BD, Oh I. Arthro-

scopic anterior stabilization of the shoulder: two to six-year follow-up. *J Bone Joint Surg Am.* 2003; 85: 1511-8.
11. Yoneda M, Hayashida K, Wakitani S, Nakagawa S, Fukushima S. Bankart procedure augmented by coracoid transfer for contact athletes with traumatic anterior shoulder instability. *Am J Sports Med.* 1999; 27: 21-6.
12. Yamashita T, Okamura K, Hotta T, Wada T, Aoki M, Ishii S. Good clinical outcome of combined Bankart-Bristow procedure for recurrent shoulder instability. *Acta Orthop Scand.* 2002; 73: 553-7.
13. Young CD, Rockwood CA. Complications of a failed Bristow procedure and their management. *J Bone Joint Surg Am.* 1991; 73: 969-81.
14. Neer CS, Foster CR. Inferior capsular shift for involuntary inferior and multidirectional instability of the shoulder. *J Bone Joint Surg Am.* 1980; 62: 897-908.
15. D'Alessandro DF, Bradley JP, Fleischli JE, Connor PM. Prospective evaluation of thermal capsulorrhaphy for shoulder instability: Indications and results, two- to five year follow up. *Am J Sports Med.* 2004; 32: 21-33.
16. Mishra DK, Fanton GS. Two-year outcome of arthroscopic bankart repair and electrothermal-assisted capsulorrhaphy for recurrent traumatic anterior shoulder instability. *Arthroscopy.* 2001; 17: 844-9.
17. Bohnsack M, Ruhmann O, Hurschler C, Schmolke S, Peter G, Joachim C. Arthroscopic anterior shoulder stabilization: Combined multipule suture repair and laser-assisted capsular shrinkage. *Int J Care Injured.* 2002; 33: 795-9.
18. Chen S, Haen P, Walton J, Murrell GAC. The effects of thermal capsular shrinkage on the outcomes of arthroscopic stabilization for primary anterior shoulder instability. *Am J Sports Med.* 2005; 33: 705-11.
19. Green MR, Christensen KP. Arthroscopic Bankart procedure: Two- to five- year followup with clinical correlation to severity of glenoid labral lesion. *Am J Sports Med.* 1995; 23: 276-81.
20. Green MR, Christensen KP. Arthroscopic versus open Bankart procedures: A comparison of early morbidity and complications. *Arthroscopy.* 1993; 9: 371-4.
21. Pagnani MJ, Dome DC. Surgical treatment of traumatic anterior shoulder instability in American football players. *J Bone Joint Surg Am.* 2002; 84: 711-5.
22. Freedman KB, Smith AP, Romeo AA, Cole BJ, Bach BR. Open Bankart repair versus arthroscopic repair with transglenoid suture or bioabsorbable tacks for recurrent anterior instability of the shoulder: A meta-analysis. *Am J Sports Med.* 2004; 32: 1520-7.
23. Mohtad NGH, Bitar JI, Sasyniuk TM, Hollinshead RM, Harper WP. Arthroscopic versus open repair for traumatic anterior shoulder instability: a meta-analysis. *Arthroscopy.* 2005; 21: 652-8.
24. Lenters TR, Franta AK, Wolf FM, Leopold SS, Matsen III FA. Arthroscopic compared with open repaer for recurrent anterior shoulder instability: A systematic review and meta-analysis of the literature. *J Bone Joint Surg Am.* 2007; 89: 244-54.
25. Kim SH, Ha KI, Kim SH. Bankart repair in traumatic anterior shoulder instability: Open versus arthroscopic technique. *Arthroscopy.* 2002; 18: 755-63.
26. Fabbriciani C, Milano G, Demontis A, Fadda S, Ziranu F, Mulas PD. Arthroscopic versus open treatment of Bankart lesion of the shoulder: A prospective randomized study. *Arthroscopy.* 2004; 20: 456-62.
27. Baker CL, Uribe JW, Whitman C. Arthroscopic evaluation of acute initial anterior shoulder dislocations. *Am J Sports Med.* 1990; 18: 25-8.
28. Hayashida K, Yoneda M, Nakagawa S, Okamura K, Fukushima S. Arthroscopic Bankart suture repair for traumatic anterior shoulder instability: Analysis of the causes of a recurrence. *Arthroscopy.* 1998; 14: 295-301.
29. Taylor DC, Arciero RA. Pathologic changes associated with shoulder dislocation: Arthroscopic and physical examination finding in first-time, traumatic anterior dislocation. *Am J Sports Med.* 1997; 25: 306-11.
30. Boileau P, Villalba M, Hery J, Balg F, Ahrens P, Neyton L. Risk factors for recurrence of shoulder instability after arthroscopic Bankart repair. *J Bone Joint Surg Am.* 2006; 88: 1755-63.
31. Field LD, Bokor DJ, Savoie FH 3rd. Humeral and glenoid detachment of the anterior inferior glenohumeral instability. *J Shoulder Elbow Surg.* 1997; 6: 6-10.
32. Wolf EM, Cheng JC, Dickson K. Humeral avulsion of glenohumeral ligament as a cause of anterior shoulder instability. *Arthroscopy.* 1995; 11: 600-7.
33. Bokor DJ, Conboy VB, Olson C. Anterior instability of the glenohumeral joint with humeral avulsion of the glenohumeral ligaments. A review of 41 cases. *J Bone Joint Surg Br.* 1999; 81: 93-6.
34. Reeves B. Experiments on the tensile of the anterior capsular structures of the shoulder in man. *J Bone Joint Surg Br.* 1968; 50: 858-65.
35. Hoverius L, Thorling GJ, Fredin H. Recurrent anterior dislocation of the shoulder: Result after the Bankart and Putti-Platt operations. *J Bone Joint Surg Am.* 1979; 61: 566-9.
36. Savoie FH 3rd, Miller CD, Field LD. Arthroscopic reconstruction of traumatic anterior instability of the shoulder: The Caspari technique. *Arthroscopy.* 1997; 13: 201-9.
37. Calvo E, Granizo JJ, Fernandez-Yruegas D. Criteria for arthroscopic treatment of anterior instability of the shoulder. *J Bone Joint Surg Br.* 2004; 87: 677-83.

38. Resch H, Povacz P, Wambacher M, Sperner G, Golser K. Arthroscopic extra-artiular Bankart repair for the treatment of recurrent anterior shoulder dislocation. *Arthroscopy*. 1997; 13: 188-200.
39. Burkhart SS, DeBeer JF. Traumatic glenohumeral bone defects and their relationship to failure of arthroscopic Bankart repair: Significance of the inverted-pear glenoid and the humeral engaging Hill-Sacks lesion. *Arthroscopy*. 2000; 16: 677-94.
40. Bigliani LU, Newton PM, Steinmann SP. Glenoid rim associated with recurrent anterior dislocation of the shoulder. *Am J Sports Med*. 1998; 26: 41-5.
41. Porcellini G, Campi F, Paladini P. Arthroscopic approach to acute bony Bankart lesion. *Arthroscopy*. 2002; 18: 764-9.
42. Sugaya H, Moriishi J, Kanisawa I, Tsuchiya A. Arthroscopic osseous Bankart repair for chronic recurrent traumatic anterior glenohumeral instability. *J Bone Joint Surg Am*. 2005; 87: 1752-60.
43. Montgomery WH Jr, Wahl M, Hettrich C, Itoi E, Lippitt SB, Matsen FM 3rd. Anterior bone- grafting can restore stability in osseous glenoid defect. *J Bone Joint Surg Am*. 2005; 87: 1972-7.
44. Itoi E, Lee S, Berglund LJ, Berge LL, An K. The effect of a glenoid defect stability of the shoulder after Bankart repair: A cadaveric study. *J Bone Joint Surg Am*. 2000; 82: 35-46.
45. Warner JJ, Gill TJ, O'Hollerhan JD, Pathare N, Millett PJ. Anatomical glenoid reconstruction for recurrent anterior glenohumeral instability with glenoid deficiency using an autogenous tricortical iliac crest bone graft. *Am J Sports Med*. 2006; 34: 205-12.
46. Harryman DT, Sidles JA, Harris SL, Matsen FA 3rd. The role of rotater interval capsule in passive motion and stability of the shoulder. *J Bone Joint Surg Am*. 1992; 74: 53-66.
47. Mazzocca AD, Brown FM, Carreira DS, Hayden J, Romeo AA. Arhroscopic anterior shoulder stabilization of collision and contact athletes. *Am J Sports Med*. 2005; 33: 52-60.
48. Pagnani MJ, Deng XH, Warren RF, Torzilli PA, Altchek DW. Effect of lesions of the superior portion of the glenoid labrum on glenohumeral translation. *J Bone Joint Surg Am*. 1995; 77: 1003-10.
49. Boszotta H, Helperstorfer W. Arthroscopic transglenoid suture repair for initial anterior shoulder dislocation. *Arthroscopy*. 2000; 16: 462-70.
50. Bottoni CR, Wilcken JH, DeBerardino TM, D'Alleyrand JG, Rooney RC, Ariciero RA. A prospective, randomized evaluation of arthroscopic stabilization versus nonoperative treatment in patients with acute, traumatic, first-time shoulder dislocation. *Am J Sports Med*. 2002; 30: 576-80.
51. Jakobsen BW, Johannsen HV, Suder P, Sojeberg JO. Primary repair versus conservative treatment of first-time traumatic anterior dislocation of shoulder: A randomized study with 10-year follow up. *Arthroscopy*. 2007; 23: 118-23.
52. Itoi E, Hatakeyama Y, Kido T, Sato T, Minagawa H, Wakabayashi I, Kobayashi M. A new method of immobilization after traumatic anterior dislocation of the shoulder: A preliminary study. *J Shoulder Elbow Surg*. 2003; 12: 413-5.
53. Uhorchak JM, Arciero RA, Huggard D, Taylor DC. Recurrent shoulder instability after open reconstruction in athletes involved in collision and contact sports. *Am J Sports Med*. 2000; 28: 794-9.
54. Grana WA, Buckley PD, Yates CK. Arthroscopic Bankart suture repair. *Am J Sports Med*. 1993; 21: 348-53.
55. Ide J, Maeda S, Takagi K. Arthroscopic Bankart repair using suture anchors in athletes: Patient selection and postoperative sports activity. *Am J Sports Med*. 2004; 32: 1899-905.
56. Roberts SNJ, Taylor DE, Brown JN, Hayes MG, Saies A. Open and arthroscopic techniques for the treatment of traumatic anterior shoulder instability in Australian rules football players. *J Shoulder Elbow Surg*. 1999; 8: 403-9.
57. Kvitne RS, Jobe FW. The diagnosis and treatment of anterior instability in the throwing athlete. *Clin Orthop*. 1993; 291: 107-23.
58. Jobe FW, Giangarra CE, Kvitne RS, Glousman RE. Anterior capsulolabral reconstruction of the shoulder in athletes in overhand sports. *Am J Sports Med*. 1991; 19: 428-34.
59. Bacilla P, Field LD, Savoie FD 3rd. Arthroscopic Bankart repair in a high demand patient population. *Arthroscopy*. 1997; 13: 51-60.
60. Lombardo SJ, Kerlan RK, Jobe FW, Carter VS, Blazina ME, Shields CL. The modified Bristow procedure for recurrent dislocation of the shoulder. *J Bone Joint Surg Am*. 1976; 58: 256-61.
61. Bigliani LU, Kurzweil PR, Schwartzbach CC, Wolfe IN, Flatow EL. Inferior capsular shift procedure for antero-inferior shoulder instability in athletes. *Am J Sports Med*. 1994; 22: 577-84.
62. Ferretti A, DeCarli A, Calderaro M, Conteduca F. Open capsulorrhaphy with suture anchors for recurrent anterior dislocation of the shoulder. *Am J Sports Med*. 1998; 26: 625-9.
63. Field LD, Warren RF, O'Brein SJ, Altchek DW, Wickiewicz TL. Isolated closure of rotator interval defects for shoulder instability. *Am J Sports Med*. 1995; 23: 557-63.

〔佐藤　正裕〕

10. 後療法

はじめに

外傷性肩関節脱臼の病態，合併症や治療法に関して，手術療法とその後のリハビリテーション，保存療法ともに議論の多い分野の1つである[1,2]。手術療法では，これまで一般的に行われてきた関節切開を行う直視下法は，良好な術後成績が報告されてきた。一方，20年以上前より急速な関節鏡技術の進歩により，手術による侵襲や合併症を減少させる試みとして関節鏡視下での手術も多く行われるようになった。直視下法，関節鏡視下法それぞれの術後リハビリテーション，固定期間やプログラム，スポーツ復帰時期についてさまざまな見解がある。また，早期リハビリテーションと不安定性との関連も議論されている。本項では外傷性肩関節前方脱臼に対する術後リハビリテーションにおける目的，固定期間，組織変化，スポーツ復帰の要素に関して文献的に調査し検討した。

A. 文献検索方法

文献検索にはPubMedを使用し，言語は英語に限定した。「shoulder」，「anterior」，「dislocation」，「surgery」，「rehabilitation」をキーワードに101件がヒットした。

B. 術後リハビリテーション

1. 目的

外傷性肩関節前方脱臼の治療法は，主に保存療法と手術療法に分けられる。保存療法（初期固定・リハビリテーション）では安定性の獲得に限界があることが多く，手術療法とその後のリハビリテーションが効果的であるとされている[3]。保存療法のリハビリテーションの目的は，動的な筋活動，肩甲上腕関節の安定性獲得，肩甲胸郭関節の可動性，神経筋メカニズムの再建である[4]。術後リハビリテーションにおいても目的は同様で，病態や術式ならびに患者の活動レベルによってプログラムする必要がある[5]。

2. 固定期間

術後固定の必要性に関して，1978年Roweら[6]は，「術後長期の固定を必要としなければ全可動域を獲得でき，スポーツ完全復帰が可能である」と報告した。しかし近年では，上腕骨頭の前方偏位や亜脱臼の防止の点から，早期よりスリング固定が必要とされている[7]。術後固定期間に関しては，基本的に軟部組織や骨が修復されるまで固定する必要があるが，術式や病態によって異なる[8]。また同じ術式でも固定期間については報告者によってさまざまである[1,7~15]（**表10-1**）。

Granaら[14]は，関節鏡視下でのBankart修復術を施行した27例中，術後3週固定のところ1週で固定を除去した10例中8例は再脱臼または亜脱臼を生じたと報告し，術後固定の必要性をあげた。一方，Zainsら[10]は，安定性を得るために固定期間を長くすることが必ずしも効果的であるとはいえないとした。Kimら[9]は関節鏡視下でのsuture Bankart修復術を施行した62名を早期リハビリテーション群と装具固定群の2群に分けて

10. 後療法

表10-1 各手術法による術後固定期間（文献1, 7〜15より作成）

直視下法	固定期間	鏡視下法	固定期間
Bristow変法	1週間	Bankart修復術	3週間
関節包縫合術（capusulorrhaphy）	3週間	suture Bankart修復術	3週間
capsular shift	4週間	温熱関節包縫合術（thermal capsulorrhaphy）	4週間
Bankart修復術	4週間	suture Bankart修復術	4週間
		thermal shrinkage	6週間

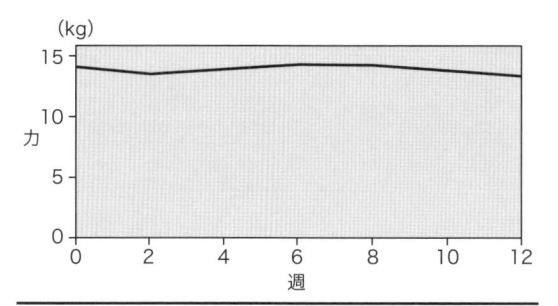

図10-1 Mitek G2の強度（文献16より引用）

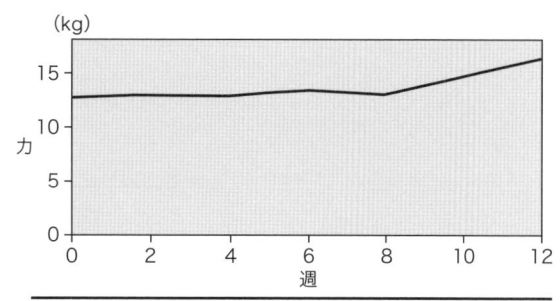

図10-2 Statakの強度（文献16より引用）

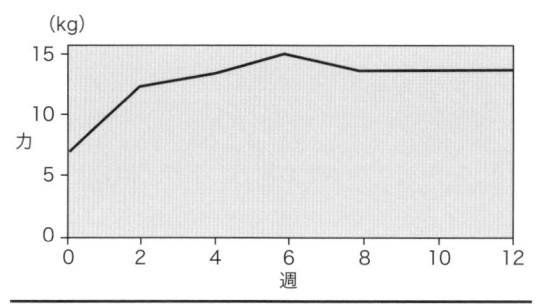

図10-3 TAG Wedgeの強度（文献16より引用）

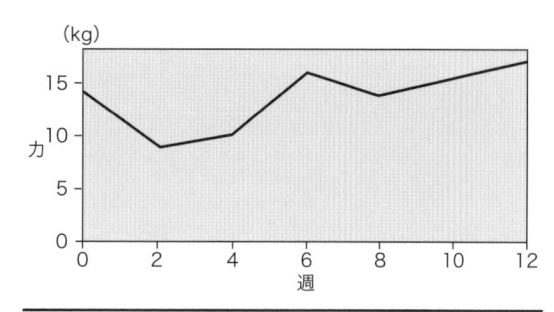

図10-4 ESPの強度（文献16より引用）

術後成績を検討した。その結果，2群間において再脱臼率に有意な差は認められず，早期リハビリテーションは機能改善に対して効果的であった。

術後の固定期間に関しては，統一した見解が得られていない。また，術後固定と早期リハビリテーションにおける再脱臼率に関しては，相反する報告が散見されるが，術後リハビリテーションの影響は大きい。術後リハビリテーションを行うにあたって，基本的に骨や軟部組織の修復過程を考慮に入れて実施する必要がある。

3. 術後の組織変化

1) Bankart修復術・suture Bankart修復術

Hayesら[4]は直視下によるBankart法などで肩甲下筋や関節包を縫合した場合，肩甲下筋の再断裂や関節包の過負荷を避けるために積極的な内旋訓練（関節可動域・筋力訓練）を術後6週より開始する必要があるとした。Tickerら[11]は手術で侵襲された組織の修復を考慮に入れると，術後6週は運動を自制する必要があるとした。

Barberら[16]は4種類のsuture anchor（Mitek, Statak, TAG Wedge, ESP）の強度をin vivoで検討した。その結果，術後3〜4週はsuture anchorの強度的に不安定な時期であるため固定が必要であり，積極的なリハビリテーションはsuture anchorの強度が安定する術後6週から開始することが望ましいと報告した（図10-1〜図10-4）。

表10-2 高周波エネルギー照射後の組織反応

①照射後0週：コラーゲン組織の退化・核破壊・壊死が起こる。
②照射後2～6週：隣接する周囲の毛細血管や細胞の浸潤により血管新生・線維細胞の増殖が起こる。
③照射後6週：照射されたコラーゲン組織のほとんどが線維組織に置き換わる。
④照射後12週：層状のコラーゲン組織が正常な滑膜によっておおわれ、照射された組織の修復が完成する。

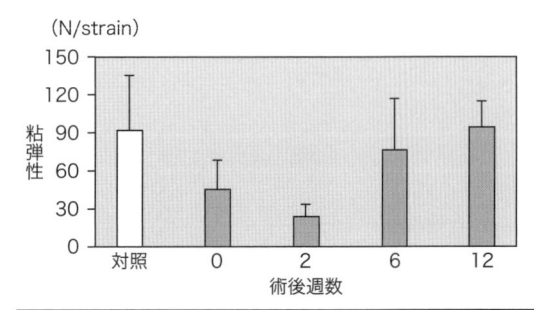

図10-5 高周波エネルギー照射後の関節包の粘弾性の変化（文献18より引用）

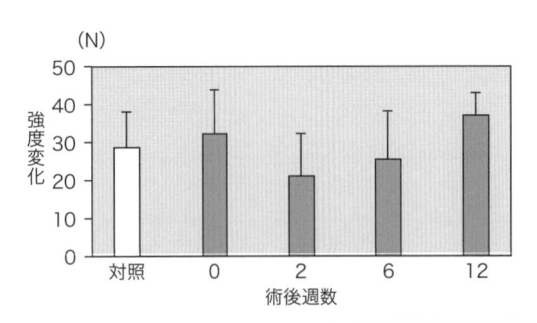

図10-6 高周波エネルギー照射後の関節包の強度の変化（文献18より引用）

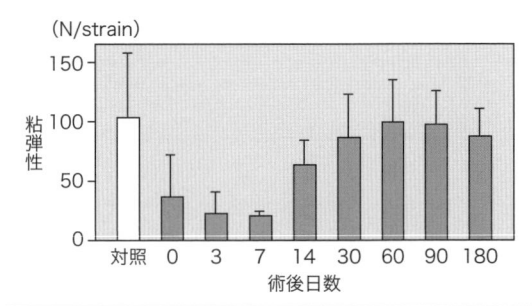

図10-7 レーザー照射後の関節包の粘弾性の変化（文献21より引用）

2) thermal shrinkage

肩関節不安定症や肩関節脱臼の治療法に，関節鏡視下に温熱エネルギーを照射し，関節包を縫縮させる手法がある。Hayashiら[17]は，屍体肩を用いた研究で，肩甲上腕関節包に対してthermal shrinkageを施行して，関節包の長さが短縮したと報告した。用いるエネルギーとしては高周波エネルギーとレーザーエネルギーがある[18]。

①高周波エネルギー

近年，高周波エネルギーを用いたさまざまな治療法が確立されており，肩関節不安定症や肩関節脱臼の治療法としても使用されている。関節包に対して高周波エネルギーを照射し，照射後の組織反応を検討したところ，**表10-2**のような修復過程をたどっていた[18～20]。

Hechtら[18]は膝蓋大腿関節包に対して高周波エネルギーを用いてthermal capsular shrinkageを行い，強度の変化を*in vivo*で検討した。その結果，照射後2週で関節包の粘弾性が減少したが，照射後6週で照射前の粘弾性に改善した。照射した関節包が断裂（損傷）しうる強度に関しては，照射後0～12週すべてに有意な差は認められなかったが，照射後2週の時点で断裂しうる強度が減少する傾向にあった（**図10-5**，**図10-6**）。

②レーザーエネルギー

Hayashiら[21]の報告では，膝蓋大腿関節包にレーザー照射を行ったところ，照射後0～7日では粘弾性が減少したが，14日以降では増加する結果となった（**図10-7**）。また，関節包の厚さは照射後14～60日では有意に厚かったが，90～180日では有意な差が認められなかった（**表10-3**）。

これらの報告からthermal shrinkageに関しては，術直後から2週までは関節包の粘弾性や強度が一時的に減少するが，術後2～6週で強度が改善することが明らかになった。したがって，関節包に過負荷となるような運動を実施するのは，照

表10-3 レーザー照射後の関節包の厚さ（単位：mm）（文献21より引用）

	レーザー照射術後期間							
	0	3	7	14	30	60	90	180
対照	1.1±0.32	1.2±0.15	1.2±0.27	1.2±0.10	1.1±0.21	1.1±0.63	1.2±0.18	1.3±0.43
レーザー照射	1.3±0.44	1.3±0.24	1.6±0.31	2.3±0.43*	1.8±0.13*	1.6±0.32*	1.5±0.38	1.3±0.39

平均±標準偏差，*$p<0.05$ 対照に対して。

射後6〜8週以降が望ましいと推測される。

C. スポーツ復帰

スポーツ選手では，かつてプッシュアップやウエイトリフティング，ベンチプレスなどの荷重訓練が可能となればリハビリテーションはゴール達成とされていた[22]。近年では投球やバッティング，ディフェンスなどのパフォーマンス訓練を経てスポーツへ復帰することがゴールとされている。Wilk ら[2]は，術後22〜23週で投球プログラムを導入した。スポーツ復帰の時期については，直視下法，鏡視下法にかかわらず，ノンコンタクトスポーツでは術後4〜6ヵ月，コンタクトスポーツでは術後6〜8ヵ月と，ある程度統一した見解が報告されている[7, 10〜13, 15]（**表10-4**）。

術後再脱臼の要因として，Reidら[23]は，①過可動性，②筋力低下，③筋のアンバランス，④未熟なパフォーマンス，⑤固有感覚の低下をあげた。Hayesら[4]，Savoieら[24]やWilkら[2]は，スポーツ復帰に際して，時期だけではなく基本的に関節可動域や筋力の改善が得られてから復帰する必要があるとした。オーバーヘッドスポーツ選手においては，肩関節の可動性が必要とされており，術後（復帰後）再脱臼の懸念もある。

1．関節可動域

肩関節前方脱臼において，保存療法では肩関節の不安定性は制動しきれない。直視下の手術は，鏡視下での手術に比較して，神経損傷の可能性，疼痛の残存，関節可動域の制限，感染の

表10-4 各手術法によるスポーツ復帰までの期間（文献6, 10〜13, 15より作成）

	手術手技	ノンコンタクト	コンタクト
直視下法	capsular shift	4ヵ月	8ヵ月
	Bankart修復術	4〜6ヵ月	4〜6ヵ月
		4ヵ月	8ヵ月
鏡視下法	suture Bankart修復術	6ヵ月	6ヵ月
		3ヵ月	4ヵ月
	shrinkage	4ヵ月	6ヵ月

可能性，入院日数の延長が懸念される[2, 17]。直視下法，関節鏡視下法別の術後関節可動域制限（術後の外転90°での外旋可動域）についての諸家の報告を**表10-5**に示した[24〜30]。

Gerberら[31]は，肩関節に不安定性がなく関節可動域制限もない正常な屍体肩に関節包縫合術を施行し，関節可動域への影響を検討した。その結果，外転0°での外旋に関しては前方の短縮で32.1°，上方の短縮で35.6°制限された。また，外転90°での外旋は前下方の短縮では45.7°，前方の短縮では46.9°制限されると報告した。Hurschlerら[32]は屍体肩を用いてanterior capsular shiftを施行し，関節可動域ならびに前方・後方・下方への偏位量を検討した。その結果，外旋可動域は11.5±10.2°，内旋可動域は8.9±5.7°制限が生じたと報告した。偏位量に関しては60°挙上位において前方へ1.9±2.9 mm，後方へ2.3±2.9 mm，下方へ7.3±4.9 mm上腕骨頭の偏位量が減少した（**図10-8〜図10-10**）。

2．関節包の拘縮

オーバーヘッドスポーツでは，投動作で過剰な

表10-5 各手術法による術後関節可動域（文献24～30より作成）

手術手技		90°外転での外旋可動域	スポーツ復帰
直視下法	Bankart	報告なし	33%
	Bristow変法	11°減	0%
	inferior capsular shift and Bankart	13°減	72%
		7°減	75%
鏡視下法	Bankart and capsular plicate	112°	89%
	Bankart	2°減	68%
	Bankart and capsular shift	6.1°減	61%

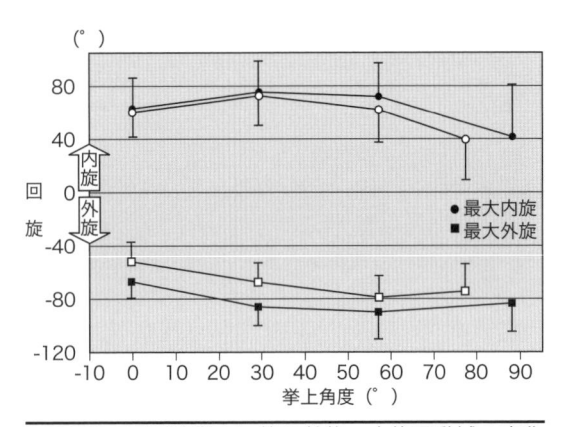

図10-8 肩関節挙上に伴う外旋・内旋可動域の変化（文献32より引用）

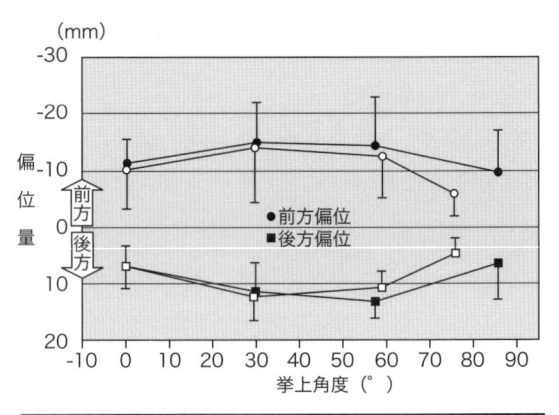

図10-9 肩関節挙上に伴う前方・後方への上腕骨頭偏位量の変化（文献32より引用）

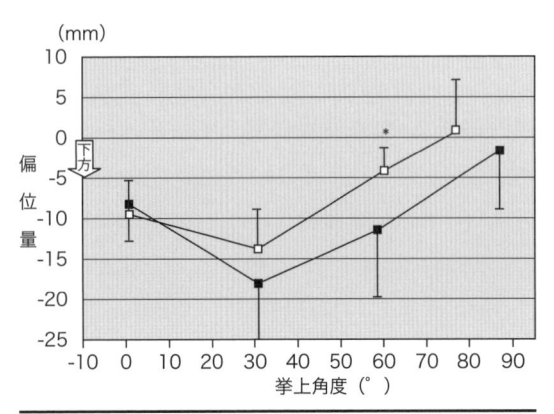

図10-10 肩関節挙上に伴う下方への上腕骨頭偏位量の変化（文献32より引用）

肩関節の動きが要求されるため，肩関節前方関節包の弛緩を有するほか，後方の軟部組織の柔軟性低下が生じることによって外旋可動域の増加や内旋可動域が減少する[33]。Borsaら[34]は，プロ野球の投手を対象に，投球側と非投球側の関節可動域を比較検討した。投球側における外旋可動域は非投球側と比較して5.1°大きく，内旋可動域は8.5°制限が認められた。Harrymanら[35]の屍体肩を用いた実験によると，手術で後方関節包を縫縮すると肩関節屈曲初期より上腕骨頭の前方・上方偏位が起こり，前方偏位に対して骨頭の前方から30～40 Nの外力を加えても制動されなかった（図10-11，図10-12）。

オーバーヘッドスポーツ，特に投球動作では，コッキングにおいて外転90°での外旋可動域が120～140°に達する。オーバーヘッドスポーツ選手に対する術後の関節可動域訓練の際には，外転90°での外旋可動域拡大を目的とするのではなく，上腕骨頭の前方偏位は不安定性の影響より後方関節包の過緊張によるものであることを考慮に入れアプローチする必要があると示唆された。

10. 後療法

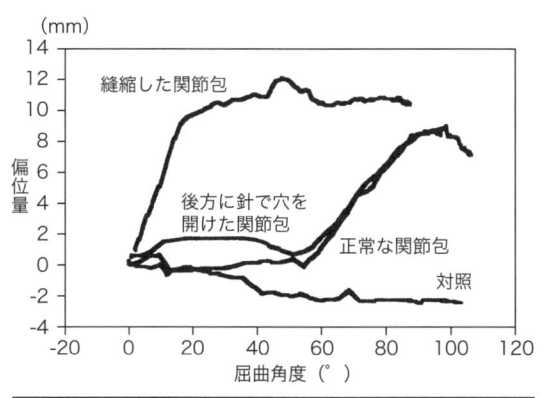

図10-11 後方関節包縫縮肩における肩関節挙上に伴う前方への上腕骨頭偏位量の変化（文献35より引用）

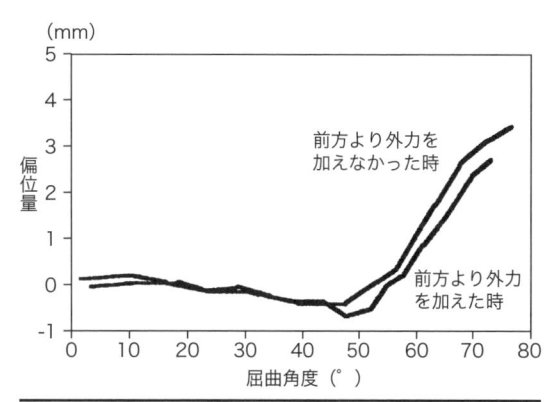

図10-12 後方関節包縫縮肩における肩関節挙上に伴う前方への上腕骨頭偏位量の変化（前方より外力を加えた時）（文献35より引用）

3. 動的筋活動

　肩甲上腕関節の動的安定化機構として，ローテーターカフ，上腕二頭筋長頭，三角筋があげられる。これらは，上肢運動中に上腕骨頭を求心位に保つ役割を果たしている[33,36]。Perryら[37]は筋電図を用いて，肩関節屈曲・外転の全可動域において腱板，三角筋が活動することを明らかにした。Wilkら[38]は腱板，三角筋，上腕二頭筋長頭が上腕骨頭を関節窩に圧縮させることで肩甲上腕関節の安定を保っていると結論づけた（図8-1，70ページ参照）。Blasierら[39]は，屍体肩を用いて腱板が肩関節を安定させるために必要な要素であるかを検討した。その結果，腱板の活動が得られていないと不安定性は有意に増加した。棘上筋の張力を除外した時は亜脱臼させるために276±9.8 Nの外力を要し，肩甲下筋では279±9.8 N，棘下筋・小円筋では268±9.8 N，すべての筋の張力が保たれている時では355±9.8 Nの外力を要するとした。これらのことから，肩関節を安定させるために必要とされる要素として，肩甲胸郭機構や関節可動域，基礎能力として腱板の筋力発揮が重要であると思われる。

4. 筋力

　Ellenbeckerら[40]は肩関節不安定症，肩関節脱

表10-6 術後外旋・内旋筋力における健患比（%）（文献40より引用）

動作	スピード	平均	SD	症例数
外旋	90	0.7	21.1	12
	210	−1.68	23.4	10
	300	−2.89	36.4	7
内旋	90	4.05	21.1	9
	210	−4.47	23.7	11
	300	−4.68	27.7	11

表10-7 術後外旋・内旋筋力における内外旋比（%）（文献40より引用）

スピード	患側		健側	
	平均	SD	平均	SD
90	66.5	12.8	64.0	14.1
210	59.2	12.6	60.8	14.1
300	60.1	17.5	62.8	18.7

臼に対し鏡視下手術を施行した症例（50%がオーバーヘッドスポーツ選手）を対象に，術後9〜12週の筋力をCybexを用いて検討した。その結果，90°/秒では内外旋ともに健患比90%以上，210°/秒，300°/秒では100%以上という結果になった（表10-6）。内旋筋群と外旋筋群の健患比は，90°/秒・210°/秒・300°/秒のすべての各速度において，健側60〜64%，患側59〜66%とほぼ同様の結果になった（表10-7）。Wilkら[2]

第2章 外傷性脱臼

表10-8 オーバーヘッドスポーツ選手の標準筋力（文献2より引用）

利き手対非利き手					
速度	外旋	内旋	外転	内転	
180	98～105％	110～120％	98～105％	110～128％	
300	85～95％	105～115％	96～102％	111～129％	
片側筋力					
速度	外旋/内旋	外転/内転	外旋/内旋		
180	66～76％	78～84％	67～84％		
300	61～71％	88～94％	60～70％		
ピークトルク（体重比）					
速度	外旋	内旋	外転	内転	
180	18～23％	28～33％	26～33％	32～38％	
300	12～20％	25～30％	20～25％	28～34％	

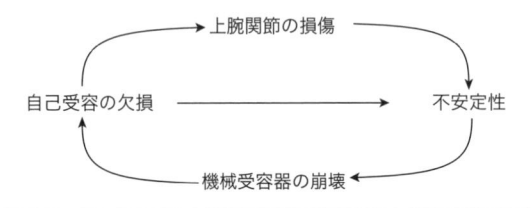

図10-13 関節不安定性と固有感覚の関係（文献43より作図）

は，オーバーヘッドスポーツへの復帰の際には筋力を指標とすることが必要であるとしており，術後26～29週に外転筋群・内転筋群・セカンドポジションまたは外転90°位での外旋筋群・内旋筋群に関して180°/秒，300°/秒における等速性筋力測定を実施している。

健常なオーバーヘッドスポーツ選手における標準的な筋力，利き手と非利き手の比では85～129％，各筋力比では60～94％，体重比では12～38％を指標とした術後患者130例中87％がオーバーヘッドスポーツに復帰した（表10-8）。Jobeら[41)]は，術後6ヵ月で筋力測定を行い，すべての肩関節運動で患健比80％以上あれば投球を含むトレーニングを開始し，術後9ヵ月で30分の投球を許可して，徐々に復帰可能としている。

これらの報告から，スポーツに復帰する術後4～6ヵ月の時点では，少なくとも患健比85％以上，内旋筋群と外旋筋群の比は60％以上に回復していることが望ましいと推測される。

5．固有感覚

固有感覚（proprioception）は運動感覚，位置感覚といった感覚様式により，姿勢制御時に作用する[7, 36, 39, 42)]。肩関節における機械受容器は，関節包や靱帯に存在している。これらは，肩関節の筋活動や関節運動に反応し，関節の過可動や靱帯の過伸張を制限するフィードバックシステムを制御している。関節包や靱帯からの情報を中枢神経系に送り，筋活動による制御を行うことによって，肩甲上腕関節を安定させるために重要な役割を果たしている[36, 42, 43)]。脱臼によって関節包や靱帯が損傷されると同部位に存在する機械受容器が崩壊し，関節を安定させる神経筋機構が正常に機能しなくなる。その結果，反復性脱臼や不安定感を繰り返すことになる。Lephartら[43)]は，このような悪循環を図10-13のように表わした。

Blasierら[36)]は，関節弛緩性の有無によって2群に分けその固有感覚を比較した。その結果，関節弛緩性を有した群が有意に固有感覚の低下を示した。また，内旋と比較して外旋の固有感覚のほうが敏感であり，さらに外旋角度の違いに有意な

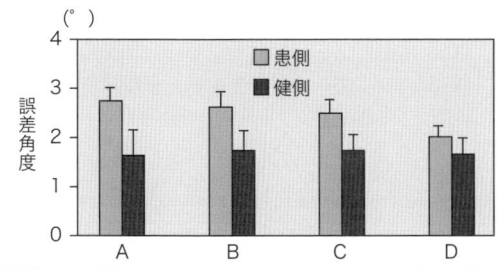

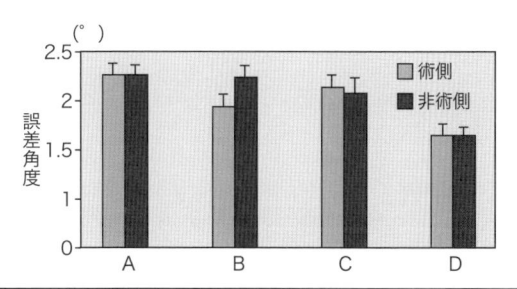

図10-14 不安定肩の固有感覚（文献43より作図）
A：セカンドポジション内外旋0°→内旋，B：セカンドポジション内外旋0°→外旋，C：セカンドポジション外旋30°→内旋，D：セカンドポジション外旋30°→外旋。

図10-15 術後の固有感覚（文献43より作図）
A：セカンドポジション内外旋0°→内旋，B：セカンドポジション内外旋0°→外旋，C：セカンドポジション外旋30°→内旋，D：セカンドポジション外旋30°→外旋。

差がみられた。Potzlら[44]は，肩関節不安定症患者を対象に，固有感覚を術前と術後5年で比較した。その結果，術後では術前に比べて屈曲・外転・回旋のすべてで有意に固有感覚が改善していた。Lephartら[43]は，肩関節不安定症を有する者と術後6ヵ月の患者の固有感覚を健側と患側とで比較した。肩関節不安定症を有する者は患側の固有感覚が有意に低下し，術後患者では有意な差は認められなかった（**図10-14**，**図10-15**）。

肩関節不安定症において固有感覚の低下が認められるが，術後は改善される。ただし，術後長期成績，短期成績ともに術側に有意な改善が認められたことから，この改善が手術によるものなのか，リハビリテーションによるものなのかは判断できない。

D. まとめ

1．すでに真実として承認されていること

- 術後の組織変化については屍体肩や動物実験で明らかにされており，関節包に過負荷となる運動は術後6〜8週から開始する必要がある。
- 肩甲上腕関節の動的安定化機構として，腱板（棘上筋・棘下筋・小円筋・肩甲下筋），三角筋，上腕二頭筋長頭があげられ，運動下にある時に上腕骨頭を求心位に保つ役割を果たしている。
- 不安定肩は肩関節屈曲・外転・外旋・内旋運動に関する固有感覚が低下しているが，術後は改善が認められる。
- スポーツ復帰は，ノンコンタクトスポーツでは術後4〜6ヵ月，コンタクトスポーツでは術後6〜8ヵ月とある程度統一した見解が得られている。復帰には時期だけではなく，機能的改善が必要である。

2．議論の余地はあるが，今後の重要な研究テーマとなること

- 術後固定期間の差による術後成績に関して統一した見解が得られていないため，早期リハビリテーションの必要性や安全性が曖昧である。
- リハビリテーションアプローチの違いによる術後成績（関節可動域・筋力・固有感覚・スポーツ復帰）への影響はいまだ明確にされていない。

文献

1. Fabbriciani C, Milano G, Demontis A, Fadda S, Fasio Z, Mulas PD. Arthroscopic versus open treatment of Bankart lesion of the shoulder: A prospective randomized study. *Arthroscopy*, 2004; 20: 456-62.
2. Wilk KE, Reinold MM, Dugas JR, Andrews JR. Rehabilitation following thermal-assisted capsular shrinkage of the glenohumeral joint: current concepts. *J Orthop Sports Phys Ther*. 2002; 32: 268-92.
3. Uhorchak JM, Arciero RA, Huggard D, Taylor

DC. Recurrent shoulder instability after open reconstruction in athletes involved in collision and contact sports. *Am J Sports Med*. 2000; 28: 794-9.
4. Hayes K, Cakkanan M, Walton J, Paxinos A, Murrel GAC. Shoulder instability: management and rehabilitation. *J Orthop Sports Phys Ther*. 2002; 32: 497-509.
5. Gill TM, Zarins B. Open repairs for the treatment of anterior shoulder instability. *Am J Sports Med*. 2003; 31: 142-53.
6. Rowe CR, Patel D, Southmay WW. The Bankart procedure. *J Bone Joint Surg Am*. 1978; 60: 1-16.
7. Braly WG, Tullos HS. A modification of the Bristow procedure for recurrent anterior shoulder dislocation and subluxation. *Am J Sports Med*. 1985; 13: 81-6.
8. Kim SH, Ha KI, Jung MW, Lim MS, Kim YM, Park JH. Accelerated rehabilitation after arthroscopic Bankart repair for selected cases: a prospective randomized clinical study. *Arthroscopy*. 2003; 19: 722-31.
9. Morgan CD, Bodenstab AB. Arthroscopic Bankart suture repair: technique and early results. *Arthroscopy*. 1987; 3: 111-22.
10. Zarins B, Mcmahon M, Rowel CR. Diagnosis and treatment of traumatic anterior instability of the shoulder. Clin Orthop Relat Res. 1993; 291: 75-84.
11. Ticker JB, Warner JP. Selective capsular shift technique for anterior and anterior-inferior glenohumeral instability. *Clin Sports Med*. 2000; 19: 1-17.
12. Mcdermott DM, Frostick SP, Walace WA. Early results of Bankart repair with a ptient-controlled rehabilitation program. *J Shoulder Elbow Surg*. 1999; 18: 146-50.
13. Chen S, Hasen PS, Walton J, Murrel GAC. The effects of thermal capsular shrinkage on the outcomes of arthroscopic stabilization for primary anterior shoulder instability. *Am J Sports Med*. 2005; 33: 705-11.
14. Grana WA, Buckley PD, Yates CK. Arthroscopic Bnakart suture repair. *Am J Sports Med*. 1993; 21: 348-53
15. Kirkley A, Griffin S, Richard C, Miniaci A, Mohtadi N. Prospective randomized clinical trial comparing the effectivness of immediate arthroscopic stabilization versus immobilization and rehabilitation in first traumatic anterior dislocation of the shoulder. *Arthroscopy*. 1999; 15: 507-14.
16. Barber FA, Cawley P, Prudich JF. Suture anchor failure strength -An *in vivo* study. *Arthroscopy*. 1993; 9: 647-52.
17. Hayashi K, Thabit G, Massa KL, Bogdanske JJ, Cooley AJ, Orwin JF, Markel MD. The effect of thermal heating on the length and histologic properties of the glenohumeral joint capsule. *Am J Sports Med*. 1997; 25: 107-12.
18. Hecht P, Hatashi K, Lu Y, Fanton SG, Thabit G, Vanderby R, Market MD. Monopolar radiofrequency energy effects on joint capsular tissue: potential treatment for joint instability. *Am J Sports Med*. 1999; 27: 761-71.
19. Hecht P, Hayashi K, Cooley AJ, Lu Y, Fanton GS, Thabit G, Markel MD. The thermal effect of monopolar radiofrequency energy on the properties of joint capsule. *Am J Sports Med*, 1998; 26: 808-14.
20. Lopez MJ, Hayashi K, Fanton GS, Thabit G, Markel MD. The effect of radiofrequency energy on the ultrastructure of joint capsuler collagen. *Arthroscopy*. 1998; 14: 495-501.
21. Hayashi K, Hecht P, Thabit G, Peter DM, Vandeby G, Cooley AJ, Fanton GS, Orwin JF, Markel MD. The biologic response to laser thermal modification in an *in vivo* sheep model. *Clin Orthop Relat Res*. 2000; 373: 265-76.
22. Jobe FW, Moynes DR, Brewster CE. Rehabilitation of shoulder joint instability. Orthop Clin North Am. 1987; 18: 473-82.
23. Reid DC, Saboe LA, Chepeha JC. Anterior shoulder instability in athletes: conparison of isokinetic resistance exercises and electromyographic biofeedback re-education program -A pilot program. Physiother Can. 1996; Fall: 251-6.
24. Savoie III FH, Miller CD, Field LD. Arthroscopic reconstruction of traumatic anterior instability of the shoulder: the caspari technique. *Arthroscopy*. 1997; 13: 201-9.
25. Jobe FW, Giangarra CE, Kvitne RS, Glousman RE. Anterior capsulolabral reconstruction of the shoulder in athletes in overhand sports. *Am J Sports Med*. 1991; 19: 428-34.
26. Bigliani LU, Kurzweil PR, Schwartzbach CC, Wolfe IN, Flatow EL. Inferior capsular shift procedure for antero-inferior shoulder instability in athletes. *Am J Sports Med*. 1994; 25: 577-84.
27. Ide J, Maeda S, Takagi K. Arthroscopic bankart repair using suture anchors in athletes: Patient selection and postoperative sports activity. *Am J Sports Med*. 2004; 32: 1899-905.
28. Bacilla P, Field LD, Savoie FD. Arthroscopic Bankart repair in a high demand patient population. *Arthroscopy*. 1997; 13: 51-60.
29. Lombardo SJ, Kerlan RK, Jobe FW, Carter VS, Blazina ME, Shields CL. The modified Bristow

30. Resch H, Povacz P, Wambacher M, Sperner G, Golser K. Arthroscopic extra-artiular Bankart repair for the treatment of recurrent anterior shoulder dislocation. *Arthroscopy*. 1997; 13: 188-200.
31. Gerber C, Werner CML, Macy JC, Jacob HAC, Nyffeler RW. Effect of selective capsulorrhaphy on the passive range of motion of the glenohumeral joint. *J Bone Joint Surg Am*. 2003; 85: 48-55.
32. Hurschler C, Wulker N, Windhagen H, Plumhoff P, Hellmers N. Medially based anterior capsular shift of the glenohumeral joint: Passive range of motion and posterior capsular strain. *Am J Sports Med*. 2001; 29: 346-53.
33. Wilk KE, Arrgio C. Current concepts in the rehabilitation of the athletic shoulder. *J Orthop Sports Phys Ther*. 1993; 18: 365-76.
34. Borsa PA, Dover GC, Wilk KE, Reinold MM. Glenohumeral range of motion and stiffness in professional baseball pitchers. *Med Sci Sports Exerc*. 2006; 38: 21-6.
35. Harryman GD, Sidles JA, Clark JM, Mcqade KJ, Gibb TD, Masten FA, Washington S. Ttranslation of the humeral head on the glenoid with passive glenohumeral motion. *J Bone Joint Surg Am*. 1990; 72: 1334-43.
36. Blasier RB, Carpenter JE, Huston LJ. Shoulder proprioception: effect of joint laxity, joint position, and direction of motion. *Orthop Rev*. 1994; 23: 45-50.
37. Perry J. Muscle control of the shoulder. In: Rowe CR, ed., The Shoulder, Churchili Livingstone. 1988; 17-34.
38. Wilk KE, Arigio CA, Andrews JR. Current concepts: Stabilizing structure of the glenohumeral joint. *J Orthop Sports Phys Ther*. 1997; 25: 364-79.
39. Blasier RB, Guldberg RE, Rothman ED, Arbor A. Anterior shoulder stability: Contributions of rotator cuff forced and the capsular ligaments in a cadaver model. *J Shoulder Elbow Surg*. 1992; 1: 140-50.
40. Ellenbecker TS, Mattalino AJ. Glenohumeral joint range of motion and rotator cuff strength following arthroscopic anterior stabilization with thermal capsulorrhaphy. *J Orthop Sports Phys Ther*. 1999; 29: 160-7.
41. Jobe FW, Giangarra CE, Kvitne RS, Glousman RE. Anterior capsulolabral reconstruction of the shoulder in athletes in overhead sports. *Am J Sports Med*. 1991; 19: 428-35.
42. Warner JJP, Lephart S, Fu HF. Role of proprioception in pathoetiology of shoulder instability. *Clin Orthop Relat Res*. 1996; 330: 35-9.
43. Lephart SM, Warner JJP, Borsa PA, Fu FH. Proprioception of the shoulder joint in healthy, unstable, and surgically repaired shoulders. *J Shoulder Elbow Surg*. 1994; 3: 371-80.
44. Potzl W, Thorwestern L, Gotze C, Garmann S, Steinbeck J. Prospective of the shoulder joint after surgical repair for instability. *Am J Sports Med*. 2004; 32: 425-30.

〔三宅　美沙〕

第3章
腱板損傷

　第3章のテーマは腱板損傷である。本章では，スポーツ選手の腱板損傷について，疫学（吉田昌弘先生），評価・診断（村木孝行先生），保存療法（嵯峨野淳先生），手術療法（元木純先生），そして後療法（吉田真先生）にレビューしていただいた。

　腱板断裂は1834年にSmithらによって報告されて以来，数多くの研究に支えられて治療法の発展が得られてきた。近年では，鏡視下縫合術などの技術の発達により完治またはそれに近い成績が得られている。しかし，保存療法または手術後のリハビリテーションを担当する理学療法士としては，その疫学，病因，メカニズムを理解することは治療や再発予防策を構築するうえで不可欠である。診断学は他のすべての疾患と同様に，病態の変化を正確に把握するために不可欠な知識である。また保存療法や手術療法に関する最新の知見は，リハビリテーションプログラムの妥当性やその科学的根拠を与えてくれるものである。

　第1項「疫学」では，生体および屍体の両面から腱板損傷の存在率を明らかにするとともに，その解剖学的危険因子やスポーツ種目との関連性について整理していただいた。スポーツにおける腱板断裂の疫学調査は意外に少なく，オーバーヘッド動作などとの関連性について今後詳細な研究が必要と述べられている。

　第2項「評価・診断」では，腱板損傷の存在およびその重症度の特定に関連する特殊テストの臨床的妥当性についてレビューされた。その中にはdrop arm sign, Jobe test, Neer test, Hawkins testなど，一般には腱板損傷以外の診断に用いられる検査方法も含めていただいた。

　第3項「保存療法」では，保存療法の計画に必要な疫学や疼痛のメカニズム，三角筋と腱板とのforce coupleなどについて紹介していただいた。レビューの結果，腱板損傷や断裂に対してスタンダードな保存療法は見当たらず，徴候や症状に応じた患者教育，筋力強化，関節可動域訓練，固有受容覚訓練，持久力・耐久力訓練などが必要と結論づけられている。

　第4項「手術療法」では，近年小侵襲手術の技術が進む中，オープン，ミニオープン，鏡視下などアプローチ別のメリットとデメリットについて整理していただいた。また，腱板縫合術の技術的変遷を踏まえて，さまざまな縫合法のバイオメカニクス的，臨床的研究を紹介していただいた。

　第5項「後療法」では術後成績の影響要因について，術式と断裂サイズ，罹患期間，可動域，腱板治癒状態と機能回復などについて整理された。結論としては，術式によらず比較的良好な術後成績が得られているが，これらの影響因子に対して根本的な解決策が得られていないことを指摘している。またアウトカム測定の確立が必要と結論づけられた。

　本章は5項で延べ104件の文献がレビューされた。これらの知識を集約することより，読者諸氏の腱板損傷についての勉強または研究に役立てていただけたら幸いである。

第3章編集担当：蒲田　和芳，片寄　正樹

11. 疫　　学

はじめに

　腱板断裂は，中高年に多くみられる有痛性の肩関節疾患として広く知られており，臨床でもよくみられる[1]。また，研究に関しても注目されている分野の1つであり，肩板断裂に関する研究は過去に多数報告されている。これらの研究結果をもとに1990年代以降では関節鏡を用いた手術方法が普及し，より優れた治療方法が考案され，治療成績の向上に貢献した。しかしながら，高い臨床成績を上げる一方で，肩板断裂の成因に関しては現在でも明らになっていない部分が多い。

　肩板断裂の発生要因として，1972年にNeer[2]が報告した肩峰下でのインピンジメントが知られている。以後，インピンジに関する研究が多数報告され，現在でもインピンジメント理論は，受傷メカニズムの1つとしてコンセンサスが得られている。しかし，若年層のスポーツ選手における腱板断裂に関しては，その発生メカニズムや競技別の発生率などの報告が少なく，疫学的な部分が十分に明らかではない。本項では，一般的な腱板断裂の疫学調査を踏まえたうえで，スポーツ競技，特にオーバーヘッド動作を含む競技を中心に，腱板断裂の疫学をレビューする。

A. 文献検索方法

　文献検索にはMedical Online (PubMed) を利用した。2007年までに掲載された文献のうち，キーワード「rotator cuff tear」でヒットした1,129件から，さらに「epidemiology」で絞り込んだ138件の文献を主な対象として用いた。

B. 腱板断裂の発生率

1. 屍体を用いた研究による疫学的調査

　腱板断裂は，肩関節周囲炎と同様に，中高年に頻発する肩関節疾患として臨床的に広く知られているが，発生率に関する臨床研究はきわめて少ない。これまでの屍体を用いた研究報告によると，高齢者における発生率は20～40％であり，滑液包側における部分断裂が多い。Yamanakaら[3]によると，249体（平均年齢58.9歳）における腱板断裂の発生率は20％であり，そのうち13％が部分断裂，7％が完全断裂であった。また，部分断裂の13％のうち，3％が滑液包側，7％が腱内，3％が関節面側の断裂であった。Ogawaら[4]は，241体（平均年齢77歳）における発生率を調査した。腱板断裂は33％に確認され，そのうち部分断裂は24％であり，10％が滑液包側，10％が腱内，4％が関節面側の断裂であった。また，完全断裂は9％であった。過去の屍体を用いた研究結果からは，完全断裂と比較して部分断裂が高い割合であった。

　屍体を用いた研究の利点は，解剖することによって断裂の有無を直視できる点や，腱板を摘出して断裂部位を正確に特定できる点にある。しかし，実際に臨床でみる機会の多い患者層と比較して高齢であることや，生前の状況が不明である場合もあることなどから，屍体を用いた研究の結果のみで発生率を判断するのは難しい。

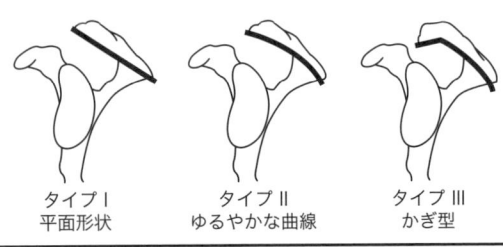

図11-1 肩峰の形状分類（文献7より作図）

タイプI 平面形状
タイプII ゆるやかな曲線
タイプIII かぎ型

2. 生体における疫学的調査

Sherら[5]は，肩関節に症状のない96名（19〜88歳，平均年齢53歳）を対象に，MRIを用いて腱板断裂の有無を調べた。全体の34％に腱板断裂が認められた。40歳以下では4％であったのに対し，60歳以上では54％であり，年齢と発生率に有意な相関関係が認められた。また，40歳以下の若年層では完全断裂の発生が認められなかったが，60歳以上の群では完全断裂の割合が半数を超えており，年齢によって断裂のパターンにも違いが認められた。他の生体における肩板断裂の発生調査においても，鑑別診断に用いた測定機器にかかわらず，発生率と年齢に相関があることや，高齢であるほど完全断裂の割合が高い結果に関しては共通した見解が得られている[6]。

生体を用いた研究では，発生の有無と症状の関連性を調査することが可能である。症状のない者であっても60歳以上では高い発生率であったことなど，興味深いデータも報告された。しかし，断裂部位や程度と症状の関連性の報告はなく，今後の研究報告が待たれる。

C. 腱板断裂の危険因子

1. 肩峰の形状変化

Neerの報告によって，腱板断裂の受傷メカニズムの1つとして肩峰下インピンジメントの存在が明らかになった[2]。肩峰下インピンジメントは，上腕骨頭と肩峰下の間に腱板，特に棘上筋腱が接触することで機械的ストレスが生じることによっ

て起こる。よって，肩峰下の形状がインピンジメントに影響を与えると考えられ，形状に影響を与える因子や，形状変化と腱板断裂の発生を調査した研究が多数報告された。現在，肩峰の形状は3タイプ，すなわち直線的な平面形状のタイプI（flat），ゆるやかな曲線形状のタイプII（smooth curve），かぎ型の形状のタイプIII（anterior hook）に分類されている（図11-1）。

Speerら[7]は，平均年齢19.9歳の200名を対象に肩峰の形状を調査し，タイプIが84％，タイプIIが14％，タイプIIIが2％であったと報告した。Wangら[8]も，平均年齢52.7歳の64名を対象に肩峰の形状を調査し，タイプIが33％，タイプIIが44％，タイプIIIが23％であったと報告した。Biglianiら[9]は，平均年齢74.4歳の140名を対象とした調査から，タイプIが17％，タイプIIが43％，タイプIIIが40％であったと報告した。これまでの報告によると，若年層ではタイプIの割合が高く，タイプII，IIIの割合は非常に低い。逆に，中〜高年齢層ではタイプIIおよびIIIの割合が高くなる。加齢に伴いタイプII，IIIの割合が増加する可能性がある。

肩峰の形状変化に関与する因子の1つに加齢があげられる。中高年以降の肩板断裂の発生率が高い傾向にある理由の1つに肩峰の形状変化があげられており，タイプII，IIIに変形した肩峰がインピンジメントの症状を助長し断裂にいたると考えられている。実際に，肩峰の形状変化が腱板断裂の発生率に及ぼす影響を調べたOzakiら[10]の屍体200体を用いた研究で，肩峰の形状変化と腱板断裂の発生には正の相関関係が認められた。Biglianiらの報告[9]によると，タイプIIIの80％に腱板断裂が認められ，形状変化は腱板断裂の発生に大きく影響している可能性がある。

2. 腱板の変性

肩板断裂の発生因子を組織学的な観点から解明

するため，腱板の変性に関する基礎的研究が数多く報告されてきた．しかし，肩板変性の明確な定義は存在していないのが現状である．先行研究では，組織学的な変化や血流変化および張力の変化についての研究が多い．

Hijiokaら[11]は，腱板の変性に関して40歳代から90歳代までを年代別に調査し，変性の割合が年齢と相関を示すことを明らかにし，この結果から腱板の変性は加齢が関与する退行性の変性であるとした．また，Sanoら[12]は，変性の有無と肩板の張力との関係を調べ，組織学的な変性があれば，それに伴い腱の張力も低下すると報告した．

腱板に変性が生じる因子の1つに加齢がある．変性によって肩板組織がもつ張力が低下することは過去の先行研究で明らかとなった．つまり，中高年層では加齢に伴い肩板組織が退行的に脆弱化するため，断裂が容易に生じやすい状態であるといえる．このような組織学的な研究結果に基づいた見解は，腱板断裂の発生と年齢に相関関係が認められた根拠の1つとしてあげられる．

D. 合併症による腱板断裂

肩板断裂は繰り返しのインピンジメントによって発生するのが一般的な受傷機転であるが，他の肩外傷と合併して損傷する場合も多い．合併症による腱板断裂の発生は肩関節脱臼で最も多い．Berbigら[13]は，167名の肩関節脱臼受傷者を対象に，超音波画像診断を用いて腱板断裂の有無を調査した結果，31.7％の受傷者に腱板断裂の合併症が認められたと報告した．しかし，年齢によって発生率は大きく異なり，50歳以下の受傷者ではわずかに5.3％であったのに対し，50歳代では31.6％，60歳代では47.8％，70歳代では53.1％，80歳代では62.5％と，加齢と発生率には相関関係が認められた．同様に，Simankら[14]は，87名の肩関節脱臼受傷者を対象にMRIを

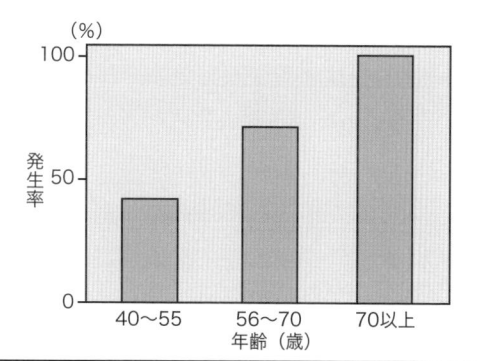

図11-2　年代別にみた脱臼における腱板断裂の発生率（文献14より作図）

用いて腱板断裂の有無を調査し，年齢と発生率には相関があったと報告した（図11-2）．

肩関節脱臼は，肩関節に何らかの生理学的可動範囲を超える外力が加わることで生じるが，この際，腱板に対しても機械的なストレスが生じると考えられる．年齢と合併症として生じた腱板断裂の発生率に相関が認められたことは，同程度の外力に対しても腱板の組織が耐えうる強度に差があったと考えられる．すなわち，加齢に伴う腱板の変性による腱板自体の脆弱化が，脱臼時の腱板断裂の原因であると考えられている．

E. スポーツにおける腱板断裂

スポーツ競技のなかでも，上肢が挙上位となるオーバーヘッド動作を含む競技では，肩関節の外傷および障害の発生率が高い．本項では，スポーツ競技における腱板断裂の疫学的研究のなかから，オーバーヘッド動作を含む，野球，テニス，バレーボールに関する研究を報告する．

1. 野　球

投球動作を含む野球では，肩関節のオーバーユースによる疾患が多い．野球における外傷を部位別にみた調査報告では，リトルリーグ，高校，大学といずれの年代においても肩が最も多かった[15]．しかし，診断名別の調査では，腱板

断裂と診断された選手は少なく，その診断名は腱板周囲の炎症である腱炎であった[16]。腱板の摩耗（fraying）は多数確認されるが，断裂にまでいたるケースは非常にまれである。つまり，オーバーユースによる炎症や軽度の損傷はみられるものの，少年から青年における野球選手では，腱板断裂にまでいたる例は少ない。ただし，野球における腱板断裂を調査した研究は意外にも少なく，現在までの報告でコンセンサスが得られているとは考えにくい。今後の新たな報告が待たれる。

2. テニス

テニスはその競技レベルを問わず，少年から中高年までが幅広く楽しめるスポーツである。また，ラケットを用いてサーブ，ボレーなど上肢を多用する競技の特性上，肩関節や肘関節のケガが多いスポーツでもある。近年のテニス中のケガの発生率を調査した研究では，いずれの報告でも肩が最も多かった[15]。また，診断名別にみると腱板断裂の発生は非常に少なく，筋損傷や腱炎が多い結果となっており，前述の野球と類似している。

しかし，前述したようにテニスは競技の特性上，40歳以上の競技者も多い。40歳代以上の中高年を含むテニスプレーヤーを対象に調査した研究では，肩痛の発生は20歳以下が全体の24％であったのに対し，40歳以上では50％であった。Cottetら[17]は，中高年のテニスプレーヤー51名（平均年齢51歳）を対象に，腱板断裂の発生を調査した。40歳代と比較して50歳代での腱板断裂が多く，加齢によって発生率が上昇した。また，50歳代では完全断裂，棘下筋を含む大断裂が多いという特徴もみられた。

他のオーバーヘッド動作を含む競技と同様，若年層での腱板断裂はまれである。競技の特性上，中高年での発生が多いことがテニスにおける腱板断裂の特徴である。

3. バレーボール

スパイクやブロックなど，挙上位での動作が多くみられるバレーボールでは，意外にも肩関節の外傷はそれほど多くなく，最も多い外傷は足関節捻挫である[18]。バレーボールにおける外傷調査によると，肩関節の外傷発生率は全体の10％程度であった[18]。しかし，診断名別にみると，肩関節のケガのほとんどはオーバーユースによる筋損傷や腱炎であり，繰り返される動作が，腱板周囲筋に機械的なストレスを生じている可能性が高い。

これまで，バレーボールと肩関節の外傷，特に腱板断裂を調査した研究報告は非常に少ない。バレーボールも，トップアスリートからレクリエーショナルレベルまで，競技レベルを問わず楽しめるスポーツであるため，幅広い競技レベルおよび年齢層を対象とした調査報告が待たれる。

F. まとめ

1. すでに真実として承認されていること

- 肩板断裂の発生は中高年で多く，断裂のタイプは部分断裂が多い傾向にある。
- 腱板断裂の発生には肩峰下の骨の形態的変化と肩板組織の変性が関与している。
- 肩峰下の骨変形と肩板組織の変性は，加齢による退行的変化と考えられており，この事実が中高年以降での発生率が高い理由である。

2. 議論の余地はあるが，今後の重要な研究テーマとなること

- スポーツ選手における肩板断裂の疫学的報告は少ない。
- オーバーヘッド動作を含むスポーツ選手を対象とした過去の報告では，肩板断裂の発生は少なく，微細損傷や摩耗（fraying）が原因で生じる腱炎の診断が多い。
- しかし，現在までの限られた研究報告の結果か

らは肩板断裂の発生が少ないと判断できないため，競技別，年代別の発生率や，発生メカニズムを詳細に調査した報告が必要である．

3．真実と思われていたが，実は疑わしいこと
- 合併症として生じる肩板断裂は，肩関節の脱臼の割合が高いため，スポーツ選手で発生頻度が高いと考えられていた．
- しかし，肩関節脱臼の合併症として起こる肩板断裂の発生は中高年以降で多いため，必ずしもスポーツ選手の肩関節脱臼で発生が多いとはいえず，加齢が大きく関与していると考えられる．

G. 今後の課題

肩板断裂は中高年での発生頻度が高いため，若年層，特に野球やテニスなどのオーバーヘッド動作を含むスポーツ選手を対象とした疫学的調査が少ない．このため，中高年の肩板断裂に関しては，骨形状や組織変性などの発生に関与する危険因子が明らかになっているにもかかわらず，若年層では発生メカニズムや危険因子が不明である．

今後は，若年層を対象とした疫学的研究による発生メカニズムおよび危険因子の解明が必要であり，将来的にはこれらの研究結果をもとにした予防的介入が期待される．

文 献
1. Matava MJ, Purcell DB, Rudzki JR. Partial-thickness rotator cuff tears. *Am J Sports Med.* 2005; 33: 1405-17.
2. Neer CS 2nd. Anterior acromioplasty for the chronic impingement syndrome in the shoulder: a preliminary report. *J Bone Joint Surg Am.* 1972; 54: 41-50.
3. Yamanaka K. Pathological study of the supraspinatus tendon. *Nippon Seikeigeka Gakkai Zasshi.* 1988; 62: 1121-38 (in Japanese).
4. Ogawa K, Yoshida A, Inokuchi W, Naniwa T. Acromial spur: Relationship to aging and morphologic changes in the rotator cuff. *J Shoulder Elbow Surg.* 2005; 14: 591-8.
5. Sher JS, Uribe JW, Posada A, Murphy BJ, Zlatkin MB. Abnormal findings on magnetic resonance images of asymptomatic shoulders. *J Bone Joint Surg Am.* 1995; 77: 10-5.
6. Miniaci A, Dowdy PA, Willits KR, Vellet AD. Magnetic resonance imaging evaluation of the rotator cuff tendons in the asymptomatic shoulder. *Am J Sports Med.* 1995; 23: 142-5.
7. Speer KP, Osbahr DC, Montella BJ, Apple AS, Mair SD. Acromial morphotype in the young asymptomatic athletic shoulder. *J Shoulder Elbow Surg.* 2001; 10: 434-7.
8. Wang JC, Shapiro MS. Changes in acromial morphology with age. *J Shoulder Elbow Surg.* 1997; 6: 55-9.
9. Bigliani LU, Rosenwasser MP, Caulo N, Schink MM, Bassett CA. The use of pulsing electromagnetic fields to achieve arthrodesis of the knee following failed total knee arthroplasty. A preliminary report. *J Bone Joint Surg Am.* 1983; 65: 480-5.
10. Ozaki J, Fujimoto S, Nakagawa Y, Masuhara K, Tamai S. Tears of the rotator cuff of the shoulder associated with pathological changes in the acromion. A study in cadavera. *J Bone Joint Surg Am.* 1988; 70: 1224-30.
11. Hijioka A, Suzuki K, Nakamura T, Hojo T. Degenerative change and rotator cuff tears. An anatomical study in 160 shoulders of 80 cadavers. *Arch Orthop Trauma Surg.* 1993; 112: 61-4.
12. Sano H, Ishii H, Yeadon A, Backman DS, Brunet JA, Uhthoff HK. Degeneration at the insertion weakens the tensile strength of the supraspinatus tendon: a comparative mechanical and histologic study of the bone-tendon complex. *J Orthop Res.* 1997; 15: 719-26.
13. Berbig R, Weishaupt D, Prim J, Shahin O. Primary anterior shoulder dislocation and rotator cuff tears. *J Shoulder Elbow Surg.* 1999; 8: 220-5.
14. Simank HG, Dauer G, Schneider S, Loew M. Incidence of rotator cuff tears in shoulder dislocations and results of therapy in older patients. *Arch Orthop Trauma Surg.* 2006; 126: 235-40.
15. Edward GM, Mike W. Epidemiology of collegiate baseball injury. *Clin J Sport Med.* 1998; 8: 10-3.
16. Dick R, Sauers EL, Agel J, Keuter G, Marshall SW, McCarty K, McFarland E. Descriptive epidemiology of collegiate men's baseball injuries: National Collegiate Athletic Association Injury Surveillance System, 1988-1989 through 2003-2004. *J Athl Train.* 2007; 42: 183-93.
17. Sonnery-Cottet B, Edwards TB, Noel E, Walch G. Rotator cuff tears in middle-aged tennis players: results of surgical treatment. *Am J Sports Med.* 2002; 30: 558-64.
18. Agel J, Palmieri-Smith RM, Dick R, Wojtys EM, Marshall SW. Descriptive epidemiology of collegiate women's volleyball injuries: National Collegiate Athletic Association Injury Surveillance System, 1988-1989 through 2003-2004. *J Athl Train.* 2007; 42: 295-302.

〈吉田　昌弘〉

12. 評価・診断

はじめに

　腱板損傷はよくみられる肩関節疾患の1つであり，その診断は医師による画像検査にて確立されている．しかし，腱板損傷の有無や損傷部位を特定することは，理学療法の現場においても治療を選択するうえで必要である．さらにリハビリテーションにおいては，腱板損傷に関する情報とともに症状発生に関する要素と社会・スポーツ復帰のために必要な能力の評価をする必要がある．今回は腱板損傷を診断するための特殊検査の種類と正確性に関する研究，またリハビリテーションにおける評価に関する文献をレビューし，現状と今後の課題について述べる．

A. 文献検索方法

　今回引用した文献は英語文献のみとし，データベースとしてMedline，EMBASE，SPORTS-Discuss，CINHAL，Cochrane Libraryを用いて検索した．キーワードは「rotator cuff」を中心とし「review」，「sensitivity」，「specificity」，「specific test」を用い，それぞれを組み合わせて検索した．今回はスポーツ現場やリハビリテーションで行えるものに焦点を当てるため画像診断に関する文献は除外し，レビュー文献から比較データとして引用するだけにとどめた．

B. 腱板損傷の臨床所見と診断

1. 臨床所見

　腱板損傷の臨床所見では運動痛，夜間痛，圧痛といった疼痛が特徴的であり，損傷の多い棘上筋を中心とした腱板筋群に筋力低下がみられる．筋力低下が進行すると自動関節可動域の制限が生じ，特に高齢者の腱板損傷者では筋萎縮が多くみられる[1,2]．

2. 特殊検査の種類と特徴

　腱板損傷を検出するための特殊検査では，腱板筋の筋力とその時の収縮時痛を評価する．表12-1に示すように，各筋に対する検査が文献にて紹介されている[3〜9]．検査の内容には，①抵抗を加えて筋力と痛みを評価するものと，②drop arm徴候やlag徴候のような特定の肢位での保持能力を評価するものがある．

　インピンジメント徴候の検査は，Neer[10]やHawkinsら[11]によって紹介され，腱板損傷が疑わしい患者に対してよく行われている．しかし，インピンジメント徴候は，インピンジメントによって痛みが生じるかどうかを検査するものであり，腱板損傷の有無を直接的に検査するものではない．これについては感度と特異度の点から後述する．

　そのほかの検査としては，従来用いられているpainful arc徴候[12]やhorizontal adductionテスト[13]，rentテスト[14]がある．rentテストはCodman pointと呼ばれる部位を触診する検査で

表12-1 特殊検査（筋の脆弱性または疼痛）

		感度	特異度
棘上筋	drop arm 徴候[3]	14*	78*
		35**	88**
	empty can (Jobe) テスト[4]	32〜89	50〜82
	full can テスト[5]	66〜86†	57〜64†
棘下筋・小円筋	external rotation lag 徴候[6]	70	100
	drop 徴候[6]	21	100
	horn blower 徴候[7]	100††	93††
肩甲下筋	lift off テスト/Belly press テスト[8,9]	62	100
	internal rotation lag 徴候[6]	97	96
インピンジメント徴候	Neer[10]	59〜88	43〜47
	Hawkins-Kennedy[11]	43〜47	44〜51
その他のテスト	painful arc 徴候[12]	67*	47*
		76*	62**
	horizontal adduction[13]	17〜23	79〜81
	rent テスト (Codman point)[14]	96	97

*：部分断裂，**：完全断裂，†：MRI所見に対する正確性，††：MRI上の小円筋変性所見に対する正確性。

表12-2 検査の正確性

	断裂あり	断裂なし
検査陽性	a	c
検査陰性	b	d

感度（sensitivity）= a / a+b
特異度（specificity）= d / c+d

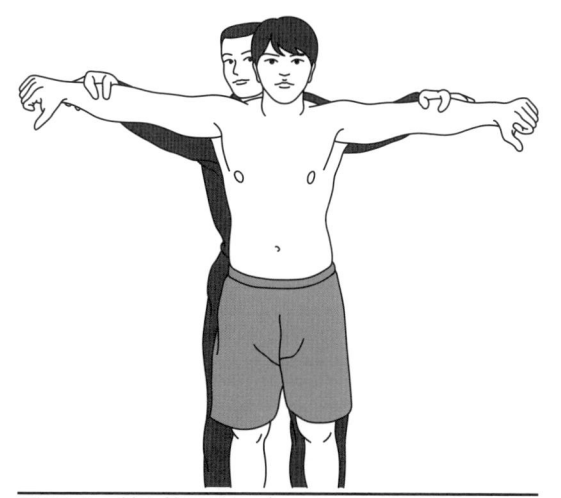

図12-1 棘上筋テスト（empty can テスト）

あり，その存在自体はCodmanにより1930年代に紹介された[3]。

3. 特殊検査の正確性

感度と特異度を用いて各特殊検査の正確性について調べた（表12-2）。データは腱板の断裂所見を直視下，鏡視下，関節造影，またはMRIで確認し，断裂の有無に対する検査の正確性を示した文献から抽出した。インピンジメント症候群による滑液包炎や腱炎に対する正確性のデータは除外した。感度は断裂のある患者に対して検査を行ったときに陽性となる確率を示し，特異度は断裂のない患者に対して陰性となる確率を示す。感度が低くなると断裂があっても陰性となりやすい。一方，特異度が低くなると断裂がなくても陽性になってしまう。Dinnesら[15]によると，超音波は29の研究の平均で感度80％，特異度85％を示し，MRIでは20の研究の平均で感度83％，特異度86％である。

棘上筋ではCodmanによる古典的な検査としてdrop arm徴候[3]があるが，近年ではJobeによるempty canテスト[4]が主流で，棘上筋テストとしても知られている（図12-1）。また，痛みを生じさせやすいempty canテストに対し，外旋位で行うfull canテストもKellyらにより考案された[5]（図12-2）。検査の正確性についてはempty canテストに関する研究が多いが，感度が32〜89％，特異度が50〜82％と文献によってその正確性が大きく異なる。full canテストの正確性についてはItoiが調査した[16]。この研究はMRI所見に対する特殊検査の正確性を算出し，参考値であるが，empty canテストと有意な差はないと

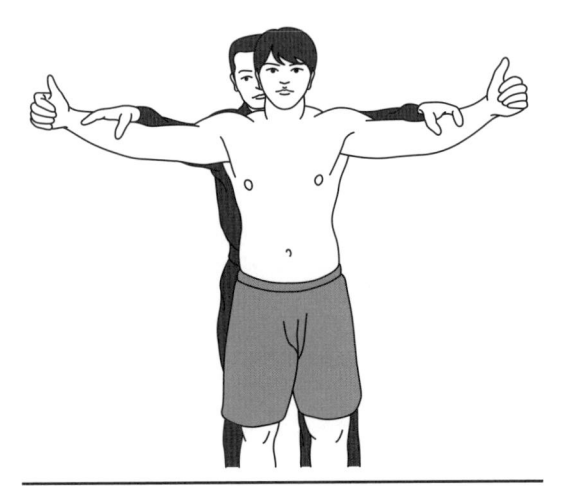

図12-2　full can テスト

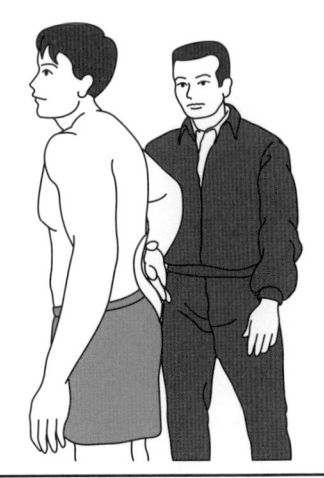

図12-3　lift off テスト

図12-4　belly press テスト

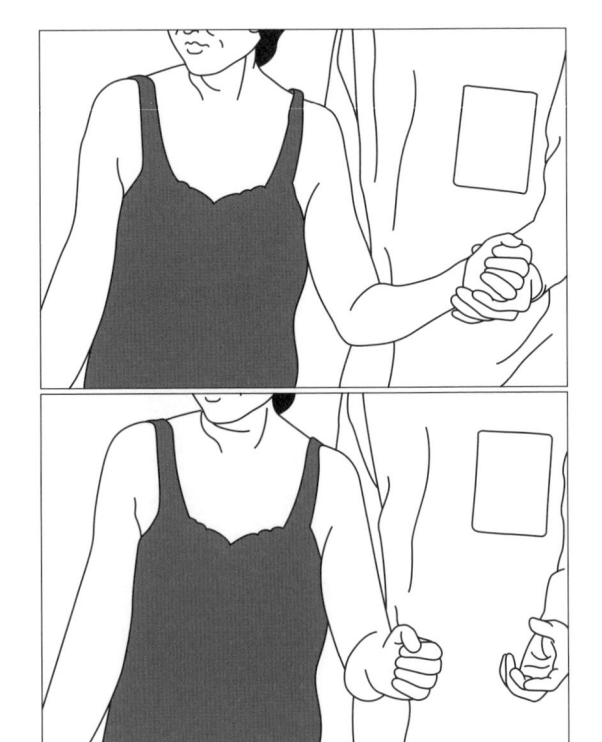

図12-5　external rotation lag 徴候（ERLS）

図12-6　horn blower 徴候テスト

した．どちらのテストも超音波やMRIの正確性と比較すると劣る．

　肩甲下筋腱断裂に対してはGerberが紹介したlift offテスト（図12-3），可動域制限がある場合の変法としてbelly pressテスト（図12-4）がある[8,9]．Hertelらの調査[6]によると，この検査の特異度は100％であり，肩甲下筋腱が断裂して

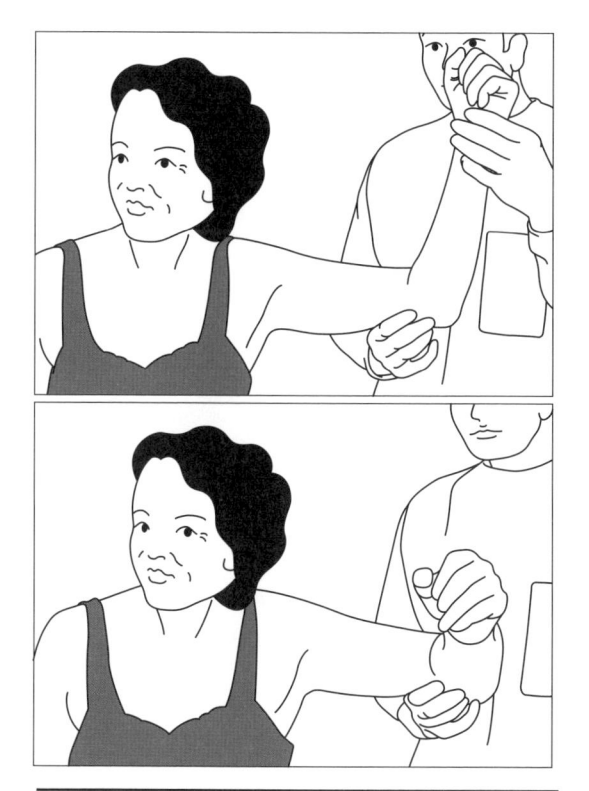

図12-7　drop徴候テスト

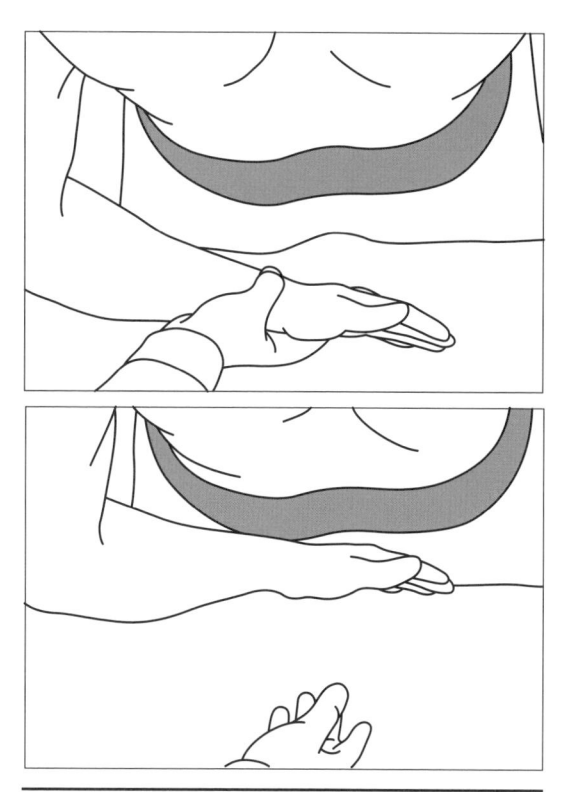

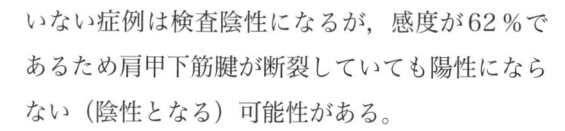

図12-8　肩甲下筋のlag徴候テスト

いない症例は検査陰性になるが，感度が62％であるため肩甲下筋腱が断裂していても陽性にならない（陰性となる）可能性がある。

棘下筋は一般的に肩外旋運動の徒手筋力検査で評価されるが，特殊なものとしてHertelら[6]が筋力低下によるlagに着目したexternal rotation lag徴候（ERLS）を報告した（図12-5）。この検査では特異度が100％であるが，感度は画像検査と比べて低い。Walchら[7]は，horn blower徴候テスト（図12-6）によって腱板断裂患者における小円筋の機能低下を評価した。この検査に関して非常に高い正確性が報告された。しかし，対象がMRI上で小円筋の変性のある症例のみで調査しているため，腱板断裂の診断にはあまり有効ではないといえる。

Hertelら[6]は，棘下筋と小円筋に対するテストとしてdrop徴候テスト（drop arm徴候とは異なる）を紹介したが，腱板断裂に対する感度は低い（図12-7）。さらに棘下筋のlag徴候と同様に肩甲下筋のlag徴候テスト（図12-8）も紹介し，lift offテストより高い感度が報告された[6]。このことは肩甲下筋断裂では最終可動域での内旋筋力が失われやすいことを示している。

インピンジメント徴候はNeer（図12-9），HawkinsとKennedy（図12-10）が知られている。どちらも報告によっては高い感度を示しているが，特異度は低い[10,11]。このことはインピンジメント徴候が腱板損傷のない症例でも陽性となりやすいテストであることを示している。

その他の特殊検査としてhorizontal adductionテスト（図12-11）があるが感度は低い[13]。一般的には肩鎖関節障害のテストとして用いられている。一方，棘上筋腱付着部（Codman point）を触診するrentテスト（図12-12）は正確性が高いと報告されたが[14]，この研究では1人の検者のみで行われたため検者の熟達度が大きく影響した

第3章　腱板損傷

図12-9　Neerのインピンジメント徴候

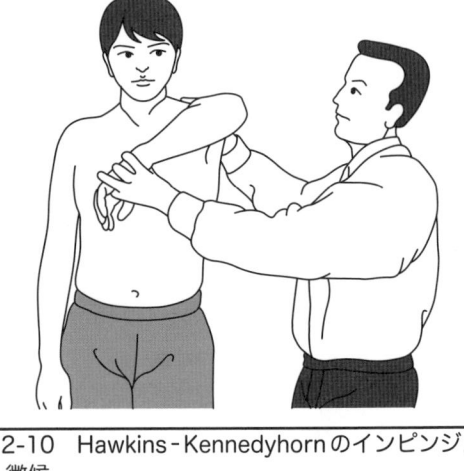

図12-10　Hawkins-Kennedyhornのインピンジメント徴候

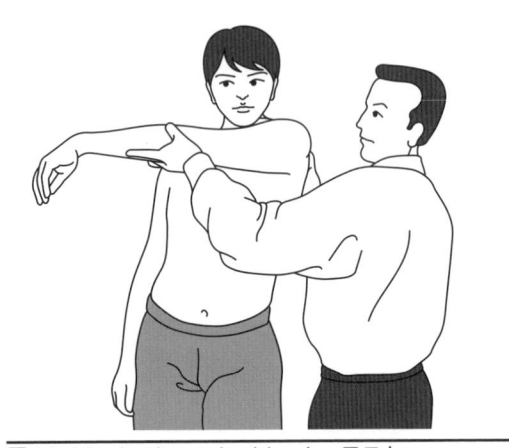

図12-11　horizontal adductionテスト

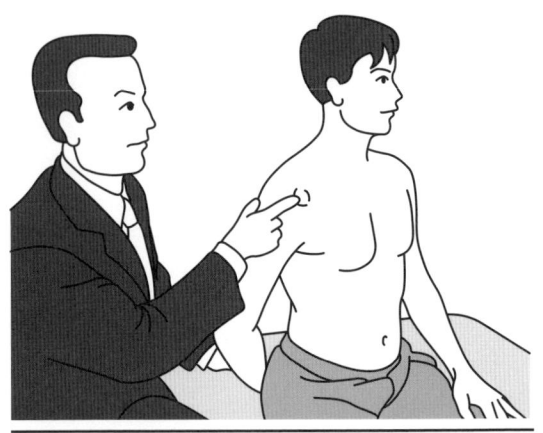

図12-12　棘上筋腱付着部（Codman point）を触診するrentテスト

表12-3　問診，触診，視診の正確性（文献18より引用）

	感　度	特異度
夜間痛	88	20
棘上筋萎縮	55	73
棘下筋萎縮	55	73
外傷歴	36	73

異度を調べた（表12-3）。夜間痛は感度が高いが，特異度が低く，腱板損傷以外の疾患でも陽性になる可能性を示した。筋萎縮は棘上筋，棘下筋ともに感度が55％と低い結果が示された。しかし，Andrews[2]によると，高齢者では筋萎縮が多くみられた。以上より年齢によってその有用性が異なるといえる。

と考えられる。

4．問診，視診，触診の正確性

Litakerら[18]は，夜間痛，筋萎縮，外傷歴について関節造影上の腱板損傷所見に対する感度と特

5．検査の正確性に影響を与える因子

Itoiら[16]は，①痛みのみ，②筋力低下のみ，③痛みと筋力低下のどちらか，と検査陽性の基準を3つに分け，MRI所見（完全断裂の診断率95％）に対するその正確性を比較した。感度，特異度で

12. 評価・診断

表12-4 full canテスト，empty canテストの正確性（基準別）（文献16より引用）

		感度	特異度	正確度
full canテスト	疼痛	66	64	64
	筋力低下	77	74	75
	一方または両方	86	57	64
empty canテスト	疼痛	63	55	57
	筋力低下	77	68	70
	一方または両方	89	50	59

表12-5 インピンジメント徴候複合検査の正確性（文献19より引用）

	感度	特異度
Neer	88	43
Hawkins	83	51
NeerとHawkins	83	56
NeerまたはHawkins	88	38

表12-6 断裂の種類と各種検査の正確性（数値は感度／特異度）（文献17より引用）

	部分断裂	完全断裂
インピンジメント徴候（Neer）	75/48	59/47
インピンジメント徴候（Hawkins）	75/44	69/48
painful arc徴候	67/47	76/62
horizontal adduction	17/79	23/81
empty canテスト	32/68	53/82
drop armテスト	17/78	35/88

表12-7 機械的ストレスの要因

オーバーユースを繰り返す
関節上腕靱帯の弛緩性
拘縮（特に後方の関節包）
肩甲部が脆弱

表12-8 肩関節評価

関節可動域，関節可動性
関節安定性
　静的：laxityテスト
　動的：DRST / DRT[22]
筋力
肩甲上腕リズム，肩甲骨の位置
　lateral slideテスト[23]
疼痛のある動きの分析
　特殊検査の質的評価

はその優劣を特定できなかったが，検査所見とMRI所見の一致率を示す正確度から，筋力低下を基準とすべきであると報告した（**表12-4**）。

MacDonaldら[19]は，インピンジメント徴候に関してNeerとHawkinsらの検査を組み合わせた時の正確性について調べ，2つの検査を組み合わせても，1つの検査を単独で行ったときと感度と特異度が変わらないことを示した（**表12-5**）。

Parkら[17]は，腱板損傷の重症度に注目し，部分断裂と完全断裂それぞれに対する各特殊検査の正確性を調査した．その結果，部分断裂はインピンジメント徴候，完全断裂は筋力に関する検査でその正確性が高かったとした（**表12-6**）．また，ロジスティック重回帰モデルによる分析でも，部分断裂はNeerのインピンジメント徴候，完全断裂はpainful arc徴候，drop armテスト，棘下筋筋力が各診断に重要であることを示した．Murrellら[20]は，棘上筋と棘下筋の筋力低下，お

よびインピンジメント徴候が陽性であれば感度が98％まで上昇したと報告した．インピンジメント徴候は，実際に断裂の有無を特定する検査ではないが，部分断裂に対する検査として用いるか，筋力に関する検査と組み合わせることによって，腱板断裂の診断において有用性が高まるようである．

C. 腱板損傷のリハビリテーションに関する評価

腱板損傷に対するリハビリテーションの目的は，①痛みを発生させる機械的ストレスを軽減させる，②損傷した腱板筋の機能を代償する能力を獲得することである．

Williamsら[21]は，腱板筋に機械的なストレスをつくり出す4つの要素を示した（**表12-7**）．リハビリテーションにおいては，症例がもちうるこ

れらの要素に対する理学療法と，代償能力を獲得するための理学療法が必要になる．したがって，ストレスをつくり出す要素と，代償能力に関する評価が行われるべきである．

文献上で記載されている評価項目を**表12-8**に示した．標準的な評価項目として関節可動域，関節安定性，筋力，肩甲上腕リズムがある．特殊な項目としてはMagareyら[22]によるdynamic rotary stabilityテスト（DRST）やdynamic relocationテスト（DRT）が報告されている．DRSTは回旋運動時に上腕骨頭が関節窩上に安定しているかどうか触知して評価し，DRTは関節を離開させる負荷に対して上腕骨頭を関節窩に引きつける能力を評価する．また，Kibler[23]は肩甲骨運動の異常を調べるために，挙上運動の各位相で肩甲骨下角の位置を測定した．これをlateral slideテストとして報告した．さらに，前述の特殊検査を含めた痛みを誘発する動作や，代償動作などのそのときの反応を観察するような質的な評価も必要である．

D. まとめ

1. 特殊検査

腱板断裂の診断には腱板筋の筋力低下と痛みに関する検査が用いられる．最も一般的に使用されるのは棘上筋の筋力と収縮時痛を検査するempty canテストであり，その正確性は研究によってばらつきが大きく，その検査単独では腱板断裂の診断は難しい．腱板筋の筋力に関する検査は全体的に特異度が高く，断裂がなくても検査陽性となる確率は低いが，感度は十分に高いとはいえない．また，よく用いられるインピンジメント徴候は断裂の有無を検査するものではないため特異度が低く，断裂がなくても陽性となる確率が高い．しかし部分断裂の診断に関しては有用かもしれない．腱板筋力に関する検査とインピンジメント徴候は単独で使用するより組み合わせて使用すると感度が高くなり，断裂を検出しやすい．現在までの報告は対象の違いや検者の熟練度など影響する因子が統一されていないためsystematic reviewによって結論づけるのは難しい．

今後はこれらの影響する因子を統一した研究を進める一方，検査技術や対象をみきわめる能力を洗練することによって，診断能力を向上させていくことが課題としてあげられる．

2. リハビリテーションにおける評価

腱板損傷のリハビリテーションでは，機械的ストレスを生じさせる要素や，腱板筋機能を代償する能力の量的および質的な評価が必要となる．すでに腱板を損傷している症例の症状をどうすれば改善させることができるのかがリハビリテーションの焦点であるが，有症状腱板損傷者と無症状腱板損傷者との違いがいまだ明らかでないため，評価や理学療法は対症療法的で統一されていない．従来の評価だけでなく，動作解析や筋電図などによる基礎研究[24,25]を参考にして，腱板損傷者の評価方法を確立していくことが今後の課題として望まれる．

文　献

1. Gomoll AH, Katz JN, Warner JJ, Millett PJ. Rotator cuff disorders: recognition and management among patients with shoulder pain. *Arthritis Rheum*. 2004; 50: 3751-61.
2. Andrews JR. Diagnosis and treatment of chronic painful shoulder: review of nonsurgical interventions. *Arthroscopy*. 2005; 21: 333-47.
3. Codman EA. The Shoulder. Rupture of the supraspinatus tendon and other lesions in or about the subacromial bursa. Rupture of the Supraspinatus Tendon. Boston, Thomas Todd. 1934; 123-77.
4. Jobe FW, Moynes DR. Delineation of diagnostic criteria and a rehabilitation program for rotator cuff injuries. *Am J Sports Med*. 1982; 10: 336-9.
5. Kelly BT, Kadrmas WR, Speer KP. The manual muscle examination for rotator cuff strength. An electromyographic investigation. *Am J Sports*

Med. 1996; 24: 581-8.
6. Hertel R, Ballmer FT, Lambert SM, Gerber C. Lag signs in the diagnosis of rotator cuff rupture. *J Shoulder Elbow Surg.* 1996; 5: 307-13.
7. Walch G, Boulahia A, Calderone S, Robinson AHN. The 'dropping' and 'hornblower's' signs in evaluation of rotator-cuff tears. *J Bone Joint Surg* Br. 1998; 80: 624-8.
8. Gerber C, Krushell RJ. Isolated rupture of the tendon of the subscapularis muscle. Clinical features in 16 cases. *J Bone Joint Surg Br.* 1991; 73: 389-94.
9. Gerber C, Hersche O, Farron A. Isolated rupture of the subscapularis tendon. *J Bone Joint Surg Am.* 1996; 78: 1015-23.
10. Neer CS 2nd. Anterior acromioplasty for the chronic impingement syndrome in the shoulder: a preliminary report. *J Bone Joint Surg Am.* 1972; 54: 41-50.
11. Hawkins RJ, Kennedy JC. Impingement syndrome in athletes. *Am J Sports Med.* 1980; 8: 151-8.
12. Kessel L, Watson M. The painful arc syndrome. Clinical classification as a guide to management. *J Bone Joint Surg Br.* 1977; 59: 166-72.
13. McLaughlin HL. On the "frozen" shoulder. *Bull Hosp Joint Dis.* 1951; 12: 383-93.
14. Wolf EM, Agrawal V. Transdeltoid palpation (the rent test) in the diagnosis of rotator cuff tears. *J Shoulder Elbow Surg.* 2001; 10: 470-3.
15. Dinnes J, Deeks J, Kirby J, Roderick P. A methodological review of how heterogeneity has been examined in systematic reviews of diagnostic test accuracy. *Health Technol Assess.* 2005; 9: 1-113
16. Itoi E, Kido T, Sano A, Urayama M, Sato K. Which is more useful, the "full can test" or the "empty can test," in detecting the torn supraspinatus tendon? *Am J Sports Med.* 1999; 27: 65-8.
17. Park HB, Yokota A, Gill HS, El Rassi G, McFarland EG. Diagnostic accuracy of clinical tests for the different degrees of subacromial impingement syndrome. *J Bone Joint Surg Am.* 2005; 87: 1446-55.
18. Litaker D, Pioro M, El Bilbeisi H, Brems J. Returning to the bedside: using the history and physical examination to identify rotator cuff tears. *J Am Geriatr Soc.* 2000; 48: 1633-7.
19. MacDonald PB, Clark P, Sutherland K. An analysis of the diagnostic accuracy of the Hawkins and Neer subacromial impingement signs. *J Shoulder Elbow Surg.* 2000; 9: 299-301.
20. Murrell GAC, Walton JR. Diagnosis of rotator cuff tears. *Lancet.* 2001; 357: 769-70. Erratum in: *Lancet.* 2001; 357: 1452.
21. Williams GR Jr, Kelley M. Management of rotator cuff and impingement injuries in the athlete. *J Athl Train.* 2000; 35: 300-15
22. Magarey ME, Jones MA. Dynamic evaluation and early management of altered motor control around the shoulder complex. *Man Ther.* 2003; 8: 195-206.
23. Kibler WB. The role of the scapula in athletic shoulder function. *Am J Sports Med.* 1998; 26: 325-37.
24. Yamaguchi K, Sher JS, Andersen WK, Garretson R, Uribe JW, Hechtman K, Neviaser RJ. Glenohumeral motion in patients with rotator cuff tears: a comparison of asymptomatic and symptomatic shoulders. *J Shoulder Elbow Surg.* 2000; 9: 6-11.
25. Kelly BT, Williams RJ, Cordasco FA, Backus SI, Otis JC, Weiland DE, Altchek DW, Craig EV, Wickiewicz TL, Warren RF. Differential patterns of muscle activation in patients with symptomatic and asymptomatic rotator cuff tears. *J Shoulder Elbow Surg.* 2005; 14: 165-71.

〈村木　孝行〉

13. 保存療法

はじめに

腱板損傷は肩の痛みを誘発する代表的疾患の1つである。腱板損傷の発生率は加齢に伴い増加するものの、発生機序には不明な点が多く残されている。それゆえに現在展開されている保存療法とその効果について整理することは、臨床を行ううえで大切であると思われる。本項では症状の発現機序、保存療法についてまとめる。

A. 文献検索方法

文献検索にはPubMedを使用し、「rotator cuff tear」をキーワードにした。ヒット件数は1,129件で、これをもとに関連する文献も含めて保存療法についてまとめた。

B. 腱板損傷≠肩痛？

腱板損傷に伴う肩痛は損傷された腱板が原因なのであろうか。保存療法の目的の1つは疼痛を緩和・解消することであるため、その原因を知ることは必要不可欠である。McLaughlinら[1]は、調査した屍体の25％に腱板損傷があることを見出し、腱板損傷があっても痛みを誘発しない可能性を示唆した。Sherら[2]は、MRIを用いて肩痛のない96名を調査した結果、腱板の完全断裂、部分損傷がそれぞれ14％、20％みられたと報告した。また、60歳以上に限るとそれぞれ28％、26％にみられた。この結果から解剖学的破綻がすなわち疼痛発現につながるわけではないという可能性が示唆され、画像のみから治療方針を決定することの危険性を指摘した。

これらのことから、腱板損傷そのもの以外の要素が肩痛の症状発現に作用しているのではないかという疑問が生じる。Fukudaら[3]は、肩峰下滑液包の炎症の程度が疼痛症状と関連があると報告した。その他に滑膜炎[4]や関節内病変[5]と肩痛に関連があるとする報告もみられる。しかしながら、腱板損傷があるにもかかわらず、なぜ症状発現に差が生じるにかという疑問に対する満足できる回答はいまのところない。

C. 腱板損傷による機能的破綻≠肩痛？

個人差はあるものの、肩甲骨の異常運動・損傷腱板周囲の筋の代償作用による過用・疼痛に対する閾値などが、肩痛発現の要素として考えられている。なかでも腱板損傷により生じる肩甲上腕関節の機能的破綻は、肩痛と特に強い関係性があるのではないかと考えられている[6,7]。正常者では上肢の動きにかかわらず、上腕骨頭は関節窩にとどまるが、腱板損傷者やインピンジメント徴候を有している人は、上肢挙上に上腕骨頭の上方偏位を伴う[8〜13]。このことから、上腕骨頭の上方偏位と肩痛との関係が指摘されている。

Yamaguchiら[13]は、腱板損傷患者の痛みと肩甲上腕関節の生理的運動との関連について研究を行った。彼らの研究では、腱板損傷により症状のある人（有症群）、腱板損傷があるものの症状がない人（無症群）、健常者（健常群）の3群に分

13. 保存療法

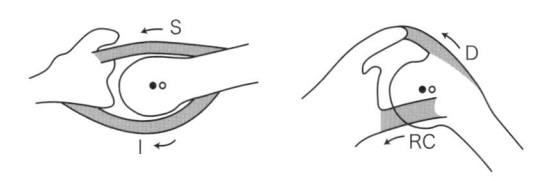

図13-1 肩関節に作用する合力（文献8より引用）
○：回転中心，S：肩甲下筋，D：三角筋，I：棘下筋，RC：ローテーターカフ．

表13-1 各筋の横断面積（ローテータカフに占める割合）

発表者	棘上筋	棘下筋	肩甲下筋
Bassettら	16	38	46
Keatingら	15	33	52
Herzbergら	16	33	51

表13-2 腱板の回旋トルク（％）

発表者	肢位	棘上筋	棘下筋＋小円筋	肩甲下筋
Bassettら	外転90°＋外旋90°	13（2.1 cm）	45（3.1 cm）	42（2.8 cm）
Keatingら	外転0°	14（2.0 cm）	32（2.2 cm）	52（2.3 cm）

けて，上肢の外転挙上時の上腕骨の偏位と肩甲骨回旋を測定した．その結果，有症群，無症群ともに上肢の外転挙上に伴い健常群と比較すると上腕骨の上方偏位がみられ，3群間における肩甲骨回旋程度に統計的有意差はみられなかった．彼らの研究は，各群の被験者数が少ないことや腱板損傷の程度が不明確ではあるが，肩甲上腕関節の生理的運動の破綻が腱板損傷に伴う症状の発現と関係しているのではという仮説に一石を投じた．

Burkhart[8]はX線透視装置を用いて，腱板大断裂者の肩甲上腕関節の関節運動を調査した．その結果，横断面上における前方と後方の腱板の合力が保たれていれば正常な関節運動が可能であった（図13-1）．これにより，腱板損傷の大きさではなく損傷部位が正常な関節運動を保つのに影響しているのではないかと推察した．彼らは治療方針を決定するうえで，損傷部位を正確に把握することが重要であると述べた．

D. 腱板機能の代償

腱板と三角筋の機能解剖に関しては数多くの研究がある[14〜17]．各筋の生理学的筋横断面積と回旋トルクについて表13-1，表13-2のようなデータが報告された．測定肢位や実験方法に違いはあるものの，最も損傷されやすい棘上筋は筋機能としての作用は比較的小さいことが示唆された．また，棘上筋の筋機能は上肢の挙上角度が上がれば上がるほど小さくなる．

Loehrら[10]のバイオメカニクス研究では，人為的に特定部位の腱板損傷をつくり，肩甲上腕関節の関節運動に及ぼす影響を調査した．その結果，棘上筋損傷のみでは正常な関節運動が維持されるものの，棘上筋と棘下筋の複合損傷では上腕骨頭の上方偏位が惹起されることを示唆した．臨床的によくみられる棘上筋損傷であっても，複合でなく単独損傷の場合は肩関節の機能が補われる可能性が報告された[18,19]．

E. 腱板損傷に対する保存療法成績

腱板損傷に対する保存療法の目的は，主に疼痛の緩和と機能の向上・改善である．保存療法の治療成績に関してはさまざまな報告がある．加えて保存療法は損傷した腱板を治癒させるものではないが，鎮痛効果があったとする報告[20]や機能向上に効果があったとする報告[21]もある．腱板損傷に対する保存療法の成績は，ほぼ50％程度の良好な治療成績を示している（表13-3）．

表13-3 腱板損傷に対する保存療法の治療成績

発表者	評価スケール	結果	治療成績に影響を与えると思われる因子
Goldberg, 2001	SF36	better 59 % worse 30 % 変化なし 11 %	利き手 初期のSSTスコアが低い者 シャツを着るのが不自由
Hawkins, 1995	ASESセルフアセスメント	優・良 58 % 不可 42 %	労災非受給者 睡眠時間の増加 疼痛緩和 スーツケースを持てる 肩のレベルでの上肢動作 道具を用いて食事ができる
Itoi, 1992	－（評価スケールなし）	優 53 % 良 29 % 可 16 % 不可 2 %	外転自動運動の向上 筋力 通院期間の短縮
Wirth, 1997	ASESセルフアセスメント	優 4 % 良 58 % 不可 38 %	初期の筋力 男性
Bokor, 1993	ASES疼痛評価	優・良 56 % 不可 44 %	不明
Bartolozzi, 1994	－（評価スケールなし）	優 43 % 良 27 % 可 9 % 不可 21 %	1 cm以下の断裂 症状出現が1年未満 治療初期に向上がみられない

SF36：36 Item Short-Form Health Survey, ASES：Adult Self-Expression Scale（成人自己表現尺度）。

F. 薬物療法

一般的に疼痛に対する治療選択としてはコルチステロイド注射やNSAID（非ステロイド抗炎症薬）などの薬物療法と理学療法（運動療法）があげられる。

Hayら[22]やvan der Windtら[23]は，コルチステロイド注射と理学療法の効果を比較した。結果は双方の効果判定基準が異なるために単純な比較はできないものの，コルチステロイド注射後6〜7週の短期成績では，理学療法以上の効果が期待できるとした。注射後26週の長期成績では，理学療法と比べて明らかな効果はみられなかった。しかし，コルチステロイド注射の副作用として腱組織の変性を助長する可能性があるために頻回の使用は控えるべきであり，特に活動性の高い若年者であればことさらに配慮しNSAIDの処方が一般的である。

G. 理学療法（運動療法）

腱板損傷に対する理学療法の治療効果は現状で明確でない点が多々あるが，実際に行われている理学療法を大分すると対症療法的なものと機能改善を企図したものに分類できる。

対症療法的なものとしては温熱療法，電気刺激療法などの物理療法やマッサージなどがあげられる。これら物理療法の効果についての報告は数多くある（**表13-4**）。作用機序に関しては不明な点が多いが，医療従事者が腱板損傷に伴う症状の原因を把握し，適切な刺激を与えることが症状の緩和に必要不可欠であると思われる。

機能改善を企図した理学療法は，患者の症状の程度によって段階的に進めていくことになる。

1. 急性期

この段階では疼痛を伴うことが多く，疼痛を誘発するストレスから損傷した腱板を保護すること

13. 保存療法

表13-4 腱板損傷に対する物理療法の効果

物理療法	主な効果	病態	効果	グレード*	発表者
温熱療法	疼痛, 関節拘縮緩和	頚部, 肩痛	○	II	Cordray, 1959
寒冷療法	炎症, 疼痛, 腫脹などの緩和	筋スパズム	○	II	Travel, 1952, Mennnel, 1976
超音波	疼痛, 関節拘縮緩和	肩痛	○	I	Munthing, 1978
			○	II	Herrera-Lasso, 1993
			×	II	Nykanen, 1995
TENS	疼痛緩和	筋・筋膜痛	○	I	Graff-Radfprd, 1989

グレードI：対照群あり, グレードII：対照群なし。

を最優先するべきである。損傷組織の血流増加による治癒促進や疼痛緩和のために，超音波や低周波などの物理療法を併用することもある。患部外への対応として，姿勢や動作パターンの修正があげられる。

2. 亜急性期

投球障害などのいわゆるスポーツ障害を起因とする腱板損傷では，肩甲骨のアライメントの重要性が数多く唱えられてきた。Solem-Bertoftら[24]は，肩甲骨リトラクションは肩峰下スペースを増加させると報告し，安静時の肩甲骨アライメント修正の必要性を訴えた。また，前鋸筋と僧帽筋下部線維との合力（force couple）（図13-2）は上肢挙上時の肩甲骨上方回旋や安定性に必要不可欠である。この合力の低下により肩峰下や烏口肩峰靱帯でのインピンジメントや肩甲上腕関節不安定症をまねき，腱板損傷の可能性が指摘された[25, 26]。このため最大下での前鋸筋と僧帽筋下部線維の安定化トレーニングは大切である。疼痛がある程度コントロールできたころから，痛みのない範囲での腱板や肩甲骨安定化トレーニングが重要視されている。

3. 競技復帰に向けた準備期

この期の目的は，損傷部位だけにとどまらず，以前の競技復帰への準備を全身に対して段階的に行っていくことである。筋力トレーニングは上肢だけではなく，運動連鎖を考慮し下肢，体幹に対

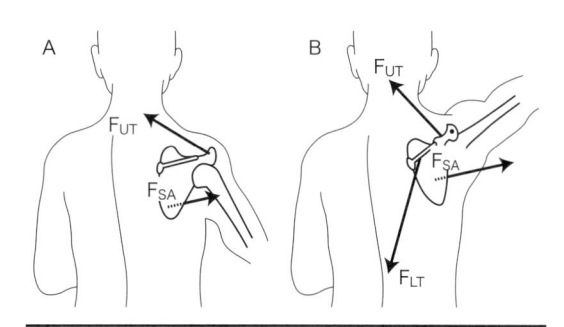

図13-2 合力（force couple）
A：外転0〜30°における肩甲骨の回旋中心，B：外転30〜60°における肩甲骨の回旋中心。F_{UT}：僧帽筋上部線維の力，F_{LT}：僧帽筋下部線維の力，F_{SA}：前鋸筋の力。

するメニューも重要である。ベンチプレスなどの上肢のフリーウエイトでは，上腕骨頭への剪断ストレスを助長しないように注意が必要である。肩甲上腕関節に対する軸圧がかかるようなクローズドキネッティックでのトレーニングは関節固有覚に対する刺激が期待でき，関節安定性を向上させると考えられている。また，ストレッチショートニングサイクルを刺激し，筋の急激でパワフルな収縮を促す意味でプライオメトリックトレーニングを実施している報告も散見される。復帰する競技に即した心肺機能に対するトレーニングも欠かさずに行うことが大切である。

4. 競技復帰期

この期では徐々にもとの競技への復帰を促していくことになる。上肢を主に使用する野球，バレーボール，テニスなどのいわゆるオーバヘッドスポーツ競技の選手では，等速性筋力測定器を用い

表13-5 理学療法のポイント

- 受傷機転の理解
- 疼痛のない範囲から開始
- 常に評価
- 肩甲骨面を有効に
- 必要な時は安静を
- 肩甲骨周囲筋との統合，バランスに配慮
- 生理学的→機能的
- 部分（submaximal）→全体（maximal）
- 小範囲（short arc）→全範囲（full arc）
- 症状や機能を考慮した個別性の高いプログラム
- 持久力を考慮

て肩関節内旋，外旋筋力を測定し，そのバランスを復帰の指標の1つとしていることもある。

スポーツによる腱板損傷の場合，特にその競技特有のフォームをチェックし，フォームと肩へのストレスとの因果関係をできるかぎり把握するように努めるべきである。スポーツ障害を誘発したと思われる原因が個体要因，環境要因，トレーニング要因のどこにあったのかを選手とともに考え，その対処方法を選手本人に十分理解させたうえで，段階的に競技への復帰を図る。こうすることで選手自身に障害部位を自己管理できる機会を与え，再受傷の危険を少なからず軽減できるものと考える。

一般的なリハビリテーションの進め方とそのおおよその内容を紹介したが，実際の腱板損傷患者の症状は多種多様であり，画一的なものではない。このため腱板損傷部位，程度，損傷時期，活動レベルなどを考慮し個別的なプログラムを提供していくことが重要になる。

理学療法を進めるポイントとして留意すべきことを**表13-5**にまとめた。重要なのは，解剖学・生理学・運動学などの基礎的な知識，病態・回復程度を正確にみきわめる判断，それらに基づいて患者個々の症状に柔軟に対応することであると思われる。

H. まとめと今後の課題

確固たる研究データ，臨床結果が不十分なため，現状ではさまざまなタイプの腱板損傷の予後を正確に把握することは難しい。腱板損傷の発生メカニズム，肩痛発現の仕組みに関しても不明な点が多く残されている。そのため効果的な保存療法の要因も不明なままである。さらに腱板損傷部が非観血的に治癒するのかどうかということも明らかではない。これまでに報告された研究結果から推測すると，腱板損傷に伴う症状は1つだけではなく，複数の要因があいまって発現しているものと思われる。今後これらの疑問に対する答えが出ることが期待される。

日々の臨床では，似たような程度の腱板損傷患者であっても症状，機能，治療効果も異なることが多い。このために医療従事者が腱板損傷患者個々の症状，病態を可能なかぎりより多角的に把握し，柔軟に個別性に富む保存療法を進めていくことが，保存療法成功の鍵であろう。

文献

1. McLaughlin HL. Rupures of the rotator cuff. *J Bone Joint Surg Am*. 1962; 44: 979-83.
2. Sher JS, Uribe JW, Posada A, Murphy BJ, Zlatkin HB. Abnormal findings on magnetic resonance images of asymptomatic shoulders. *J Bone Joint Surg Am*. 1995; 77: 10-5.
3. Fukuda H, Hamada K, Nakajima T, Tomonaga A. Pathology and pathogenesis of the intratendinous tearing of the rotator cuff viewed from en bloc histologic sections. *Clin Orthop Relat Res*. 1994; 304: 60-7.
4. Burkhart SS. Reconciling the paradox of rotator cuff repair versus debridement: a unified biomechanical rationale for the treatment of rotator cuff tears. *Arthroscopy*. 1994; 10: 4-19.
5. Ellman H, Harris E, Kay SP. Early degenerative joint disease simulating impingement syndrome: arthroscopic findings. *Arthroscopy*. 1992; 8: 482-7.
6. Neer CS 2nd. Anterior acromioplasty for the chronic impingement syndrome in the shoulder: a preliminary report. *J Bone Joint Surg Am*. 1972; 54: 41-50.

7. Neer CS 2nd. Impingement lesions. *Clin Orthop.* 1983; 173: 70-7.
8. Burkhart SS. Fluoroscopic comparison of kinematic patterns in massive rotator cuff tears. A suspension bridge model. *Clin Orthop Relat Res.* 1992; 284: 144-52.
9. Deutsch A, Altchek DW, Schwartz E, Otis JC, Warren RF. Radiologic measurement of superior displacement of the humeral head in the impingement syndrome. *J Shoulder Elbow Surg.* 1996; 5: 186-93.
10. Loehr JF, Helmig P, Sojbjerg JO, Jung A. Shoulder instability caused by rotator cuff lesions. An *in vitro* study. *Clin Orthop Relat Res.* 1994; 304: 84-90.
11. Poppen NK, Walker PS. Normal and abnormal motion of the shoulder. *J Bone Joint Surg Am*, 1976; 58: 195-201.
12. Sharkey NA, Marder RA. The rotator cuff opposes superior translation of the humeral head. *Am J Sports Med.* 1995; 23: 270-5.
13. Yamaguchi K, Sher JS, Andersen WK, Garretson R, Uribe JW, Hechtman K, Neriaser RJ. Glenohumeral motion in patients with rotator cuff tears: a comparison of asymptomatic and symptomatic shoulders. *J Shoulder Elbow Surg.* 2000; 9: 6-11.
14. Poppen NK, Walker PS. Forces at the glenohumeral joint in abduction. *Clin Orthop.* 1978; 135: 165-70.
15. Bassett RW, Browne AO, Morrey BF, An KN. Glenohumeral muscle force and moment mechanics in a position of shoulder instability. *J Biomech.* 1990; 23: 405-15.
16. Keating JF, Waterworth P, Shaw-Dunn J, Crossan J. The relative strengths of the rotator cuff muscles. A cadaver study. *J Bone Joint Surg Br.* 1993; 75: 137-40.
17. Herzberg G, Urien JP, Dimnet J. Potential excursion and relative tension of muscle in the shoulder girdle: relevance to tndon transfers. *J Shoulder Elbow Surgery.* 1998; 8: 430-7.
18. Bryan WJ, Schauder K, Tullos HS. The axillary nerve and its relationship to common sports medicine shoulder procedures. *Am J Sports Med.* 1986; 14: 113-6.
19. Murnaghan JP. Adhesive capsulitis of the shoulder: current concepts and treatment. *Orthopedics.* 1988; 11: 153-8.
20. Hawkins RH, Dunlop R. Nonoperative treatment of rotator cuff tears. *Clin Orthop Relat Res.* 1995; 321: 178-88.
21. Itoi E, Tabata S. Conservative treatment of rotator cuff tears. *Clin Orthop Relat Res.* 1992; 275: 165-73.
22. Hay EM, Thomas E, Paterson SM, Dziedzic K, Croft PR. A pragmatic randomised controlled trial of local corticosteroid injection and physiotherapy for the treatment of new episodes of unilateral shoulder pain in primary care. *Ann Rheum Dis.* 2003; 62: 394-9.
23. van der Windt DA, Koes BW, de Jong BA, Bouter JM. Shoulder disorders in general practice: incidence, patient characteristics, and management. *Ann Rheum Dis.* 1995; 54: 959-64.
24. Solem-Bertoft E, Thuomas KA, Westerberg CE. The influence of scapular retraction and protraction on the width of the subacromial space. An MRI study. *Clin Orthop Relat Res.* 1993; 296: 99-103.
25. McMahon PJ, Jobe FW, Pink MM, Brault JR, Perry J. Comparative electromyographic analysis of shoulder muscles during planar motions: anterior glenohumeral instability versus normal. *J Shoulder Elbow Surg.* 1996; 5 (2 Pt 1): 118-23.
26. Ludewig PM, Cook TM. Alterations in shoulder kinematics and associated muscle activity in people with symptoms of shoulder impingement. *Phys Ther.* 2000; 80: 276-91.

(嵯峨野　淳)

14. 手術療法

はじめに

腱板断裂に対する手術については，その適応や断裂部位の縫合方法，断裂にいたるまでのメカニズムに対する処置（肩峰下インピンジメントもしくはインターナル・インピンジメントを回避する処置），アプローチ方法などについて，盛んに議論されてきている．しかし，手術手技選択のための意志決定基準や具体的な処置方法については，現在のところ明確なコンセンサスは得られていない．手術を行う際の意志決定や手術手技のコンセンサスを確立するためには，各トピックスについてレビューを行い，整理する必要がある．

A. 文献検索方法

文献検索にはPubMedを使用し，「rotator cuff tear」でヒットした1,129件をもとに，「rotator cuff repair」618件，「procedure technique」210件，「repair technique」163件がヒットした．以上から最終的に134件の文献を選択し，さらに各文献に記載のあった文献も参考にした．

B. 手術適応

腱板断裂に対する治療を行う際に，まず手術の適否が問題となる．どの程度の損傷で手術に踏み切るのか，受傷からどのくらいの期間で保存療法から手術療法へ移行すべきかという問題は，いまだ解決されていない．また近年，無症候性の腱板断裂についての報告もあり，議論されている．

手術の適応・不適応は断裂が完全かまたは部分か，症状の有無，保存療法の期間によって決定される．従来，手術療法は完全断裂に対して行われてきたが，Weber[1]は，MRI検査により腱板の50％以上の断裂で手術適応があると報告した．Cordascoら[2]は，滑液包側損傷では解剖学的に血流が豊富なため，積極的な手術を推奨した．手術適応か否かは，「痛み」とそれによる「機能的可動域制限」や「筋力低下」が強いことが判断基準となる．

保存療法の期間としては3～6ヵ月とする報告が多いが，術後の経過が比較的良好なため，活動性の高いスポーツ選手や若年者ではより早期に手術適応とする場合が多い[3]．

C. アプローチ・テクニック

手術の際の二次的合併症を抑える方法の1つとして，侵襲をできるだけ少なくし，可能な限り断裂前の関節内・外の環境を維持する必要がある．その点では手術の際のアプローチ・テクニックについて触れておく必要がある．

腱板断裂の手術手技については，それまで直視下法が主流であったが，Ellman[4]が肩峰下形成術に対し鏡視下での手術療法を報告し，以降，鏡視下と直視下法の比較研究が数多く報告されてきた．現在では鏡視下縫合術と直視下法を組み合わせたミニオープン法が広く用いられている．

直視下法またはミニオープン法のメリットとしては，術野が確保でき，関節外からのアプローチ

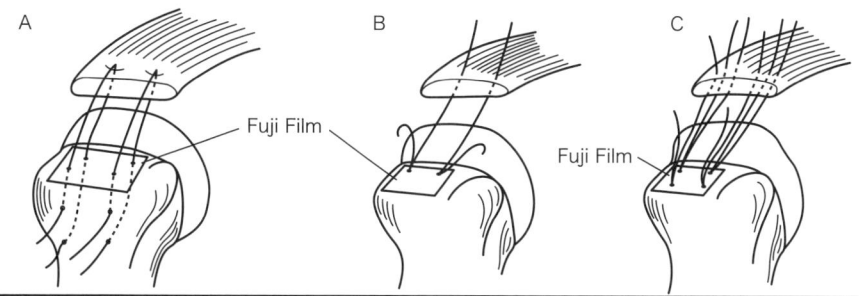

図14-1　外科的処置方法（文献6より作図）
A：transosseous technique。骨孔を作製し，縫合糸を通して縫合（直視下法のみで実施）。B：single-row technique。suture anchorを1本使用し，断端を縫合（関節鏡視下で施術可能）。C：double-row technique。suture anchorを2本使用し，断端のより近位側も固定可能（関節鏡視下で施術可能）。

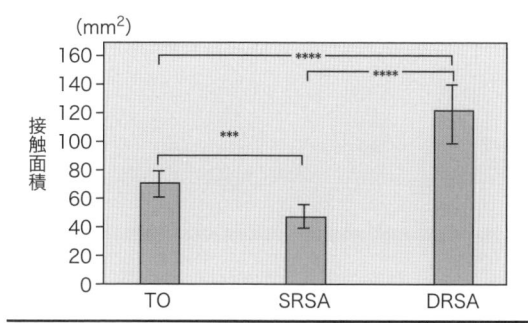

図14-2　外科的処置法による接触面積の違い（文献6より引用）
TO：transosseous technique, SRSA：single-row suture anchor, DRSA：double-row suture anchor。

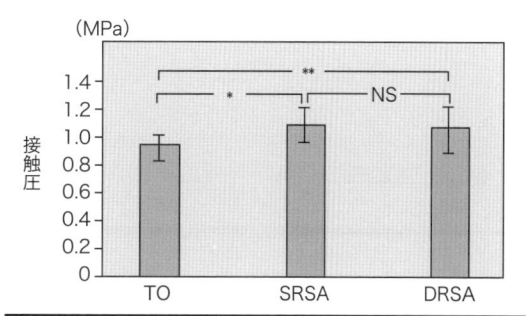

図14-3　外科的処置法による接触圧の違い（文献6より引用）
TO：transosseous technique, SRSA：single-row suture anchor, DRSA：double-row suture anchor。

であるため腱板付着部遠位側の強固な固定が可能であり，術後の筋力回復，機能回復が良好なことがあげられる。デメリットとしては，侵襲が大きいため，術後合併症の率が高くなることである。

鏡視下法のメリットとしては，侵襲が少ないため術後感染症が少ない，術後の疼痛緩和に効果がある，術後可動域獲得が早いことなどが報告されている。デメリットとしては，術野が限られているため技術的に難しく，筋力や機能獲得の面で直視下法，ミニオープン法に劣るとされている。

D. 外科的処置

腱板断裂に対する外科的処置は，①構築学的破綻に対する処置と，②機能的病態に対する処置，とに大別される。

1. 構築学的破綻に対する処置

構築学的破綻に対する処置は腱板組織そのものの解剖学的，構築学的，力学的強度を回復することを目的としたものがあげられる。縫合方法の違いによる力学的強度の違いを知っておくことは，腱板機能の回復という点や，術後のリハビリテーションを進めるうえで重要な要素の1つとなる。

2005年Matavaら[5]は基本的な外科的処置方法としてデブリドマンのみ，肩峰形成術＋デブリドマン，肩峰形成術＋腱板縫合術の3つをあげた。2005年Tuohetiら[6]は屍体を用いて，①transosseous technique，②single-row technique，③double-row technique（図14-1）の3つの縫合方法の際の棘上筋と上腕骨の接触面積について比較検討した。その結果，double-row repair，transosseous repair，single-row repairの順に

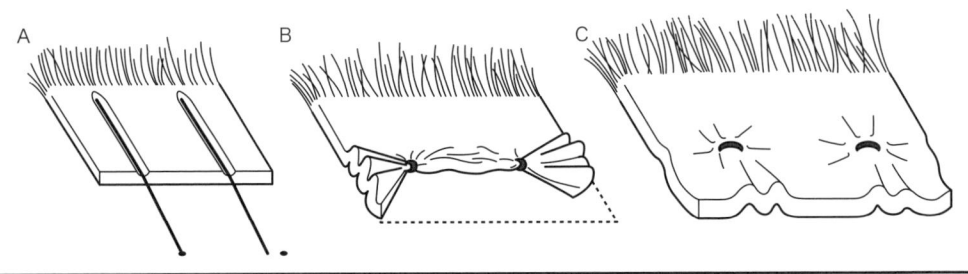

図14-4 縫合方法（文献3より作図）
A：transosseous repair。骨孔に縫合糸を通して縫合する。B：simple repair。suture anchorの縫合糸の1本を断端の外側より，もう1本を断端に挿入し，結んで縫合する。C：mattress repair。suture anchorの縫合糸を2本とも断端に通して縫合する。

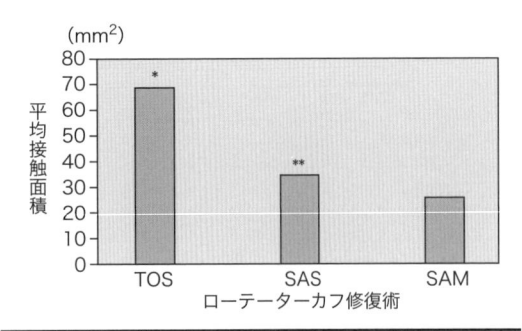

図14-5 縫合方法による接触面積の違い（文献3より作図）
TO：transosseous repair, SAS：suture anchor simple repair, SAM：anchor mattress repair。

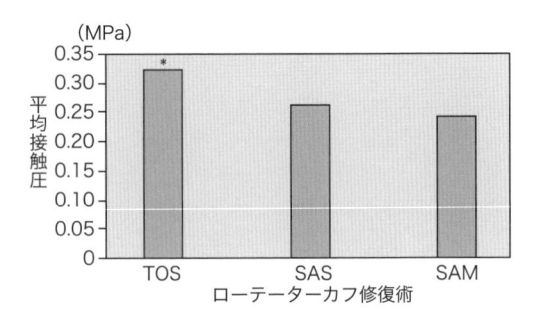

図14-6 縫合方法による接触圧の違い（文献3より作図）
TO：transosseous repair, SAS：suture anchor simple repair, SAM：anchor mattress repair。

接触面積は小さく（図14-2），接触面積が大きほうが機械的安定性・治癒範囲が増大すると結論した。Mazzoccaら[7]，LoとBurkhart[8]も同様の報告をした。

Tuohetiら[6]は3つの手技の接触圧についても比較検討し，single-row repair，double-row repairはtransosseous repairよりも接触圧が有意に高いとした。治癒過程を改善する最適な接触圧は明らかにされていないが，接触圧が高ければ機械的安定性が高まるとした（図14-3）。Parkら[3]はtransosseous repair, simple repair, mattress repairの3つの縫合方法（図14-4）の接触面積，接触圧を比較検討した（図14-5，図14-6）。これによると，transosseous repairがsimple repair, mattress repairよりも接触面積，接触圧とも有意に高かった。Aprelevaら[9]の接触面積に関する研究でも同様の結果であった。

2. 機能的病態に対する処置

機能的病態に対する外科的処置としては，肩峰形成術がある。肩峰形成術はNottage[10]の報告のようにいくつかの定義があり，また術者によって処置方法が異なるため混乱があるため，具体的に処置がどのように実施されたのか確認する必要がある。原則として肩峰遠位下端の前方1/3から烏口肩峰靱帯の遠位また全部を切除する。

1995年にWuelkerら[11]は屍体を用いた研究により，肩峰下除圧術による除圧の効果は5％程度であると報告した。また，Ellman[4]，GartsmanとO'Connor[12]はそれぞれ肩峰下インピンジメント症例に対しフォローアップ研究を行い，鏡視下デブリドマンのみで85％が「良good」もしくは

「優excellent」であったと報告した。

　Budoffら[13]は1998年，部分断裂に対しては鏡視下でのデブリドマンのみを行うべきであり，「最小限の」除圧術のみ実施すべきであるとした。2001年Goldbergら[14]は完全断裂患者を対象に2年間のフォローアップ研究を行い，肩峰形成術や烏口肩峰靭帯の切除がなくても，十分な改善が得られると報告した。また同様に2005年McCallisterら[15]は完全断裂患者に対する腱板修復術の際に肩峰形成術を実施しない場合について検討し，2年以上の経過観察にて改善がみられた。

　以上のように，肩峰形成術に関してはその定義が曖昧なことや，前上方不安定性や三角筋機能不全，上腕骨頭の上方偏位を起こすこと，腱板との癒着を引き起こすことなどのデメリットが生じる可能性が存在し，その実施に否定的な報告が多い。

E. まとめ

- 用いられる手技によってメリット・デメリットが報告されている。
- 腱板断裂に対する手術療法は現在のところ，臨床的な比較研究がなされておらず，明確なエビデンスやコンセンサスが得られていない。
- 肩峰形成術は慣例的に実施されてきているが，デメリットを示す報告が多く，その実施についての効果は疑わしい。

F. 今後の課題

- 縫合法による縫合部・停止部の力学的強度や特性を把握したうえでのフォローアップ研究。
- 手術手技の適応についての臨床比較研究。
- 断裂発生要因となるインピンジメントの回避方法についての臨床比較研究。

文　献

1. Weber SC. Arthroscopic debridement and acromioplasty versus mini-open repair in the treatment of significant partial-thickness rotator cuff tears. *Arthroscopy*. 1999; 15: 126-31.
2. Cordasco FA, Backer M, Craig EV, Klein D, Warren RF. The partial-thickness rotator cuff tear: Is acromioplasty without repair sufficient? *Am J Sports Med*. 2002; 30: 257-60.
3. Park MC, Cadet ER, Levine WN, Bigliani LU, Ahmad CS. Tendon-to-bone pressure distributions at a repaired rotator cuff footprint using transosseous suture and suture anchor fixation techniques. *Am J Sports Med*. 2005; 33: 1154-9.
4. Ellman H. Arthroscopic subacromial decompression: analysis of one- to three-year results. *Arthroscopy*. 1987; 3: 173-81.
5. Matava MJ, Purcell DB, Rudzki JR. Partial-thickness rotator cuff tears. *Am J Sports Med*. 2005; 33: 1405-17.
6. Tuoheti Y, Itoi E, Yamamoto N, Seki N, Abe H, Minagawa H, Okada K, Shimada Y. Contact area, contact pressure, and pressure patterns of the tendon-bone interface after rotator cuff repair. *Am J Sports Med*. 2005; 33: 1869-74.
7. Mazzocca AD, Millett PJ, Guanche CA, Santangelo SA, Arciero RA. Arthroscopic single-row versus double-row suture anchor rotator cuff repair. *Am J Sports Med*. 2005; 33: 1861-8.
8. Lo IK, Burkhart SS. Double-row arthroscopic rotator cuff repair: re-establishing the footprint of the rotator cuff. *Arthroscopy*. 2003; 19: 1035-42.
9. Apreleva M, Ozbaydar M, Fitzgibbons PG, Warner JJ. Rotator cuff tears: the effect of the reconstruction method on three-dimensional repair site area. *Arthroscopy*. 2002; 18: 519-26.
10. Nottage WM. Rotator cuff repair with or without acromioplasty. *Arthroscopy*. 2003; 19 (Suppl 1): 229-32.
11. Wuelker N, Roetman B, Roessig S. Coracoacromial pressure recordings in a cadaveric model. *J Shoulder Elbow Surg*. 1995; 4: 462-7.
12. Gartsman GM, O'Connor DP. Arthroscopic rotator cuff repair with and without arthroscopic subacromial decompression: a prospective, randomized study of one-year outcomes. *J Shoulder Elbow Surg*. 2004; 13: 424-6.
13. Budoff JE, Nirschl RP, Guidi EJ. Debridement of partial-thickness tears of the rotator cuff without acromioplasty. Long-term follow-up and review of the literature. *J Bone Joint Surg Am*. 1998; 80: 733-48.
14. Goldberg BA, Lippitt SB, Matsen FA 3rd. Improvement in comfort and function after cuff repair without acromioplasty. *Clin Orthop Relat Res*. 2001; (390): 142-50.
15. McCallister WV, Parsons IM, Titelman RM, Matsen FA 3rd. Open rotator cuff repair without acromioplasty. *J Bone Joint Surg Am*. 2005; 87: 1278-83.

〔元木　純〕

15. 後療法

はじめに

腱板断裂の術後リハビリテーションは，一般整形外科やスポーツ医学の領域ではよく経験する．腱板断裂に対する術式として，直視下法，ミニオープン法あるいは関節鏡視下法による腱板修復術が本邦でも広く用いられている．腱板断裂の手術は薬物療法やリハビリテーションなどの保存療法に反応せず，除痛や上肢の機能障害を改善することを目的として行われる．後療法では手術による構造的修復がなされた肩関節に対して，組織の治癒過程を踏まえた機能回復を目的としたアプローチがなされる．

これまでの術後成績は，主として患者の満足度やnumerical scoring chartに基づき評価されてきた．このような臨床的評価に基づく過去の術後成績の報告では，術式によらずほぼ良好な結果が得られており患者の満足度も高い[1]．しかし構造的修復がなされた腱板の治癒状態と肩関節の機能回復が必ずしも一致しないという報告もある[2]．そこで本項では，まず最近の術後フォローアップ研究の結果をもとに術後成績の整理を行った．次に，術式による術後成績に影響を及ぼすと考えられる要因として介入や病態について検討した．最後に，効果的な後療法を実施するための今後の課題について考察した．

表15-1 Medlineにおける検索用語と検索結果

	検索用語	結果
#1	rotator cuff	2,068
#2	tear	6,438
#3	injury	223,092
#4	surgery	679,902
#5	repair	79,717
#6	postoperative treatment	520
#7	rehabilitation	73,865
#8	physical therapy	10,111
#9	physiotherapy	25,166
#10	exercise	60,791
#11	treatment outcome	212,861
#12	#2 or #3	227,323
#13	#1 and #12	1,259
#14	#4 or #5	723,022
#15	#13 and #14	800
#16	#6 or #7 or #8 or #9 or #10	143,851
#17	#15 and #16	156
#18	#11 and #17	62

A. 文献検索方法

文献検索にはMedlineを用いて最近10年間の英語論文を対象に，「rotator cuff」「tear」「injury」「surgery」「repair」「postoperative treatment」「rehabilitation」「physical therapy」「physiotherapy」「exercise」「outcome measure」「outcome assessment」をキーワードに検索した（表15-1）．抽出された論文のなかから本項のテーマと照らし合わせながら文献を絞り込んだ．さらに，検索キーワードにヒットしなかった論文でも必要と思われたものについても適宜加えた．

表15-2 フォローアップ研究のまとめ

著者	術式	例数	平均年齢	断裂範囲	平均経過観察期間	アウトカム測定	平均	優・良
Bennet[6]	関節鏡視下	24	男58歳 女61歳	小〜中	2〜4年	ASES Constant	83 73	
Buess[7]	関節鏡視下 Open/ミニオープン	66 30	53.2歳 48.3歳	小〜広範囲	24.6ヵ月	SST	9.7 8.7	
Sauerbrey[8]	関節鏡視下 ミニオープン	28 26	56歳 57歳	小〜広範囲	33ヵ月	modified ASES	86 89	
Ide[9]	関節鏡視下 直視下	50 50	57歳	小〜広範囲	49ヵ月	UCLA JOA UCLA JOA	32.0 94.0 31.6 92.1	92% 90%
Rebuzzi[10]	関節鏡視下	54	67.7歳	小〜広範囲	27ヵ月	UCLA	30.5	81.4%
Lam[11]	直視下	69	75歳	広範囲	48ヵ月	Constant	63	44%
Jones[12]	関節鏡視下	50	61歳	大・広範囲	32ヵ月	modified UCLA	32.4	88%
Park[13]	関節鏡視下 ミニオープン	42 34	56歳	中・大	39ヵ月	UCLA ASES UCLA ASES	33 95 33 95	87%
Duralde[14]	直視下	25	61歳	広範囲	43ヵ月	ASES	80.1	67%
Youm[15]	関節鏡視下 ミニオープン	42 42	57.9歳 60.0歳	小〜大	35.2ヵ月 37.6ヵ月	UCLA ASES UCLA ASES	33.2 91.1 32.3 90.2	95.2% 97.6%
Baysal[16]	ミニオープン	74	53.2歳	小〜広範囲	12ヵ月	ASES WORC	90.6 87.2	
Severud[1]	関節鏡視下 ミニオープン	35 29	58.7歳 60.8歳	小〜大	44.6ヵ月	UCLA ASES UCLA ASES	32.6 91.7 31.4 90.0	91% 93%

UCLA:合計スコアは35点,ASES,Constant,JOA,WORC:合計スコアは100点。

B. 最近10年間の術後成績の結果

今回採用したフォローアップ研究の取り込み基準は,①MRI,超音波あるいは関節鏡視下による腱板断裂の診断,②棘上筋腱断裂を含んでいること,③直視下法,ミニオープン法あるいは関節鏡視下法による腱板修復術の実施,④関節可動域(ROM)エクササイズや筋力強化などの運動療法を取り入れた後療法の実施,の項目を満たす文献とした。腱板炎,関節炎,脱臼,腫瘍,関節置換術,骨折,リウマチなどの症例が含まれている研究は除外した。

先行研究の多くがUniversity of California-Los Angels scoring system (UCLA), American Shoulder and Elbow Surgeon's Form (ASES), Constant score, Japanese Orthopaedic Association (JOA), Western Ontario Rotator Cuff Index (WORC),主観的満足度といった評価スケールを用いて術後成績を判定した(表15-2)。これらの評価スケールのうち,WORC[3]が病態の変化を的確にとらえる感度が高いといわれている[4,5]。このような評価スケールを用いたフォローアップ研究の結果は,good(良)からexcellent(優)の判定が全体の約90%を占め,多くのケースで疼痛の除去あるいは軽減が得られ,主観的満足度も高いと報告されている。

C. 術後成績の影響要因

後療法の目的としては，手術により修復された部位を保護しつつ癒着が起こらないように可動域を確保し，筋力を回復させ，肩関節機能を改善することになる。そのような観点から，ROMエクササイズや筋力強化エクササイズが行われている。過去の報告では，術後当日から，少なくとも術後5日以内に他動的にROMエクササイズを開始し，次に術後3～6週以内に自動介助ROMエクササイズが導入された。そして自動ROMエクササイズは術後6～9週以内に開始され，筋力強化エクササイズは早くて術後6週からの開始であった。これらエクササイズの開始時期に関して，大きな断裂の場合開始をやや遅くしたり，自動ROMエクササイズの開始を重力下での挙上が90°以上可能を基準としている報告もあるが，次の段階に進むための統一した基準はみられなかった。

過去のフォローアップ研究の結果では，非常に高い満足度が得られ，術後成績の判定も多くの症例で良好であったと報告されたが，一方で不良な例もなかには存在した。そこで術後成績に影響を与える要因に関して，これまでのフォローアップ研究の結果から術式，断裂サイズ，罹病期間，ROM，筋力，腱板の治癒状態という要因をとりあげそれぞれについて整理した。

1. 術式と断裂サイズ

腱板修復術は直視下法やミニオープン法，関節鏡視下法に大別することができる。最近のフォローアップ研究では，術式は術後成績に影響を与えないという見解が得られている[7～9,12]。これは関節鏡視下法の技術進歩や術者の経験が増えたことによるものと考えられている。直視下法やミニオープン法では三角筋に侵襲が加わることから，侵襲部位における痛みが術後の肩関節機能回復に少なからず影響を及ぼすことが危惧される。一方で，侵襲が小さい関節鏡視下法による修復術は癒着の防止や早期の可動域再獲得が可能であること，三角筋の侵襲範囲が小さいため術後の痛みが他の術式と比較して最小限に抑えることができるといった利点が考えられる。

次に断裂サイズに関して，断裂サイズが小さいほうが術後成績は良好であったという報告が多くみられた[9,17]。断裂サイズが大きいと修復された構造の組織治癒が広範囲であることが影響すると考えられる。しかし小断裂でも術後成績が不良な例も存在するという報告[15]もある。Ideら[9]の報告では，大～広範囲断裂のような大きな断裂サイズの場合は，小～中断裂よりも術式にかかわらず術後成績は劣る。Parkら[13]は，中～大断裂に対して関節鏡視下法とmini-直視下法による修復術を行い，その術後成績を比較したところ，関節鏡視下法の術後成績はmini-直視下法と同等であったと報告した。

腱板修復術に加えて，腱板に対する機械的ストレスを取り除くために肩峰下形成術や除圧術を実施することがあるが[18,19]，これらを実施しなくても術後成績に差はないと報告されている[1,20,21]。

2. 罹病期間

腱板断裂の発生メカニズムの1つに腱板そのものの変性を原因とする場合があり，罹病期間が長いと腱板の変性が進み，修復術後の組織治癒の遷延が生じる[22]。その結果，機能回復にも影響を及ぼすことが推測され，罹病期間が長いほうが術後成績は不良傾向であるという報告がある[11]。また，罹病期間が長いと腱板そのものの変性が進んだり，棘上筋などの腱板を構成する筋群の脂肪変性が生じるといわれている。このように筋の脂肪変性などが生じると術後の機能回復に影響を及ぼすことが十分に考えられる。

3. 可動域

　Trenerryら[23]は，術後6週の時点で可動域制限が存在する群と早期に可動域が回復した群を比較したところ，術前では内旋可動域に差があり，術後は24週まで屈曲・外転・外旋・内旋に関して両群に差が認められ，術後12週まで痛みの存在に関しても差があったと報告した。加えて，外転と外旋の可動域に関しては，術後3年の時点でも差が認められたと報告した。罹病期間が長く可動域制限の期間が長いと，関節周辺の構成体の変性だけでなく筋の短縮や線維化といった変性も生じるため，術後の可動域獲得に時間を要する例も存在する。術後成績を判定するアウトカム測定において，可動域が反映される項目としてこれらがあるが，挙上や外旋・内旋そしてこれらの複合関節運動を遂行できる肩関節機能を評価しているものが多くなっている。そのため肩関節特有の大きな可動性の回復には自動可動域の獲得が必要であり，そのためには筋力の回復が重要になる。

4. 腱板治癒状態と機能回復

　先行研究の多くは，腱板修復術後の成績をWORCやASESといった評価スケールを用いてアウトカム測定が行われてきた。術後の患者の満足度は非常に高い報告が多いが，実際に外科的修復された腱板の治癒状態を把握するためにMRIやCTなどの画像所見で判断し，その所見と機能回復の指標としてUCLAやASESといったアウトカム測定との関係が検討されてきた[2,24,25]。Kleppsら[2]は，腱板全層断裂と診断された32名の患者を対象に，術後1年の時点における修復された腱板の治癒状態をMRI所見から評価した。全体の31％（10/32）に再断裂所見がみられるものの，そのうちの8名は「良（good）」あるいは「優（excellent）」の評価判定であった。

　これまでの報告では，腱板修復術後の治癒状態と機能回復の関係については賛否が分かれている[17,24,26,27]。Sperlingら[28]は，50歳以下で腱板全層断裂の修復術を行った患者29名を対象に術後成績の不良要因を検討した。平均16.2年のフォローアップのなかで，痛みの消退は得られているが，ROMや筋力に関しては十分な改善が得られなかったと報告した。Boileauらの報告[24]では，筋力は年齢にある程度依存するが，腱板治癒状態が良好であると年齢が高くても筋力の回復も良好であった。このことから，年齢が高いほど加齢に伴う組織の変性や全身的な筋力低下は生じるが，修復された腱板が適切な治癒過程を踏むことができれば筋力も回復することが可能であることを示唆している。また，Baysalら[16]は，ROMや痛み，機能は術後6ヵ月で有意な回復が認められ，術後1年までその回復は続くと述べた。このような外科的に修復された腱板の治癒状態と機能回復との関連やその推移に関する研究はまだ少なく，コンセンサスが得られるほど議論が十分になされていないが，明らかにすべき研究課題の1つであるといえる。

　腱板の断裂サイズと肩関節機能の関係において，McCabeら[29]は，肩関節10°外転位における外転筋力の患健比は，断裂サイズの間に有意な差が認められ，大断裂と広範囲断裂の群では50％以上の欠損であったと報告した。しかし，肩関節90°外転位の外転筋力は，大断裂や広範囲断裂の群で患健比が大きいものの，断裂サイズ間に統計学的な有意差は認められなかったと報告した。筋力低下は断裂サイズそのものよりも痛みによる抑制が関与しているとする見解もある[30]。事実，腱板断裂の画像所見が認められるにもかかわらず無症候であるケースが存在する[31]。それでは，腱板の断裂サイズと腱板修復術後の筋力の関係はどうなのかという疑問が生じる。Walkerら[32]は，断裂サイズが小断裂と大断裂の2群を対象に，直視下法による腱板修復術後6ヵ月と12ヵ月の時点における肩関節外転・外旋・屈曲の等速性筋力

(60°/秒，180°/秒) を比較した。その結果，術後6ヵ月の肩関節屈曲筋力を除き，両群には有意な差が認められなかった。

以上のことから，腱板修復術後の筋力回復は断裂サイズに大きく影響を受けることはないと推察できる。術後の筋力回復を妨げる要因として，痛みが大きく関与することが示唆されることから，痛みを出さずに可動域の拡大や筋力の回復・再獲得を行い，肩関節全体としての機能回復を図ることがすすめられる。

D. まとめ

- 術後成績のアウトカム測定として，WORCが病態の変化を的確にとらえる感度の高い評価スケールである。
- 腱板修復術の治療成績は，術式によらず良好（良goodから優excellent）であった。
- 術後成績の影響因子として，罹病期間・術前の可動域が関与する。
- 術後成績の影響因子として，断裂サイズについては議論が分かれている。

E. 今後の課題

過去のフォローアップ研究の報告では，良好な術後成績に対して修復腱板の治癒状態と肩関節機能の回復が必ずしも一致していない。これまでの術後成績を比較検討してきたアウトカム測定では，肩関節機能をどれだけ的確に表現しているかという点で妥当性に乏しいという問題がある。安全かつ効果的な後療法を進めるためには，修復腱板の治癒状態を把握しながら適切な肩関節機能の回復を促すアプローチが望まれる。そこで具体的に，外科的に修復された部位の構造的治癒に合わせた機能回復アプローチを進めるうえで，いつ，どの程度の負荷をかけてもよいのか，という疑問が生じる。このような疑問に答えるためには，現時点において根拠となる研究報告が不足しているというのが現状である。その理由として，妥当性のあるアウトカム測定が確立されていないこと，腱板断裂に対する介入の適切な方法が確立されていないこと，適切な実験デザインによる臨床試験に関する報告がないことがあげられる[33,34]。まずは妥当性のあるアウトカム測定を確立することが，適切かつ効果的な介入方法の提示や臨床試験の実践につながるといえる。今後求められる妥当性のあるアウトカム測定とは，組織の治癒回復をとらえつつ関節機能としての回復を評価するような病態運動学的評価の確立といえる。

後療法の目的は，外科的に修復された部位を保護しつつ癒着が起こらないように可動域を確保し，筋力回復させ挙上動作といった上肢機能を改善させることである。保存療法では，二次的損傷を起こさないように残存機能で損傷部位へのストレスを回避したり，その機能を代償したりすることが重要になる。一方，後療法においても，外科的に修復された部位を保護しつつ適切な治癒過程を経るために残存機能による代償や補助といった機能のサポートが必要になる。加えて，修復部位の構造的治癒に合わせた機能回復アプローチを進めることが望ましいといえる。

以上のことから今後の課題として，構造的治癒と機能回復の関係を把握するための病態運動学的評価の確立があげられる。

文 献

1. Severud EL, Ruotolo C, Abbott DD, Nottage WM. All-arthroscopic versus mini-open rotator cuff repair: A long-term retrospective outcome comparison. *Arthroscopy*. 2003; 19: 234-8.
2. Klepps S, Bishop J, Lin J, Cahlon O, Strauss A, Hayes P, Flatow EL. Prospective evaluation of the effect of rotator cuff integrity on the outcome of open rotator cuff repairs. *Am J Sports Med*. 2004; 32: 1716-22.
3. Kirkley A, Alvarez C, Griffin S. The development and evaluation of a disease-specific quality-of-life questionnaire for disorders of the rotator cuff: The Western Ontario Rotator Cuff Index. *Clin J Sport*

Med. 2003; 13: 84-92.
4. Holtby R, Razmjou H. Measurement properties of the Western Ontario rotator cuff outcome measure: a preliminary report. *J Shoulder Elbow Surg.* 2005; 14: 506-10.
5. Razmjou H, Bean A, van Osnabrugge V, MacDermid JC, Holtby R. Cross-sectional and longitudinal construct validity of two rotator cuff disease-specific outcome measures. *BMC Musculoskelet Disord.* 2006; 7: 26.
6. Bennett WF. Arthroscopic repair of full-thickness supraspinatus tears (small-to-medium): A prospective study with 2- to 4-year follow-up. *Arthroscopy.* 2003; 19: 249-56.
7. Buess E, Steuber KU, Waibl B. Open versus arthroscopic rotator cuff repair: a comparative view of 96 cases. *Arthroscopy.* 2005; 21: 597-604.
8. Sauerbrey AM, Getz CL, Piancastelli M, Iannotti JP, Ramsey ML, Williams GR Jr. Arthroscopic versus mini-open rotator cuff repair: a comparison of clinical outcome. *Arthroscopy.* 2005; 21: 1415-20.
9. Ide J, Maeda S, Takagi K. A comparison of arthroscopic and open rotator cuff repair. *Arthroscopy.* 2005; 21: 1090-8.
10. Rebuzzi E, Coletti N, Schiavetti S, Giusto F. Arthroscopic rotator cuff repair in patients older than 60 years. *Arthroscopy.* 2005; 21: 48-54.
11. Lam F, Mok D. Open repair of massive rotator cuff tears in patients aged sixty-five years or over: is it worthwhile? *J Shoulder Elbow Surg.* 2004; 13: 517-21.
12. Jones CK, Savoie FH 3rd. Arthroscopic repair of large and massive rotator cuff tears. *Arthroscopy.* 2003; 19: 564-71.
13. Park JY, Yoo MJ, Kim MH. Comparison of surgical outcome between bursal and articular partial thickness rotator cuff tears. *Orthopedics.* 2003; 26: 387-90, discussion 390.
14. Duralde XA, Bair B. Massive rotator cuff tears: the result of partial rotator cuff repair. *J Shoulder Elbow Surg.* 2005; 14: 121-7.
15. Youm T, Murray DH, Kubiak EN, Rokito AS, Zuckerman JD. Arthroscopic versus mini-open rotator cuff repair: a comparison of clinical outcomes and patient satisfaction. *J Shoulder Elbow Surg.* 2005; 14: 455-9.
16. Baysal D, Balyk R, Otto D, Luciak-Corea C, Beaupre L. Functional outcome and health-related quality of life after surgical repair of full-thickness rotator cuff tear using a mini-open technique. *Am J Sports Med.* 2005; 33: 1346-55.
17. Park JY, Chung KT, Yoo MJ. A serial comparison of arthroscopic repairs for partial- and full-thickness rotator cuff tears. *Arthroscopy.* 2004; 20: 705-11.
18. Flatow EL, Soslowsky LJ, Ticker JB, Pawluk RJ, Hepler M, Ark J, Mow VC, Bigliani LU. Excursion of the rotator cuff under the acromion. Patterns of subacromial contact. *Am J Sports Med.* 1994; 22: 779-88.
19. Soyer J, Vaz S, Pries P, Clarac JP. The relationship between clinical outcomes and the amount of arthroscopic acromial resection. *Arthroscopy.* 2003; 19: 34-9.
20. Gartsman GM, O'Connor DP. Arthroscopic rotator cuff repair with and without arthroscopic subacromial decompression: a prospective, randomized study of one-year outcomes. *J Shoulder Elbow Surg.* 2004; 13: 424-6.
21. McCallister WV, Parsons IM, Titelman RM, Matsen FA 3rd. Open rotator cuff repair without acromioplasty. *J Bone Joint Surg Am.* 2005; 87: 1278-83.
22. Mellado JM, Calmet J, Olona M, Esteve C, Camins A, Perez Del Palomar L, Gine J, Sauri A. Surgically repaired massive rotator cuff tears: MRI of tendon integrity, muscle fatty degeneration, and muscle atrophy correlated with intraoperative and clinical findings. *AJR Am J Roentgenol.* 2005; 184: 1456-63.
23. Trenerry K, Walton JR, Murrell GA. Prevention of shoulder stiffness after rotator cuff repair. *Clin Orthop Relat Res.* 2005; 430: 94-9.
24. Boileau P, Brassart N, Watkinson DJ, Carles M, Hatzidakis AM, Krishnan SG. Arthroscopic repair of full-thickness tears of the supraspinatus: does the tendon really heal? *J Bone Joint Surg Am.* 2005; 87: 1229-40.
25. Jost B, Pfirrmann CW, Gerber C, Switzerland Z. Clinical outcome after structural failure of rotator cuff repairs. *J Bone Joint Surg Am.* 2000; 82: 304-14.
26. Grondel RJ, Savoie FH 3rd, Field LD. Rotator cuff repairs in patients 62 years of age or older. *J Shoulder Elbow Surg.* 2001; 10: 97-9.
27. Posada A, Uribe JW, Hechtman KS, Tjin ATEW, Zvijac JE. Mini-deltoid splitting rotator cuff repair: do results deteriorate with time? *Arthroscopy.* 2000; 16: 137-41.
28. Sperling JW, Cofield RH, Schleck C. Rotator cuff repair in patients fifty years of age and younger. *J Bone Joint Surg Am.* 2004; 86: 2212-5.
29. McCabe RA, Nicholas SJ, Montgomery KD, Finneran JJ, McHugh MP. The effect of rotator cuff tear size on shoulder strength and range of motion. *J Orthop Sports Phys Ther.* 2005; 35: 130-5.
30. Ben-Yishay A, Zuckerman JD, Gallagher M, Cuomo F. Pain inhibition of shoulder strength in patients with impingement syndrome. *Orthopedics.* 1994; 17: 685-8.
31. Sher JS, Uribe JW, Posada A, Murphy BJ, Zlatkin MB. Abnormal findings on magnetic resonance images of asymptomatic shoulders. *J Bone Joint Surg Am.* 1995; 77: 10-5.
32. Walker SW, Couch WH, Boester GA, Sprowl DW. Isokinetic strength of the shoulder after repair of a torn rotator cuff. *J Bone Joint Surg Am.* 1987; 69: 1041-4.
33. Ejnisman B, Andreoli CV, Soares BG, Fallopa F, Peccin MS, Abdalla RJ, Cohen M. Interventions for tears of the rotator cuff in adults. *Cochrane Database Syst Rev.* 2004; 1: CD002758.
34. Green S, Buchbinder R, Glazier R, Forbes A. Systematic review of randomised controlled trials of interventions for painful shoulder: selection criteria, outcome assessment, and efficacy. BMJ. 1998; 316: 354-60.

〔吉田　真〕

第4章
投球障害肩

　投球障害肩においては，バイオメカニクス，疫学，疾病分類と病態，保存療法について4つの側面からレビューをいただいた。バイオメカニクスでは，酒井先生に投球相の定義とその運動学的，運動力学的特徴をまとめていただいた。論文により投球相の分類にやや違いがあるため，活かし方の統一性を図る必要があると結論された。筋電図学的発表も含めた身体全体の運動をフィールドや臨床現場に還元する具体的展開が問われている。疫学についてのレビューは竹内先生に執筆いただいた。発生頻度についてまとめていただき，肩障害は関節唇，関節包，筋などの関節構成体に生ずる機能破綻だと推測されている。また外因性要因として投球数や変化球の可能性を示唆した。ROMでは外旋可動域増大と肩甲骨アライメントの特徴や投球肩では，後方張力が増大しているという興味を引かれるレビューであった。次に岩本先生から，疾病分類と病態に関してまとめられ議論の余地はあるが，病態学説では，牽引張力，peel-backメカニズム，インピンジメント症候群などに分類され，解剖学的には関節唇病変，腱板病変，Bennett病変などと分類される。小西先生には投球障害肩の保存療法についてまとめていただいた。各機能別障害特性として，関節可動域，筋力，固有受容感覚，弛緩性の特徴をまとめていただき，リハビリテーションプログラムを相別に記載いただいた。

　投球障害肩では障害原因に投球のメカニズムが関連していることが明らかになってきている。換言すると動き方が障害の原因となっている可能性が高い。外傷ではその逆に動き方は「結果」ととらえられるケースであるため，この分類は非常に重要である。関節そのものに影響を少なくする方法は，詳細な分析をする必要性を述べていただいた感がある。パワーフローを含めて，今後この分析はさらに進んでいくことになるであろうと予測される。しかしながら，同時にどのようにすれば投球障害を防げるかについては，明確には記載されてはいなかったことも現実である。肩関節についてのマクロ的な分析とともに，投球パフォーマンスの向上や投球障害予防についての具体的な策については，今後の研究結果が待たれるということである。この現実を踏まえていただき，読者，著者ともにこの追及に尽力を注いでいただければ幸甚である。

第4章編集担当：福井　　勉

16. 投球のバイオメカニクス

はじめに

　投球障害肩とは病態診断名ではなく，各種病態を総称したものである．投球動作では，身体のあらゆる部分が何らかの形で運動エネルギーの伝達に関与し，最終的にボールにエネルギーを効率よく伝達させている．

　投球動作の分析は，投球障害肩の評価を行ううえで重要であることは周知の通りである．しかし，投球動作分析に関する諸家の報告をみると，投球相の分類や解析方法はさまざまである．したがって，最初に投球相の分類に関する報告を，次におのおのが定義した投球相でのバイオメカニクスに関する報告をまとめる．

A. 文献検索方法

　文献検索には，「throwing」「biomechanics」「base ball」をキーワードに，検索エンジンとしてPubMed，Science Direct，メディカルオンライン，PeDro，m3.comなどを使用した．

B. 投球相の定義

　Pappasら[1]は，投球動作をcocking phase（コッキング相），acceleration phase（加速相），follow-through phase（フォロースルー相）の3相に大別した．cocking phaseはワインドアップ（投球開始〜グローブからボールが離れる瞬間）から肩関節最大外旋位まで，acceleration phaseは肩関節最大外旋位からボールリリースまで，follow-through phaseは，ボールリリースから投球動作終了までと分類した．

　MacWillamsら[2]は，投球動作と床反力に着目し，maximal anterior push-off force, initial foot contact, maximal external shoulder rotation, ball release, follow throughの5相に大別した．

　Glousmanら[3]は，投球動作中の動的筋電図解析に着目し，wind up, early cocking, late cocking, acceleration, follow-throughの5相に大別した．wind upは投球側上肢を屈曲して両手でボールを把持した時点，early cockingは非投球側手から離れる際に肩関節が外転・外旋する時点，late cockingは前方の下肢がグラウンドに接地してから肩関節最大外旋位になるまで，accelerationは肩関節最大外転・外旋位からボールが指から離れるまで，follow-throughは胸部に対して投球側上肢屈曲・肩関節内旋が終了するまでと定義した．

　Fleisigら[4,5]は，wind up（ワインドアップ期），stride（ストライド期），arm cocking（コッキング期），arm acceleration（加速期），arm deceleration（減速期），follow-through（フォロースルー期）の6相に大別した（**図16-1**）．

　Wightら[6]は，stride phase, arm cocking phase, arm acceleration phase, follow-throughの4相に大別した．

　その他にもさまざまな分類があるが，主に投球動作のワインドアップからフォロースルーまでの間を細かく分類する傾向がみられた．

第4章 投球障害肩

図16-1 Fleisigらによる6相に分類された投球動作（文献5より作図）

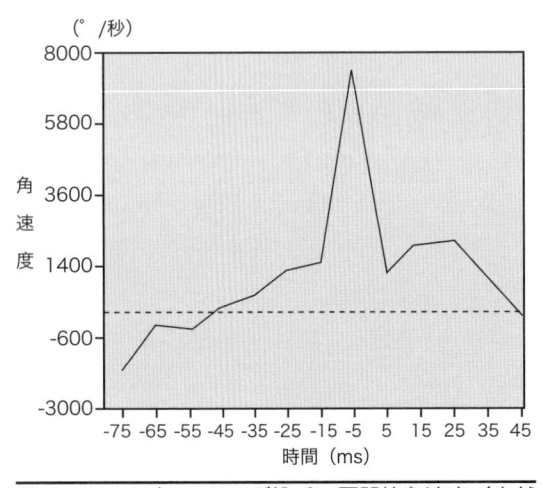

図16-2 メジャーリーグ投手の肩関節角速度（文献1より引用）

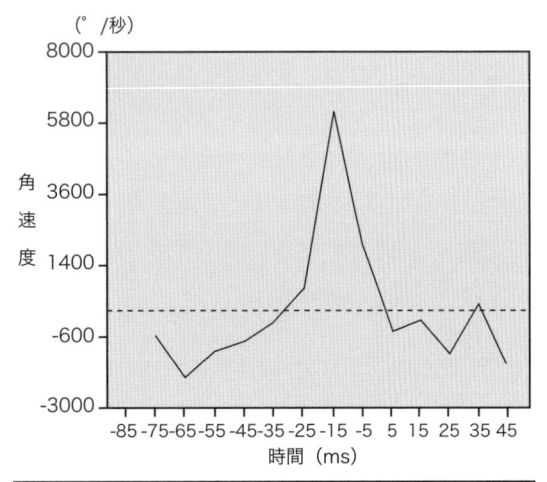

図16-3 メジャーリーグ投手の肘関節角速度（文献1より引用）

C. 投球相のバイオメカニクス

Pappasら[1]は，メジャーリーグの投手15名を対象として，2台の高速度カメラを用いて，2方向から動画撮影法により撮影した。コッキング期はおよそ1,500ミリ秒（全投球動作の80％近く）で行われ，加速期はおよそ50ミリ秒（全投球動作中の2％）で行われ，フォロースルー期はおよそ350ミリ秒（全投球動作中の18％）で行われるとした。加速期で最大角速度の平均が，肩関節内旋で6,180°/秒，肘関節伸展で4,595°/秒だった（図16-2，図16-3）。加速期で，リリー

スまでの間に4つの重要な動作がある。ボールリリースの20ミリ秒前に，手関節は背屈位から掌屈しはじめ，リリース時に中間位で終わる。ボールリリースの15ミリ秒前に，肘関節伸展の角速度は最大となり，10ミリ秒前に橈骨の回内がはじまり，リリース時に前腕は90°回内位になる。ボールリリースの5ミリ秒前に，肩関節内旋の角速度は最大になる。また，メジャーリーグの投手は加速期が速いため，非投球側下肢接地からリリースまでの時間が非常に短いと報告した。

Feltnerら[7]は，アメリカの大学代表チームの投手8名を対象として三次元映像解析法を用い，

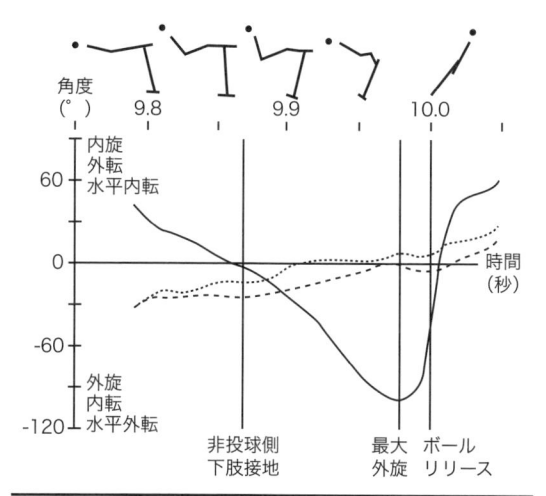

図16-4 投球時の肩関節角度（文献7より引用）
実線は内旋/外旋，破線は外転/内転，点線は水平内転/水平外転を示す。

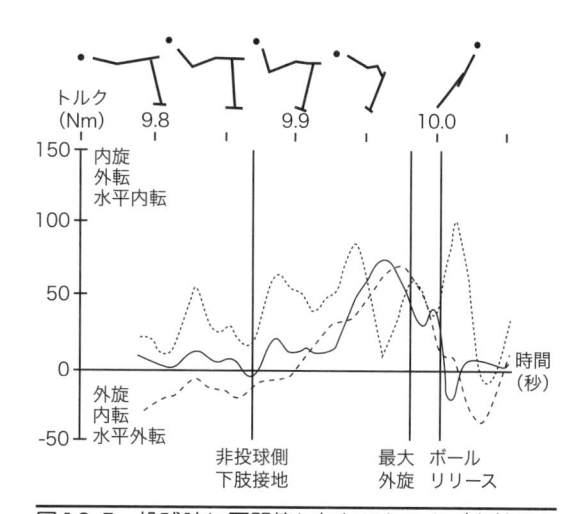

図16-5 投球時に肩関節に加わるトルク（文献7より引用）
実線は内旋/外旋，破線は外転/内転，点線は水平内転/水平外転を示す。

表16-1 各レベル間の運動学的パラメータの違い（文献5より引用）

		ユース（23例）	高校生（33例）	大学生（115例）	プロ（60例）	有意差
非投球側下肢接地	ストライド長（%身長）	85±8	85±9	85±6	86±5	
	外旋（°）	67±28	64±25	55±29	58±26	
	肘屈曲（°）	74±17	82±17	85±18	87±15	*（b, c）
	膝屈曲（°）	43±12	50±9	48±12	46±8	
コッキング期	最大骨盤速度（秒）	650±110	640±90	670±90	620±80	**（f）
	最大上肢速度（秒）	1,180±110	1,130±110	1,190±100	1,200±80	**（a, d, e）
	最大肘屈曲（°）	95±12	100±14	99±15	98±15	
	最大水平内転（°）	21±8	20±9	20±8	17±9	
	最大外旋（°）	177±12	174±9	173±10	175±11	
加速期	最大肘伸展速度（秒）	2,230±300	2,180±340	2,380±300	2,320±300	**（b, d, e）
	最大内旋速度（秒）	6,900±1,050	6,820±1,380	7,430±1,270	7,240±1,090	*（d）
ボールリリース期	肘屈曲（°）	24±7	23±7	23±6	23±5	
	水平内転（°）	11±9	10±8	9±9	9±10	
	体幹傾斜（°）	32±9	31±9	33±10	33±9	
	膝屈曲（°）	36±11	43±13	39±13	38±13	
	球速（m/s）	28±1	33±2	35±2	37±2	**（a, b, c, d, e, f）

a：ユース対高校生，b：ユース対大学生，c：ユース対プロ，d：高校生対大学生，e：高校生対プロ，f：大学生対プロ，における有意差（p＜0.05）．*：4群のなかでp＜0.05，**：4群のなかでp＜0.01．

肩・肘関節にかかる力とトルクを計測した．その結果，stride foot contact時に肩関節に水平内転トルクが生じ，外旋運動が引き起こされ，水平内転トルクの出現後，肩関節に外転・内旋トルクが，肘関節に内反トルクが生じていた（**図16-4**，**図16-5**）．

Fleisigら[5]は，10歳代ユース23名，高校生33名，大学生115名，プロ投手60名を対象とし，運動学的パラメータ16項目（肢位について11項目と速度について5項目），動力学的パラメータ

表16-2 各レベル間の動力学的パラメータの違い（文献5より引用）

		ユース（23例）	高校生（33例）	大学生（115例）	プロ（60例）	有意差
アームコッキング相	肘内反トルク（Nm）	28±7	48±13	55±12	64±15	** (a,b,c,d,e,f)
	肩内旋トルク（Nm）	30±7	51±13	58±12	68±15	** (a,b,c,d,e,f)
	肩前方力（N）	210±60	290±70	350±70	390±90	** (a,b,c,d,e,f)
加速相	肘屈曲トルク（Nm）	28±7	45±9	52±11	58±13	** (a,b,c,d,e,f)
減速相	肘近位力（N）	400±100	630±140	770±120	910±140	** (a,b,c,d,e,f)
	肩近位力（N）	480±100	750±170	910±130	1,070±190	** (a,b,c,d,e,f)
	肩後方力（°）	160±70	280±100	350±160	390±240	** (a,b,c,d,e)
	肩水平内転トルク（Nm）	40±14	69±25	89±49	109±85	** (b,c,e,f)

a：ユース対高校生，b：ユース対大学生，c：ユース対プロ，d：高校生対大学生，e：高校生対プロ，f：大学生対プロ，における有意差（p＜0.05）。*：4群のなかでp＜0.05，**：4群のなかでp＜0.01．

表16-3 各レベル間の時系列的パラメータの違い（文献5より引用）

	ユース（23例）	高校生（33例）	大学生（115例）	プロ（60例）
最大骨盤角速度（%pitch）	37±16	39±20	34±18	34±14
最大上肢角速度（%pitch）	49±11	50±11	51±11	52±7
最大外転（%pitch）	80±6	81±5	81±5	81±5
最大肘角速度（%pitch）	92±3	91±3	91±5	91±4
ボールリリース（秒）	0.150±0.025	0.150±0.020	0.145±0.020	0.145±0.015
最大内転角速度（%pitch）	103±2	102±3	102±5	102±4

有意差なし．

8項目，時系列的パラメータ6項目を計測し，対象の4レベル間で比較した．運動学的肢位パラメータ11項目のうち非投球側下肢接地時の肘屈曲角度で有意差がみられ，運動学的速度パラメータ5項目すべてに有意差がみられた（**表16-1**）．また，動力学的パラメータ8項目すべてに正の相関がみられ（**表16-2**），時系列的パラメータ6項目はすべて有意差がみられなかった（**表16-3**）．

近年，投球動作の解析において，上肢以外の体節についても注目されつつある．Wightら[6]は，20名の投手（大学生11名，高校生9名）の骨盤回旋パターンを検討し，これらの要素に相関関係が存在するかを検証した．この時の骨盤回旋角度は，stride foot contact時に，投手プレートとホームプレートを通る直線と，両上前腸骨棘を結んだ直線がなす角度とした．そして，骨盤回旋角度が30°以上の5名を「early rotators」，30°未満の上位5名を「late rotators」とした．early rotatorsとlate rotatorsで，骨盤回旋角度，肩関節外旋角度，最大骨盤回旋角速度の時間，最大骨盤角速度時の骨盤位置，振り出す下肢の膝関節伸展角速度において有意差がみられた．また，stride foot contact時の骨盤の向きで，アームコッキング・骨盤回旋のタイミング・投球動作時間が決定する．stride foot contactの際に，骨盤が開いた状態だとstride foot contact時の肩関節外旋角度は増大，骨盤回旋角速度は早期に最大なり，投球動作時間が短縮する（**図16-6**，**図16-7**）．

D. まとめ

投球動作分析の研究はさまざまな視点から行われ，着目点の違いにより，投球相の分類にも違いがある．Pappasらは，コッキング相，加速相，

16. 投球のバイオメカニクス

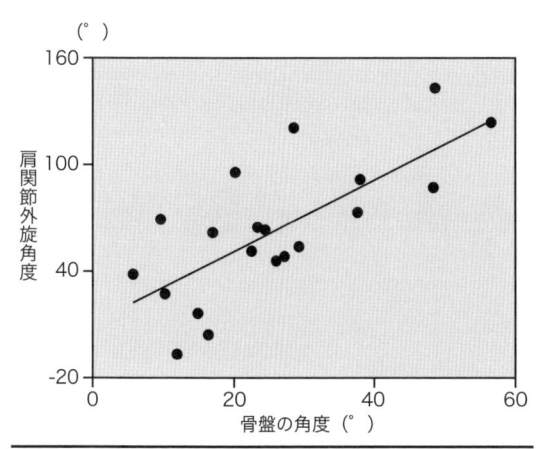

図16-6　骨盤の向きと肩関節外旋角度（文献6より引用）

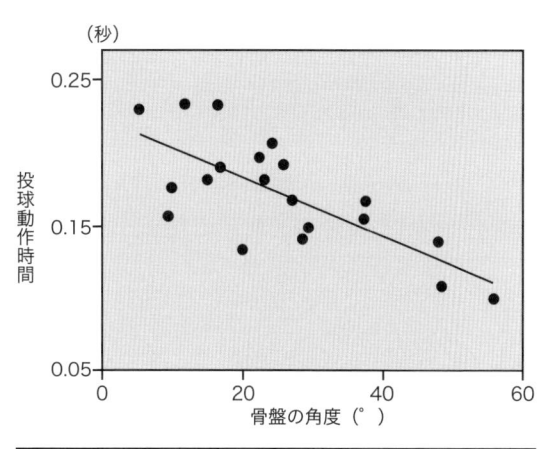

図16-7　骨盤の向きと投球動作時間（文献6より引用）

フォロースルー相の3相，Wightらは，ストライド相，アームコッキング相，アーム加速相，フォロースルーの4相，MacWilliamsらは，maximal anterior push-off force, initial foot contact, maximal external shoulder rotation, ボールリリース，フォロースルーの5相，Glousmanらは，ワインドアップ，早期コッキング，後期コッキング，加速，フォロースルーの同じく5相に，Fleisigらは，ワインドアップ，ストライド，アームコッキング，アーム加速，アーム減速，フォロースルーの6相に大別した。したがって，投球相の分類を統一することで，研究・臨床・フィールドの各現場間で基礎知識の共有・情報交換などができることが望ましいと考える。そのためには，どういった相の分類がよいのかを検討する必要がある。

　また，投球動作分析の研究には，高速度カメラや三次元動作解析器を用いているものがほとんどである。臨床の場やスポーツ現場などでは，そのような機器を用いて評価することは困難な場合が多い。したがって，現場でできる簡便な投球動作分析法の報告も今後期待したい。

文　献

1. Pappas AM, Zawacki RM, Sullivan TJ. Biomechanics of baseball pitching. A preliminary report. *Am J Sports Med*. 1985; 13: 216-22.
2. MacWilliams BA, Choi T, Perezous MK, Chao EY, McFarland EG. Characteristic ground-reaction forces in baseball pitching. *Am J Sports Med*. 1998; 26: 66-71.
3. Glousman R, Jobe F, Tibone J, Moynes D, Antonelli D, Perry J. Dynamic electromyographic analysis of the throwing shoulder with glenohumeral instability. *J Bone Joint Surg Am*. 1988; 70: 220-6.
4. Fleisig GS, Barrentine SW, Zheng N. Kinematic and kinetic comparison between baseball pitching and football passing. *J Appl Biomech*. 1996; 12: 207-24.
5. Fleisig GS, Barrentine SW, Zheng N, Escamilla RF, Andrews JR. Kinematic and kinetic comparison of baseball pitching among various levels of development. *J Biomech*. 1999; 32: 1371-5.
6. Wight J, Richards J, Hall S. Influence of pelvis rotation styles on baseball pitching mechanics. *Sports Biomech*. 2004; 3: 67-83.
7. Feltner M, Dapena J. Dynamics of the shoulder and elbow joints of the throwing arm during a baseball pitch. *Int J Sport Biomech*. 1986; 2: 235-59.

（酒井　健児）

17. 疫　学

はじめに

オーバーユース障害に分類される投球障害肩を考えるうえで前提となることは，野球選手は，最適なスポーツ・パフォーマンスを達成するため，肩関節において易動性と安定性との間で繊細なバランスを達成しなければならない，ということである。これをWilkら[1]は，「thrower paradox」と称している。

オーバーヘッド動作を反復して繰り返すスポーツ選手にとって，肩の障害は選手生命を左右する問題であり，その予防は，パフォーマンス向上のための肩関節の易動性と，最低限の安定性というバランスの獲得に帰着する可能性がある。

本項では，まず野球におけるスポーツ損傷（外傷・障害）の発生の頻度について，次に肩障害の原因となる要因についての理解につながるように，主に投手の正常な肩機能が有している関節可動域・筋力・関節のゆるみ・深部感覚についての身体順応変化の報告をまとめた。

A. 文献検索方法

文献検索にはPubMedを使用した。検索用語と検索結果は**表17-1**に示した。

表17-1　検索用語とヒット件数

検索用語	件数
baseball injury	652件
throwing shoulder	362件
overhead injury	385件

B. 発生頻度

過去にさまざまな研究者が，若い野球選手（リトルリーガー・高校生）を対象として障害調査した結果をLymanとFleisig[2]がまとめた（**表17-2**）。これらの結果は，投球障害肩だけではなく，ベースランニングの際の捻挫や，デッドボールでの打撲なども含まれている。各調査において年齢・調査方法が異なるため，調査結果に差がみられる。

病院を訪れた人数での調査では，野球における損傷発生頻度（100選手あたりの障害人数）は2％以下と報告されている[3〜5]。多くの選手が医療機関を受診しないで，個人で対処していることが多いことも考えられ，実際の障害頻度はもっと多いと思われる。これまでの報告をまとめると，ばらつきはあるが，100選手あたりの損傷発生人数は10％前後であると判断できる。リトルリーガーと高校生を比較すると，わずかに高校生で損傷発生率は高いように思われるが，有意な差ではない。

選手が野球をした回数（試合・練習）を分母として，その1,000回あたりの損傷発生率をまとめた統計結果[6,7]では，リトルリーガー0.17％・高校生0.18％と同様の結果となっており，実際の野球における損傷発生率を示しているといえる。

続いて，上肢のオーバーユース障害頻度を調査したものにLymanら[8]の報告がある。この調査は2シーズンにわたり，298人（平均年齢10.8±1.2歳）の若い投手を対象に実施したもの

17. 疫 学

表17-2 野球における損傷発生頻度（文献2より引用）

	発表者（発表年）	観察期間（年）	研究方法	データソース	対象者	損傷件数	発生率*
ユース	Hale（1960）	5	後ろ向き調査	保険記録	771,810	15,444	2.0
	Chambers（1979）	1	前向き調査	調査	740	2	0.27
	Zaricznyjら（1980）	1	後ろ向き調査	調査	137	13	9.5
	Pasternackら（1996）	1	前向き調査	調査	2,861	81	2.8
	Chengら（2000）	2	前向き調査	救急室の記録	64,075[a]	76	0.74[b]
	Radeletら（2002）	2	前向き調査	調査	534	117	0.17[c]
	Marshallら（2003）	3	後ろ向き調査	保険記録	6,744,240[d]	4,233	0.62[e]
高校生	Garrickら（1978）	2	前向き調査	調査	249	46	0.18[c]
	Grana（1979）	1	後ろ向き調査	調査	1,969	29	1.47
	Loweら（1987）	1	後ろ向き調査	調査	256	3	1.22
	Martinら（1987）	1[f]	前向き調査	調査	148	8	5.4
	McLainら（1989）	1	前向き調査	調査	68	10	15.0
	Durantら（1992）	1	前向き調査	調査	108	21	19.4
	Powellら（2000）	3	前向き調査	監視制度	2.167	861	13.2

過去の野球における損傷発生率をまとめたもの。研究によりばらつきがあるが、医療機関を利用したデータは、実際の損傷発生率よりも低値を示していると考えられ、100人あたり10％程度が妥当である考えられる。

* 発生率：ことわりのないかぎり100 athleteあたり。[a]：救急室を訪れた10〜19歳、[b]：10〜19歳の1,000人あたり、[c]：1,000 athlete-exposures、[d]：経過観察3年間のシーズンでの数、[e]：1,000 athlete-seasons、[f]：1回の高校野球のトーナメント。

表17-3 高校スポーツ別の損傷発生頻度（文献9より引用）

	男子					女子				
	野球	バスケットボール	フットボール	サッカー	レスリング	野球	ホッケー	ソフトボール	サッカー	バレーボール
報告損傷数	861	1933	10,557	1,765	2,910	1,748	510	910	1,771	601
受傷人数	765	1,538	7,310	1,521	2,166	1,399	442	785	1,442	628
人数/100 players	11.8	22.5	34.6	20.2	26.7	23.0	15.8	14.4	25.6	14.9
発生率/100 players	13.2	28.3	50.0	23.4	35.9	28.7	18.2	16.7	31.4	14.2
発生率/1,000 athlete-exposures	2.8	4.8	8.1	4.6	5.6	4.4	3.7	3.5	5.3	1.7

野球をはじめとするノンコンタクトスポーツはコンタクトスポーツと比較して損傷発生頻度は低い。

で、その結果は、肩に痛みを感じたことのある人が32％であった。これに、肩同様に投球障害と考えられる肘の痛みを含めると、投手の約半数もの人が投球動作により上肢に痛みを感じた経験をもっていると報告された。

JohnとKim[9]は各スポーツにおける高校生の損傷発生結果をまとめた（**表17-3**）。アスレティックトレーナが作成したレポートをもとに統計処理したものであり、調査期間は3年間である。野球における損傷発生率は他のスポーツと比較すると低値となっており、接触型スポーツと比較すると非接触型スポーツである野球は損傷発生頻度が低かった。

一般的に野球は骨折など大きなケガが少なく比較的安全とされているスポーツである。一方、Lymanら[8]の報告のように、重篤な肩障害にい

表17-4 内因性要因と肘・肩の痛みの発生率とのオッズ比（文献8より抜粋して引用）

項　目		肘痛オッズ比 （95％信頼区間）	p	肩痛オッズ比 （95％信頼区間）	p
年齢（平均10.8歳）	10歳未満	対象	0.02[a]	対象	0.13[a]
	10歳	1.66（0.71, 3.88）		0.55（0.29, 1.03）	
	11歳	2.60（0.99, 6.81）		0.68（0.28, 1.65）	
	12歳以上	2.91（1.14, 7.41）		0.41（0.14, 1.15）	
体重（平均39.3 kg）	32.2 kg未満	対象	＜0.01[a]	対象	0.87[a]
	32.2〜38.5 kg	1.31（0.57, 3.01）		1.30（0.63, 2.66）	
	39.0〜45.0 kg	4.11（1.71, 9.86）		1.18（0.54, 2.57）	
	45.8 kg以上	5.39（1.74, 16.70）		0.94（0.33, 2.70）	
身長（平均145.3 cm）	140 cm未満	対象	0.04[a]	対象	0.07[a]
	140〜147.3 cm	0.79（0.35, 1.82）		1.15（0.52, 2.52）	
	150.0〜152.4 cm	0.45（0.17, 1.19）		2.26（0.83, 6.15）	
	155.0 cm以上	0.35（0.12, 0.99）		3.59（1.10, 11.69）	

[a]：直接トレンドテスト。
肩関節の障害発生率と内因性要因との間には有意な相関はなかった。同様の上肢の障害である肘関節に関しては有意な相関が認められた。

たる可能性のある危険因子は半数もの人が保有している。

水泳・テニス・アメフトでも半数程度またはそれ以上の割合で肩の痛みを訴えており[10〜12]，競技の種類を問わず，オーバーヘッド動作を繰り返すスポーツ選手にとって，この問題は共通のものと考えられる。

C. 内因性要因

Lymanら[8]によると，12歳以下の投手では，内因性要因である年齢・身長・体重の各要素は，肩の痛みとの有意な相関関係を示さなかった（**表17-4**）。しかし，身長と肩の痛みの発生率とは高い相関であったといえる。

同様にオーバーユース障害と考えられる肘の痛みに関しては，身長・年齢・体重との間に有意な相関がみられた。これは，骨の成人化が関係していると考えられ，肩・肘の痛みとX線変化を調査した結果では，肘のX線変化は60％以上に認め

られたが，肩についてはほぼ0％に近い値であったという報告もある[2]。このことから，肩障害は関節唇・関節包・筋などの関節構成体に起こっていることが非常に多く，かつ関節機能の破綻が原因と推測される。

D. 外因性要因

1. 環境要因

投球障害と環境要因（投球数・球種）に関する報告としては，14歳までの投手476名を対象としたLymanら[13]の研究がある。

1試合あたりの投球数と肩の痛みとのオッズ比では，投球数増加に伴い有意に肩の痛みの発生率が高くなっていた（**表17-5**）。また，肩の痛みと1シーズンを通しての試合における通算投球数との間には，200球以下と比較して，400球以上では約2.5倍，600球以上では約3倍となっており，投球数の増加と肩の痛みとは有意な相関を示した（**表17-6**）。これは，投球疲労による肩の機能ア

17. 疫　学

表17-5　1試合における投球数と関節の痛みとの関係（文献13より引用）

1試合の投球数		出現数	肘		肩	
			オッズ比	p	オッズ比	p
全体	1〜24	1,023	対象	0.07	対象	<0.01
	25〜49	1,060	1.03		1.15	
	50〜74	992	1.21		1.23	
	75〜99	476	1.35		1.52	
	100以上	238	1.44		1.77	
9〜10歳	1〜24	430	対象	0.67	対象	0.01
	25〜49	373	1.20		0.97	
	50〜74	346	1.40		1.11	
	75〜99	149	0.91		1.32	
	100以上	90	1.33		2.01	
11〜12歳	1〜24	319	対象	0.60	対象	0.94
	25〜49	353	0.84		0.98	
	50〜74	319	0.83		1.10	
	75〜99	164	1.30		1.14	
	100以上	70	0.87		0.76	
13〜14歳	1〜24	274	対象	0.06	対象	0.02
	25〜49	334	1.12		1.51	
	50〜74	327	1.38		1.65	
	75〜99	163	1.59		2.17	
	100以上	78	2.22		2.15	

投球数の増加に伴い肘関節の障害発生率は有意な相関はないが，肩関節に関しては有意に危険が増加していた．

ンバランスや肩に対する異常ストレスの反復刺激によるものと考えられる．

　球種と肩の痛みの関係では，カーブを使用することでストレートと比較して約1.5倍の肩の痛みを訴えたと報告されていた（**表17-7**）．スライダーやチェンジアップとは相関は示さなかった．

2. 関節可動域

　肩甲上腕関節の回旋可動域を調査したものにDownarとSauers[14]の報告がある．これは肩に痛みのないプロ野球選手27名を対象とし，投球側・非投球側における肩甲上腕関節の内外旋可動域（肩関節90°外転位）をまとめたものである．

表17-6　1シーズンにおける投球数と関節の痛みとの関係（文献13より引用）

1シーズンにおける投球数	出現数	肘		肩	
		オッズ比	p	オッズ比	p
1〜200	2,126	対象	<0.01	対象	<0.01
201〜400	957	1.63		1.65	
401〜600	460	2.81		2.34	
601〜800	194	3.34		2.90	
800以上	52	2.61		3.29	

投球数の増加に伴い，肘関節・肩関節ともに障害発生率は有意に増加していた．

第4章 投球障害肩

表17-7 球種と肩の痛みのとの関係（文献13より引用）

球種	年齢	投手数	肘		肩	
			オッズ比	p	オッズ比	p
チェンジアップ	全体	288	0.88	0.55	0.71	0.10
	9〜10歳	69	1.41	0.36	0.65	0.20
	11〜12歳	98	0.59	0.14	0.67	0.26
	13〜14歳	121	0.69	0.37	1.10	0.83
カーブ	全体	252	1.14	0.54	1.52	0.04
	9〜10歳	51	1.35	0.44	1.62	0.16
	11〜12歳	77	1.06	0.86	1.54	0.22
	13〜14歳	121	0.73	0.49	1.47	0.41
スライダー	全体	65	1.86	0.03	1.77	0.38
	9〜10歳	21	1.57	0.39	1.14	0.79
	11〜12歳	16	0.74	0.61	3.38	0.02
	13〜14歳	28	3.49	<0.01	1.80	0.17

ストレートのみの投手と比較して，カーブを使用する投手は肩関節の痛みの危険が有意に増加する。肘関節に関しては，スライダーとの有意な相関があった。

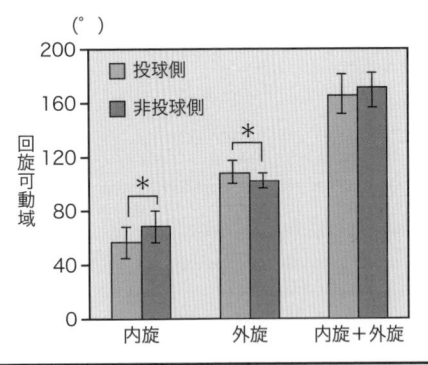

図17-1 肩甲上腕関節の回旋可動域（文献14のデータより作図）
投球側と非投球側の肩関節回旋可動域を比較した結果，全可動域では有意な差は認められなかったが，非投球側と比較して投球側において肩関節内旋可動域・外旋可動域がそれぞれ有意に7°増大・減少していた。*p＜0.01。

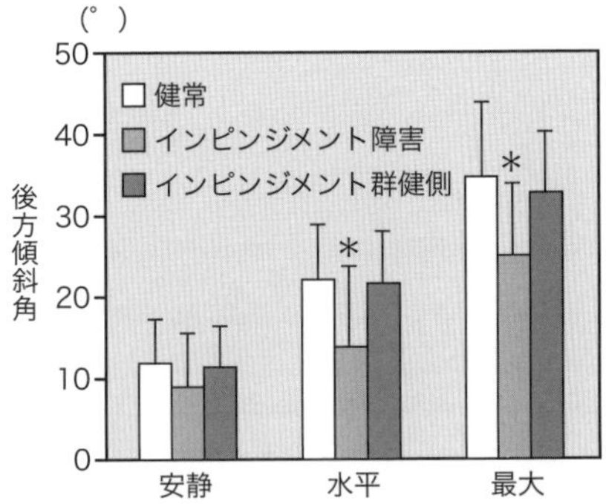

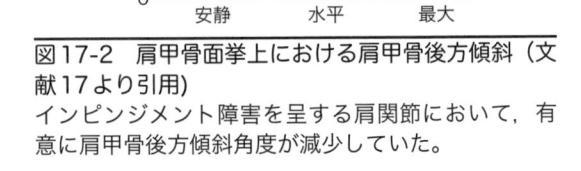

図17-2 肩甲骨面挙上における肩甲骨後方傾斜（文献17より引用）
インピンジメント障害を呈する肩関節において，有意に肩甲骨後方傾斜角度が減少していた。

その結果，非投球側と比較して，投球側は外旋が7°大きくなり，逆に内旋は7°小さくなることを示した。また，投球側と非投球側の全回旋可動域は同等であったということも報告された（**図17-1**）。Wilkら[1]の報告でも同様の結果であった。

より速いボールを投げたい投手にとって，投球動作で肩トルクと腕の速度を生み出すために，より大きな外旋可動域を必要とする。一般的に用いられる投球相で分類すると，これは，コッキング期の最後・加速期までの間に必要とされるもので，パワーをためている時期になる[15]。このことより，外旋可動域の増加が起こったと考えられる。

また，運動が達成できるように，1つの方向に可動性が増加すると，他の構成要素が代償的に減

17. 疫　学

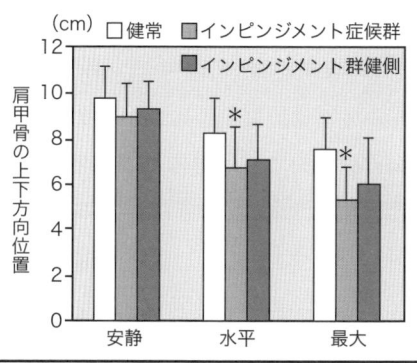

図17-3　肩甲骨面挙上における肩甲骨の上下方向位置（文献17より引用）
第7頸椎から肩甲骨中心までの上下方向距離を示している。距離が大きくなると下方に位置していることになる。インピンジメント障害を呈する肩関節において，有意に肩甲骨の位置が上方に移動していた。

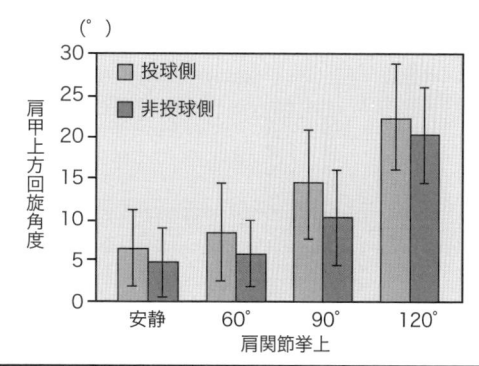

図17-4　肩甲骨面挙上における肩甲骨上方回旋（文献14より作図）
投球側において肩甲骨上方回旋角度が大きい傾向があった。

表17-8　野球選手と非野球選手における利き手，非利き手のピークトルク比較（単位：N・m）（平均±標準偏差）（文献18より引用）

		野球選手		非野球選手	
		利き手	非利き手	利き手	非利き手
求心性収縮	内旋	48.4±9.6	42.1± 7.1	41.9±11.0	37.8± 9.2
	外旋	30.8±4.8	30.5± 4.6	30.4± 5.4	29.1± 5.0
遠心性収縮	内旋	71.8±9.4	59.7±11.6	67.8±16.0	53.8± 9.4
	外旋	55.0±6.6	61.1± 7.3	55.0±10.3	59.4±12.8

等速性（300°/秒）における結果。野球選手と非野球選手との比較，および利き手を非利き手との比較では，有意な差がみられた。

少する可能性がある[16]。つまり，外旋可動域を増加させるために，内旋可動域が減少したという，肩の構造変化が起ったと考えられる。よってこれらの結果は投球動作において，競技性を高めるための肩の順応ととらえられる。

肩甲骨の可動性については，まず健常人20名とインピンジメント障害を呈する17名との肩甲骨面挙上時の肩甲骨の動きについてLukasiewiczら[17]がまとめた比較調査結果を示す（図17-2，図17-3）。この研究は三次元解析装置を使用したものであり，図はそれぞれ肩甲骨の後方傾斜・上下方向位置を表わしたもので，一番左が健常データ・中央がインピンジメント障害側・右はインピンジメント群の非障害側である。インピンジメ

ント障害を呈する肩関節では，肩甲骨の後方傾斜角度において，他群と比較して有意な減少を示していた。また，第7頸椎に対する肩甲骨の上下方向位置では，他群と比較して肩挙上角度の増加に伴い，有意に上方に位置していた。これらの結果は，肩甲骨運動の変化がインピンジメント症候群の重要な側面である可能性があることを示唆しており，投球肩障害にも関係があると推測される。

DownarとSauers[14]の肩に障害既往のない野球選手について，肩甲骨面挙上時の肩甲骨上方回旋を調査した結果がある（図17-4）。投球側と非投球側を比較して，統計学的に有意な差は示されなかったが，非投球側に比べ投球側のほうが上方回旋角度が大きい傾向があった。

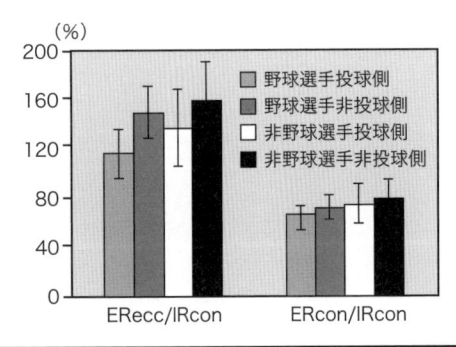

図17-5 等速性による肩甲上腕関節の回旋トルク比率（文献18より作図）
ERecc：遠心性外旋トルク，IRcon：求心性内旋トルク，ERcon：求心性外旋トルク。分母が求心性の内旋トルクで共通であるが，左は遠心性の外旋トルク，右は求心性の外旋トルクを分子としている。投手における投球側の値はどちらも低値を示している。

3. 筋　力

Noffal[18]は，等速性（300°/秒）における肩甲上腕関節の回旋トルクを，それぞれ求心性・遠心性収縮の2つの筋収縮様式に分類して測定した（表17-8）。対象は肩に痛みのない野球選手16名と非野球選手43名であり，背臥位にて肩関節90°外転位・肘関節90°屈曲位で実施された。求心性収縮・遠心性収縮ともに，投球側の外旋トルク・内旋トルクが，非投球側と比較してそれぞれ減少・増加する傾向を示した。Wilkら[1,19]も同様の結果を報告した。

図17-5は野球選手・非野球選手の利き手と非利き手における，内外旋トルクの比率を表わしたもので，両方とも分母は求心性の内旋トルクで，左は遠心性の外旋トルク，右は求心性の外旋トルクを分子に用いたものである。野球選手の利き手がどちらも一番低い値であり，その値は117％・65％となっていた。この比率は肩の安全性を保つために最低限のものと考えられる。

投球動作において，外旋筋力は拮抗作用として働くため，遠心性収縮の値を用いるのが動作により則していると考えられる。そこで投球側におけるトルク比率の変化は，付随する遠心性外旋トルクの増加なしで，大きな求心性内旋トルクによるものであるととらえることができる[18]。投球者における障害予防という観点から，単体筋力よりも，主動筋と拮抗筋との間の適当なバランスが，肩関節に動的安定化を提供すると考えられている[19]。

静止性収縮における肩甲帯の筋力を測定した結果として，Wilkら[1]の野球選手65名を対象にした研究がある（表17-9）。このデータも健常な肩を対象にしたものであり，投手・捕手・野手ごとの結果が示されている。その結果，投手（と捕手）の肩甲骨挙上力・前方突出力は，他の選手と比較して有意に大きかった。また，すべての対象において，非投球側と比較して投球側で有意に肩甲骨下制筋力の増加を示した。図17-6，図17-7は主動筋と拮抗筋バランスを示したものであるが，肩甲上腕関節と同様，肩甲帯でも主動筋/拮抗筋比率が重要であると考えられる。肩甲体の後方突出・下制筋力は，肩甲骨の翼状を抑え，結果として肩甲骨上方回旋の可動性を助けると考えられる。この研究において，その働きが投球側で確認されたことは，肩の安定性を示したといえる。

表17-9　ポジションごとの肩甲帯筋力（単位：foot-pounds）（文献1より引用）

	前方突出		後方突出		挙上		下制	
	利き手	非利き手	利き手	非利き手	利き手	非利き手	利き手	非利き手
投　手	71±10	74±13	62±8	60±7	83±14	84±5	22±6	18±5
捕　手	68±10	73±10	63±5	59±7	88±15	85±8	21±4	16±5
野　手	58±10	58±11	57±6	56±6	65±12	66±11	19±5	18±5

投手・捕手は野手と比較して有意に前方突出，挙上が増大していた。また，すべてのポジションにおいて非利き手と比較して利き手で下制力が有意に増大していた。

17. 疫　学

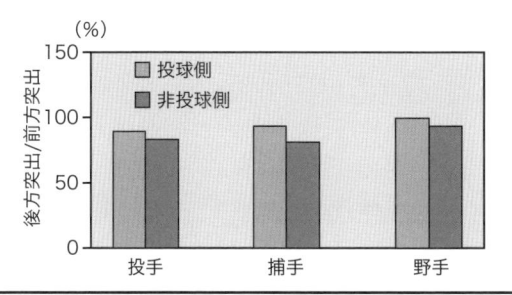

図17-6　静止性収縮による肩甲帯（矢状面）の筋力比率（文献1より作図）
各対象において，非投球側と比較して投球側で後方突出筋力が大きい傾向があった。

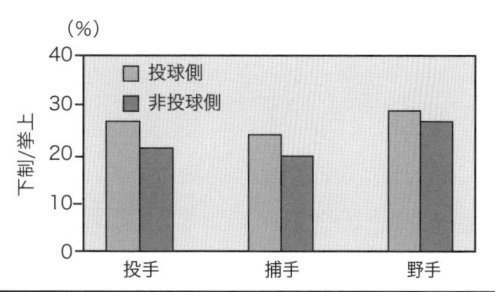

図17-7　静止性収縮による肩甲帯（前額面）の筋力比率（文献1より作図）
各対象において非投球側と比較して投球側で下制筋力が有意に大きかったた。

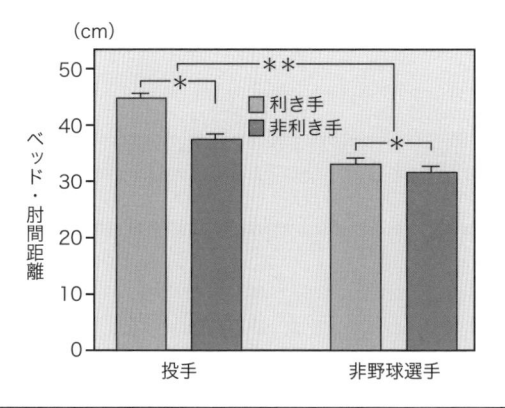

図17-8　肩甲上腕関節の後方関節包張力（文献16より引用）
投手の投球側における後方関節包の張力は他群と比較して有意に大きかった。$*p<0.01$，$**p<0.01$。

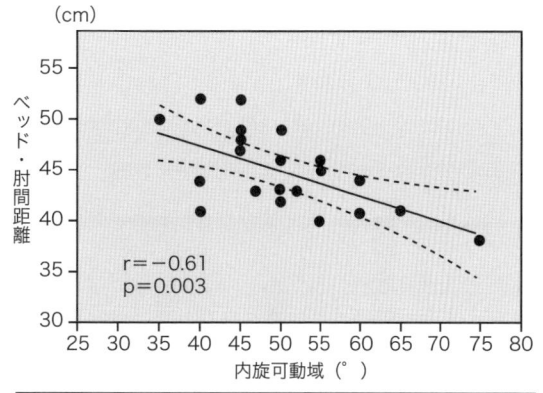

図17-9　後方関節包張力と内旋可動域の関係（文献16より引用）
投手における後方関節包張力の増加と肩内旋可動域（90°外転位）減少は有意な関係であった。

4．関節のゆるみ

Tylerら[16]は，健常な大学野球投手22名と49名の非野球選手を対象にし，側臥位における肩関節90°外転位での水平内転を他動的に行い，ベッドと肘関節との距離から後方関節包の張力を測定した。その結果，投手の投球側が一番大きな後方関節包の張力を示した。また，投手における後方関節包の張力と肩甲上腕関節の内旋可動域は負の相関を示した（図17-8，図17-9）。このことから，投球肩では後方張力が増加し，かつその後方緊張は，内旋可動域制限の原因と考えられる。この解釈は，先ほどのROMの解釈と同様である。

5．固有感覚受容器

Allegrucciら[20]は，健常な20名のオーバーヘッド動作を繰り返すスポーツ選手（野球・アメフト・テニス）に対して，0°・75°外旋位における他動外旋・内旋（5°/秒）での受動運動覚を測定した。図17-10は他動的に外旋させたもの，図17-11は内旋させたものである。結果は，投球側（左側）は非投球側（右側）と比較して，内旋運動時の75°外旋位以外は有意に受動関節覚が低下していた。また，回旋0°と比較し，75°外旋位において，有意に優れた受動関節覚を示した。これは外旋位で関節位置覚を検出する関節包がしっかり働いているためであると推測される。特にオーバーヘッド動作では肩関節内旋運動が起こる

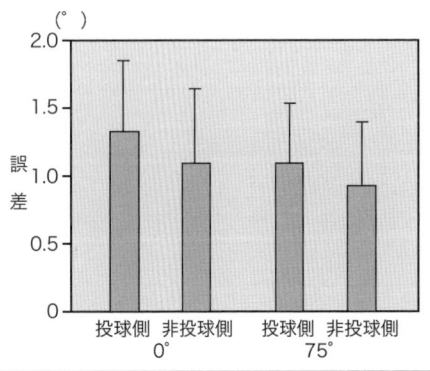

図17-10 他動的外旋運動における受動運動覚（文献20より引用）
0°・75°とも投球側のほうが非投球側と比較して有意に受動運動覚が低下していた。

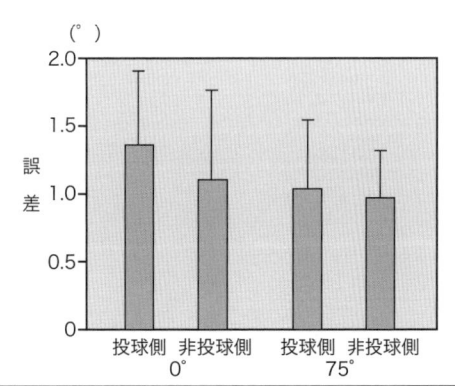

図17-11 他動的内旋運動における受動運動覚（文献20より引用）
投球側で比較すると，75°外旋位と0°とでは0°において有意にエラーの値が小さかった。

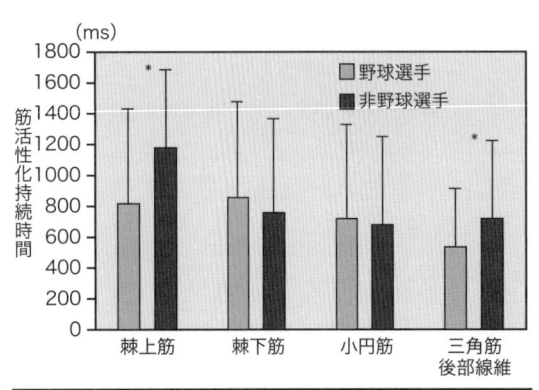

図17-12 他動的内旋運動における筋活性化持続時間（文献21より引用）
非野球選手と比較したところ，野球選手において棘上筋・三角筋後部線維の筋活性化持続時間が有意に減少していた。

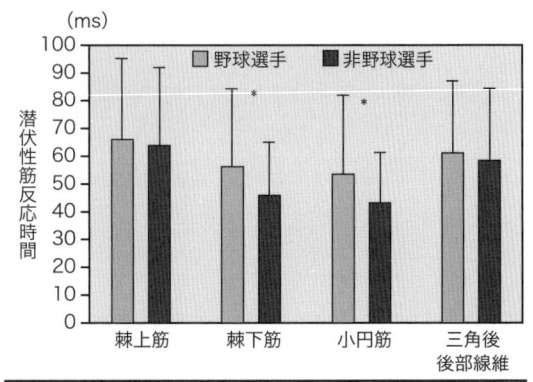

図17-13 他動的内旋運動における潜伏性筋反応時間（文献21より引用）
非野球選手と比較したところ，野球選手において棘下筋・小円筋の潜伏性筋反応時間が有意に遅延していた。

ため，正常な肩関節の受動運動覚において，肩の構造破綻が起こらないよう，外旋運動と比較し内旋運動での関節位置覚が正常に保たれていたといえる。投手は，外旋可動域範囲が拡大しているが，動的に肩甲上腕関節を安定させるよう，モーション中に，よりよい固有受容感覚に依存する可能性が示唆される結果となった。

次に，Brindleら[21)]による不意の内旋外力に抗する際の筋の反応を調べた測定がある。対象を健常な野球選手15名，非野球選手15名の利き手とし，肩甲上腕関節90°外転位・水平内転30°・90°外旋位から筋活動がみられなくなるまで内旋方向へ他動的に動かした際，棘上筋・棘下筋・小円筋・三角筋後部線維の反応を，筋電図を使用して調査したものである。結果は，棘上筋・三角筋後部線維における筋活性化持続時間，簡単にいうと筋が働いている時間が減少していた（**図17-12**）。また，棘下筋・小円筋における潜伏性筋反応時間，つまり筋が活動しはじめるタイミングは遅れを示した（**図17-13**）。これらの順化が，投球動作においてより大きな内旋速度を可能にする反面，肩甲上腕関節の障害に関与する可能性があると推測される。

E. まとめ

1. すでに真実として承認されていること

- コンタクトスポーツと比較して，ノンコンタクトスポーツである野球の損傷発生率は低値であるが，重篤な障害につながる上肢の痛みは投手の半数が保有している。
- 投球数の増加と上肢の障害発生率には有意な相関がある。
- 記載してきた身体の順応変化は，ほとんどの対象が正常な肩ということから，最低限の肩の安定性を示しているととらえることができる。

2. 真実と思われていたが，実は疑わしいこと

- 障害発生率に関して，練習機会が多い若い年代を対象とした報告が多くみられ，年齢などの内因性要因は危険因子でないという見解が一般的だが，練習機会が少なく年齢層が高いマイナーリーグ（県リーグなど）では，障害発生率は高く，内因性因子との相関はあると予想される。

F. 今後の課題

- 肩甲上腕関節の障害を考えるうえで，臨床の場で簡単に，かつ妥当な評価法の考案を含め，肩甲骨に関するさらなる疫学研究（胸郭の運動性を含む）と，下部体幹・股関節など全身機能の評価。
- これまでのデータを治療によりよくつなげるため，たとえば片脚立位・肘下がりなど，動作中の問題となる現象と障害を結びつける確かな根拠となるデータの収集。
- 治療を進める際には，単体の可動域などの評価だけではいきづまることも多いと思われ，さまざまな単体評価をいかに動作の問題として結びつけていくかが重要であると考える。
- 内因性要因と肩の痛みには相関がないということから，障害メカニズムはどの年代・発達過程においても共通ととらえることができ，セラピストが若い年代からのフォローに介入することにより障害発生を予防できるかが，外因性要因の確立につながる。

文献

1. Wilk KE, Meister K, Andrews JR. Current concepts in the rehabilitation of the overhead throwing athlete. *Am J Sports Med*. 2002; 30: 136-51.
2. Lyman S, Fleisig GS. Baseball injuries. *Med Sport Sci*. 2005; 49: 9-30.
3. Hale CJ. Injuries among 771,810 little league baseball players. *J Sport Med Phys Fitness*. 1961; 1: 80-3.
4. Cheng TL, Fields CB, Brenner RA, Wright JL, Lomax T, Scheidt PC. Sports injuries. An important cause of morbidity in urban youth. Distric of Columbia Child/Adolescent Injury Research Network. *Pediatrics*. 2000; 105: E32.
5. Marshall SW, Mueller FO, Kirby DP, Yang J. Evaluation of safety balls and faceguards for prevention of injuries in youth baseball. *JAMA*. 2003; 289: 568-74.
6. Radelet MA, Lephart SM, Rubinstein EN, Myers JB. Survey of the injury rate for children in community sports. *Pediatrics*. 2002; 110: E28.
7. Garrick JG, Requa RK. Injuries in high school sports. *Pediatrics*. 1978; 61: 465-9.
8. Lyman S, Fleisig GS, Waterbor JW, Funkhouser EM, Pulley L, Andrews JR, Osinski ED, Roseman JM. Longitudinal study of elbow and shoulder pain in youth baseball pitchers. *Med Sci Sports Exerc*. 2001; 33: 1803-10.
9. John W, Kim D. Injury patterns in selected high school sports: A review of the 1995-1997 seasons. *J Athl Train*. 1999; 34: 277-84.
10. Yanai T, Hay JG, Miller GF. Shoulder impingement in front-crawl swimming: I. A method to identify impingement. *Med Sci Sports Exerc*. 2000 ; 32: 21-9.
11. Ellenbecker TS, Roetert EP, Bailie DS, Davies GJ, Brown SW. Glenohumeral joint total rotation range of motion in elite tennis players and baseball pitchers. *Med Sci Sports Exerc*. 2002; 34: 2052-6.
12. Kaplan LD, Flanigan DC, Norwig J, Jost P, Bradley J. Prevalence and variance of shoulder injuries in elite collegiate football players. *Am J Sports Med*. 2005; 33: 1142-6.
13. Lyman S, Fleisig GS, Andrews JR, Osinski ED.

Effect of pitch type, pitch count, and pitching mechanics on risk of elbow and shoulder pain in youth baseball pitchers. *Am J Sports Med.* 2002; 30: 463-8.
14. Downar JM, Sauers EL. Clinical measures of shoulder mobility in the professional baseball player. *J Athl Train.* 2005; 40: 23-9.
15. Sabick MB, Torry MR, Kim YK, Hawkins RJ. Humeral torque in professional baseball pitchers. *Am J Sports Med.* 2004; 32: 892-8.
16. Tyler TF, Roy T, Nicholas SJ, Gleim GW. Reliability and validity of a new method of measuring posterior shoulder tightness. *J Orthop Sports Phys Ther.* 1999; 29: 262-9.
17. Lukasiewicz AC, McClure P, Michener L, Pratt N, Sennett B. Comparison of 3-dimensional scapular position and orientation between subjects with and without shoulder impingement. *J Orthop Sports Phys Ther.* 1999; 29: 574-83.
18. Noffal GJ. Isokinetic eccentric-to-concentric strength ratios of the shoulder rotator muscles in throwers and nonthrowers. *Am J Sports Med.* 2003; 31: 537-41.
19. Wilk KE, Andrews JR, Arrigo CA, Keirns MA, Erber DJ. The strength characteristics of internal and external rotator muscles in professional baseball pitchers. *Am J Sports Med.* 1993; 21: 61-6.
20. Allegrucci M, Whitney SL, Lephart SM, Irrgang JJ, Fu FH. Shoulder kinesthesia in healthy unilateral athletes participating in upper extremity sports. *J Orthop Sports Phys Ther.* 1995; 21: 220-6.
21. Brindle TJ, Nyland J, Shapiro R, Caborn DN, Stine R. Shoulder proprioception: latent muscle reaction times. *Med Sci Sports Exerc.* 1999; 31: 1394-8.

参考文献

Su KP, Johnson MP, Gracely EJ, Karduna AR. Scapular rotation in swimmers with and without impingement syndrome: practice effects. *Med Sci Sports Exerc.* 2004; 36: 1117-23.

Wilk KE, Arrigo CA, Andrews JR. Current concepts: the stabilizing structures of the glenohumeral joint. *J Orthop Sports Phys Ther.* 1997; 25: 364-79.

Ellenbecker TS, Roetert EP, Piorkowski PA, Schulz DA. Glenohumeral joint internal and external rotation range of motion in elite junior tennis players. *J Orthop Sports Phys Ther.* 1996; 24: 336-41.

Kibler WB, Chandler TJ, Livingston BP, Roetert EP. Shoulder range of motion in elite tennis players. Effect of age and years of tournament play. *Am J Sports Med.* 1996; 24: 279-85.

Lephart SM, Pincivero DM, Giraldo JL, Fu FH. The role of proprioception in the management and rehabilitation of athletic injuries. *Am J Sports Med.* 1997; 25: 130-7.

Kibler WB. The role of the scapula in athletic shoulder function. *Am J Sports Med.* 1998; 26: 325-37.

Borsa PA, Scibek JS, Jacobson JA, Meister K. Sonographic stress measurement of glenohumeral joint laxity in collegiate swimmers and age-matched controls. *Am J Sports Med.* 2005; 33: 1077-84.

Meister K. Injuries to the shoulder in the throwing athlete. Part one: Biomechanics/pathophysiology/classification of injury. *Am J Sports Med.* 2000; 28: 265-75.

Wilk KE, Andrews JR, Arrigo CA. The abductor and adductor strength characteristics of professional baseball pitcherse. *Am J Sports Med.* 1995; 23: 307-11.

Cools AM, Witvrouw EE, Declercq GA, Danneels LA, Cambier DC. Scapular muscle recruitment patterns: trapezius muscle latency with and without impingement symptoms. *Am J Sports Med.* 2003; 31: 542-9.

(竹内　大樹)

18. 疾患分類と病態

はじめに

　投球障害肩とは，野球をはじめとするオーバーヘッドアスリートに多く発症し，肩の疼痛や不安定感，脱力感により投球のパフォーマンスが障害される病態の総称である。近年，画像診断・関節鏡検査の進歩により，投球障害肩に関する解剖学的な損傷部位は解明されてきた（**表18-1**）。しかしながら，病態に関していまだ未解決な問題が多く，さまざまな学説があり，コンセンサスが得られていないのが現状である。本項では，投球障害肩の病態について，過去の知見より代表的疾患を解説し，また病態の発症メカニズムに対して仮説モデルを提示する（小児に特有の病態および神経血管の障害を除く）。

A. 文献検索方法

　データーベースおよび検索エンジンには，国家公務員共済組合連合会中央図書館・Entrez PubMedを用いた。検索用語およびヒット件数を**表18-2**に示した。

B. 投球障害肩の疾患概念

　投球障害肩の疾患概念は，過去に報告されているように単独の病態でとらえられることはまれであり，複数の病態が混在して存在していることが多い[1,2]（**図18-1**）。Meister[1]は，1つの組織に対する損傷はもう一方の破損に対して従属的であると述べた。また，臨床的に一次的障害と二次的障害の鑑別も難しいことから診断をより複雑にしている。

表18-1　投球障害肩における解剖学的損傷部位

肩峰下滑液包	炎症，肥厚，癒着（肩峰下インピンジメント）
腱板	炎症，断裂（関節面不全断裂）
上腕二頭筋長頭腱	炎症，断裂
関節包	炎症
上・中・前下関節上腕靱帯	伸張，断裂（腱板疎部損傷）
関節唇	断裂，剥離（SLAP病変，Bankart病変）
関節軟骨	軟化症，離断性骨軟骨炎，Hill-Sachs病変，上腕骨頭病変
骨	骨折，増殖（Bennett病変）
骨端部	骨端線離開（リトルリーグ肩）
肩甲胸郭部滑液包	炎症，肥厚，癒着
神経・血管	絞扼，圧迫性障害

表18-2　検索用語とヒット件数

検索用語	件　数
throwing shoulder	362件
biomechanics	141件
instability	111件
rotator cuff pathology	25件
internal impingement	18件
SLAP lesion	17件
classification	12件
Bennett lesion	4件

　過去の病態に関する報告は，大別して解剖学的損傷に関するものと病態の要因に関するもの，投球動作のバイオメカニクスに関する報告が散見される。これは，単に解剖学的損傷に対する治療だけでは再発の可能性が高いことを意味し，病態の

第4章 投球障害肩

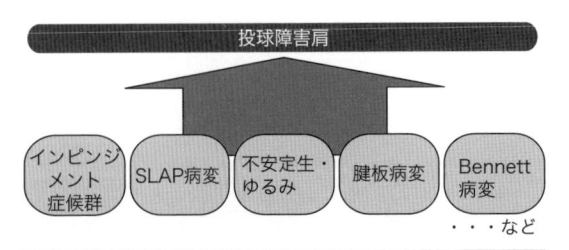

図18-1 投球障害肩の疾患概念
単独の病態としてとらえられることはまれであり，複数の病態が混在していることが多い。

発生メカニズムに着目した治療が必要である。

C. 病態と要因

1. 上腕二頭筋長頭腱・関節唇複合体損傷

上腕二頭筋長頭腱・関節唇複合体損傷は，Andrewsら[3]が1985年に最初に記述し，73例の関節鏡所見により関節唇損傷の大部分は上腕二頭筋長頭腱の関節窩付着部（起始部）に近い前上部に存在すると報告した。その原因として，投球のフォロースルー相における上腕二頭筋の収縮に伴い，強力な牽引力が生じることで関節唇の剥離が起こったのではないかと考察した。

2. SLAP病変（関節唇損傷）

1990年Snyderら[4]は，外傷性の上方関節唇損傷をsuperior labrum anterior and posterior (SLAP) 病変と呼び，形態的に1～4型に分類した（図18-2）。現在は，非外傷性により起こった関節唇損傷も含めて論じられるようになり，投球障害肩にみられるSLAP病変はタイプⅡが多くを占める。

Burkhartら[5]は，1998年に後方SLAP病変の発生メカニズムとして，鏡視下に腕を外転外旋位にすると上腕二頭筋はより垂直方向に角度を呈するようになるpeel-backメカニズムを報告した。この角度の変化は，上腕二頭筋の根元に捻りを生じさせる。すなわちSLAP病変の発生要因として後期コッキング相におけるtorsional force（捻りの張力）の影響が考えられる（図18-3）。

Moganら[6]は，102例のタイプⅡ SLAP病変の関節鏡検査より3つのサブタイプを分類した（図18-4）。その結果，全SLAP病変の62％に後方型を認め，腱板損傷は後方型・複合型に多く観察され，タイプⅡ SLAP病変との合併率が高いと報告した。また31％に腱板損傷を認めたが，急性期のSLAP病変には認めなかったと述べた。また，後方のSLAP病変は，二次的に後上方の不安定性の原因となり，上腕骨頭の繰り返される上方へのtranslation（移動・偏位）は，理論的に関節内から腱板へ損傷を及ぼすと考察した。

上腕二頭筋長頭腱・関節唇複合体損傷およびSLAP病変は投球のどの相に発生しやすいのだろうか。Kuhnら[8]は，2003年に10対の屍体肩を用い上腕二頭筋長頭腱・関節唇複合体損傷が後期コッキング位置，または初期減速位置のどちらに発生するか検討した。その結果，後期コッキング

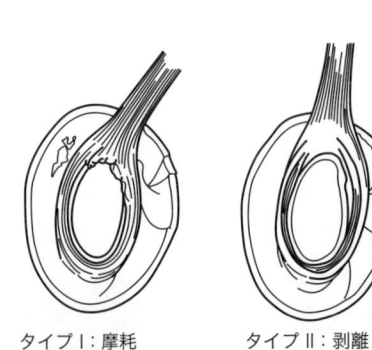

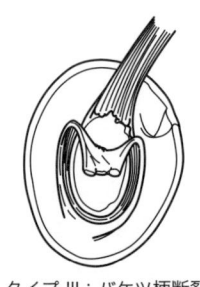

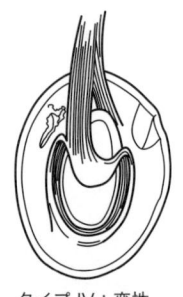

図18-2 SLAP病変の分類（文献4より改変）
タイプⅠ：摩耗　　タイプⅡ：剥離　　タイプⅢ：バケツ柄断裂　　タイプⅣ：変性

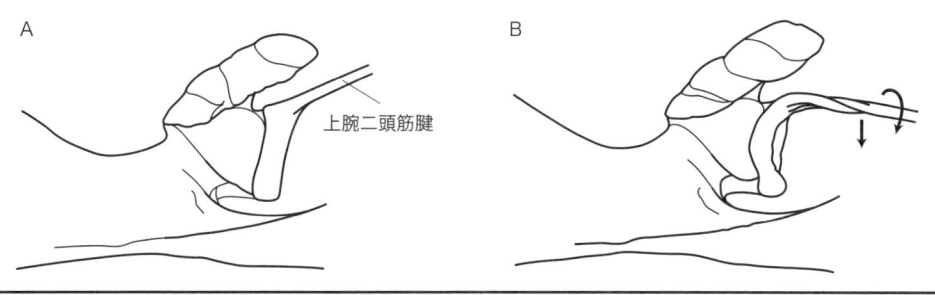

図18-3 肩関節外転外旋位におけるpeel-backメカニズム（文献5より作図）
後期コッキング相においてtorsional force（捻り張力）により上腕二頭筋長頭腱に捻りが生ずる。

位置で上腕二頭筋長頭腱・関節唇複合体損傷が発生したものが10体中9体であった（**図18-5**）。後期コッキング位置は，解剖学的に上腕二頭筋長頭腱が小結節周辺で巻きつき，関節内では大きな張力を発生する可能性があり，上腕二頭筋長頭腱・関節唇複合体の正常線維方向から偏向する角度で二頭筋を負荷することが損傷の原因であると考察した。

3. インピンジメント症候群，インターナルインピンジメント

インピンジメント症候群は，肩峰下インピンジメントに代表される，いわゆる上腕骨頭の衝突現象という幅広い疾患概念である。五十肩にもみられることがあり，腱板機能不全・筋肉のバランス

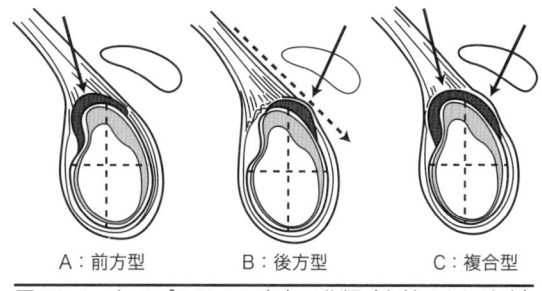

図18-4 タイプⅡ SLAP病変の分類（文献6より改変）
A：前方型　B：後方型　C：複合型

不全が原因として考えられている。

投球障害肩においては，インターナルインピンジメントによると思われる損傷が多い。インターナルインピンジメントとは，投球の後期コッキング相に上腕骨頭と関節窩の間に腱板がはさみ込まれる現象として1992年にWalchら[9]が提唱した病態である。Jobe[10]は，その発生機序として，

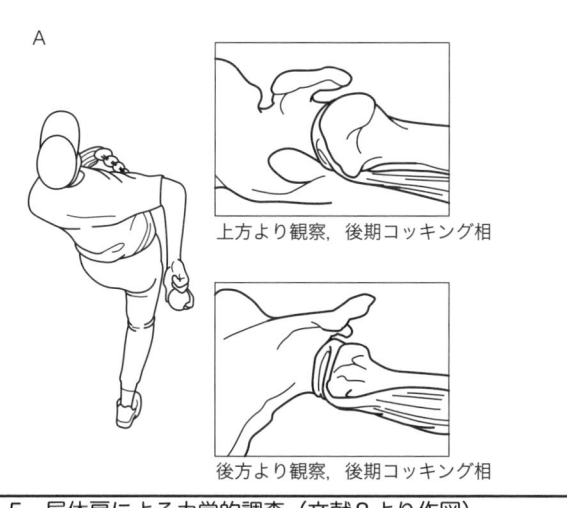

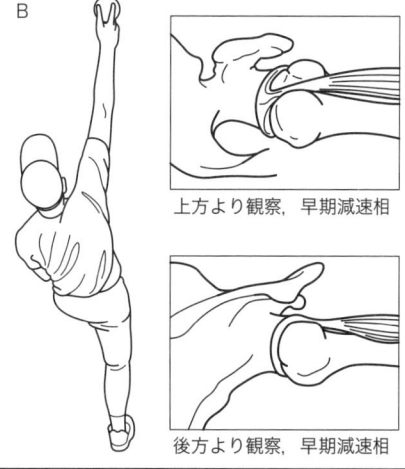

図18-5 屍体肩による力学的調査（文献8より作図）
後期コッキング相（A）において上腕二頭筋長頭腱は，小結節付近で巻きつき，大きなストレスを受ける。

第4章　投球障害肩

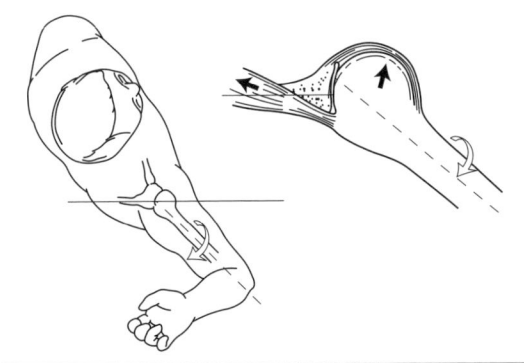

図18-6　インターナルインピンジメントの成因
後期コッキング相で上腕骨頭が前方へ偏位し，後上方関節唇と腱板がインピンジする。

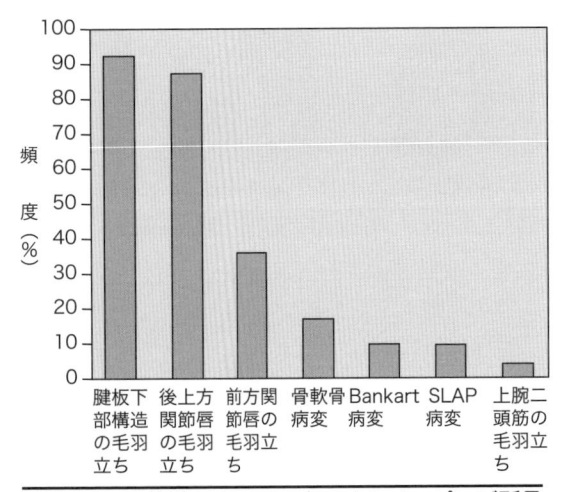

図18-7　関節鏡によるインターナルインピンジ所見
（文献11より引用）
腱板損傷との合併率が高い。

オーバーユースによる肩関節周囲筋の疲労，下関節上腕靱帯の弛緩が前方不安定性を発生させ，その結果，後期コッキング相で骨頭が前方に偏位し，上腕骨軸が肩甲骨軸に対してハイパーアンギュレーションするため後上方関節唇と腱板がインピンジすると考察した。また，Meister[1]は，増加した関節包のゆるみは，増加した外旋と同様に上腕骨頭の前方への偏位に結びついて内部接触を増加させると述べた（図18-6）。

インターナルインピンジメントの根拠として，Paleyら[11]は，41例のプロ野球選手に対する関節鏡検査により，93％に腱板の毛羽立ち，88％に後上方関節唇の毛羽立ち，36％に前方関節唇の毛羽立ちを認め，腱板関節下面のインピンジが発生すること確認した（図18-7）。関節鏡では，腱板損傷部と関節窩後方のkissing（接触）を確認することができる。

4. 肩甲骨機能障害

Meister[1]は，肩甲骨機能障害は肩甲骨周囲筋の機能異常とアンバランスから生じると述べた（図18-8）。また，肩峰下アーチスペースを相対的に減少させる結果となり，インピンジメントに関与する可能性があると考察した。しかしながら，臨床的には重要だとされながらも研究が少ないのが現状でありコンセンサスが得られていない。

5. 腱板損傷

投球障害肩における腱板損傷は，臨床的に腱板単独の損傷であることはまれであり，そのほとんどが複合損傷である。過去の報告によると，Andrewsら[3]の過度の牽引張力による影響，Meisterら[1]の投球動作における反復ストレスによる影響，Jobeら[2]のインピンジメント症候群による影響，Paleyら[11]のインターナルインピンジメントによる影響，Burkhartら[7]の後下方関節包のタイトネスによる影響などさまざまな報告がある。いずれも，投球動作による上腕骨頭の非生理学的な動きが腱板にさまざまなストレスをかけるため損傷が生じると考えられる。関節鏡では，棘上筋から棘下筋の移行部にかけての損傷を認めることが多い。

6. Bennett病変

Bennett病変（図18-9）は肩関節の関節窩後下縁にしばしば認める骨棘であり，1941年Bennettにより報告された。ほとんどが画像上骨棘を認めても無症状であることが多い。有痛性のBennett病変は，ボールリリースからフォロース

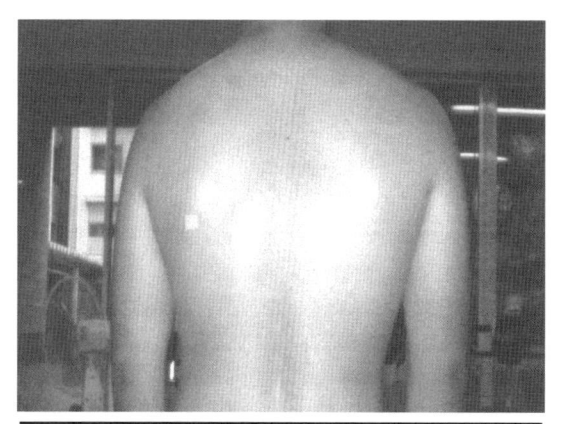

図18-8 肩甲骨機能障害
臨床的には図のように肩甲骨の位置の左右差があり，肩甲胸郭関節に機能異常を認める症例が多い。

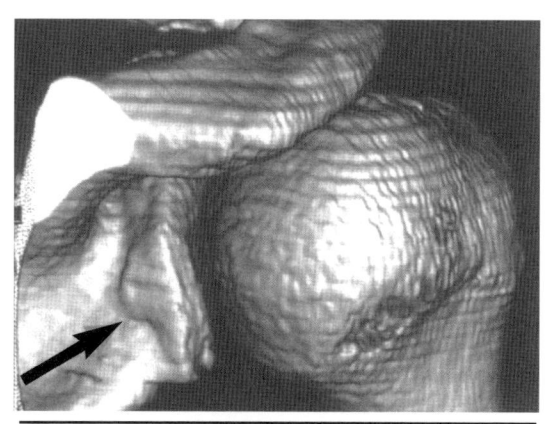

図18-9 Bennett病変の3D CT
関節下後下縁に骨棘を認める。

ルーにかけて肩後方に痛みを認める場合もある。発生の成因についてはさまざまな説があり，Meisterら[12]は，上腕三頭筋長頭腱・後方関節包付着部の牽引に伴う骨棘であると報告した。また，Ferrariら[13]は，後方関節包・関節唇基部での微小損傷に続発し，骨膜下に骨新生をきたすと報告した。Nakagawaら[14]は，51人の野球選手の有痛性Bennett病変の臨床特性を調査し関節後方のゆるみと内旋可動域の減少がないと報告し，形成過程は後方関節包のタイトネスによるものであると考察した。

7. 関節可動域

投球障害の関節可動域（ROM）の特徴として90°外転位における内旋の減少と外旋の増大はよく知られている。Biglianiら[15]は，148例のプロ野球選手のROMを検討し，肩甲上腕関節90°外転位における外旋の増大と内旋の減少を報告した。Pieper[16]は，51例のハンドボール選手を対象とした単純X線写真の比較により，上腕骨後捻角の増大を報告し，この増大は成長期の外旋への順応であると考察した。Crokettら[17]は，25例のプロ野球選手を対象としたROMと弛緩性（laxity）について検討し，トータルROM（**図18-10**）と前方・後方弛緩性は両側性に等しく，

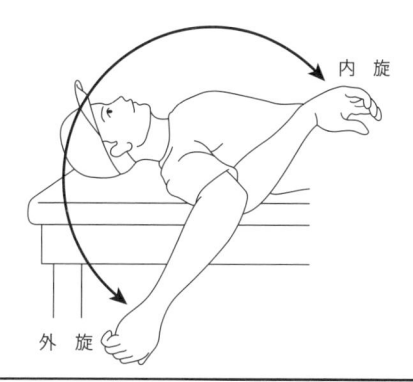

図18-10 トータルROM（内旋・外旋可動域の合計）（文献18より作図）

外旋の増大と上腕骨後捻角の増大を報告した。

8. 上腕骨頭の移動・偏位（translation）

外旋ROMの増大と弛緩性の関係は，投球動作における，上腕骨頭の移動・偏位（translation）に結びつく可能性がある。Burkhartら[7]は，後下方関節包のタイトネスがあると上腕骨の回旋中心が後上方に上がるため，SLAP病変，腱板損傷が起こりやすいと考察した。また，90°外転位における内旋可動域の減少と外旋可動域の増大に関しては，180°の法則があり，回旋角度の合計が180°以下であると障害が起こりやすいと述べた。

Borsaら[19]は，超音波を用い43例の無症候性のプロ野球選手における検討を行った。その結果，

第4章 投球障害肩

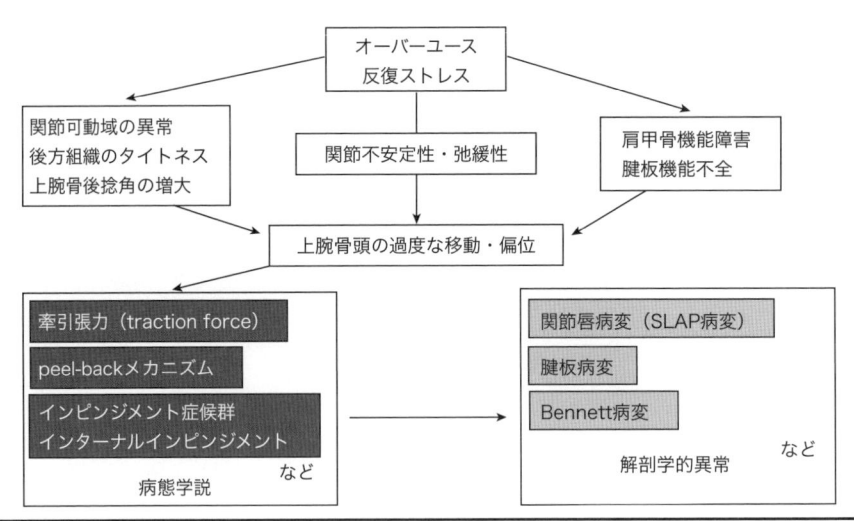

図18-11 投球障害肩の仮説モデル

外旋可動域の増大は認められたがトータルROMに有意差はなく，可動性のパターンは関節包以外の要因による可能性があるとした。また上腕骨頭の前方移動より後方移動が有意であり，ROMと弛緩性は相関しないと述べた。Grossmanら[20]は，10対の屍体肩に後方の関節包の拘縮をシミュレーションし検討した。その結果，後方関節包の拘縮があると上腕骨頭は外旋位で後下方に移動しなかった。すなわち，上腕骨頭は，後方上部に押しつけられることになり，SLAP病変の病因を説明できる可能性がある。最近の研究では，CTによって非侵襲的に肩関節内の力学的ストレス分布を評価する試みがある。その1つとして，Mochizukiら[21]は，28例の投球障害肩に対して，肩関節窩軟骨下骨部のミネラル化の分布を測定した。その結果，投球障害肩では，前方，前下方，後下方，後方へのミネラル化分布が優位であり，上腕骨頭の過剰な偏位は障害発生の成因になると考察した。

D. まとめ

- 投球障害肩における主要な疾患について過去の知見を述べた。主要な病態に関する知見をまとめると現状では図18-11のような仮説的モデルが考えられる。
- 議論の余地はあるが，投球における上腕骨頭の非生理学的な移動・偏位がさまざまな病態を引き起こす可能性がある。
- 上腕骨頭の移動・偏位については屍体肩を用いた生体力学的研究により根拠があるが，肩甲骨が含まれていないため肩関節複合体の検証ではない。

E. 今後の課題

- 肩甲骨を含めた生体力学的な基礎研究。
- 機能異常所見（ROM・後方タイトネス・肩甲骨の問題など）と投球動作における上腕骨頭の移動・偏位に関する研究。

文 献

1. Meister K. Injuries to the shoulder in the throwing athlete. Part one: Biomechanics/ pathophysiology/ classification of injury. *Am J Sports Med*. 2000; 28: 265-75.
2. Jobe CM, Coen MJ, Screnar P. Evaluation of impingement syndromes in the overhead-throwing athlete. *J Athl Train*. 2000; 35: 293-9.
3. Andrews JR, Carson WG Jr, McLeod WD. Glenoid labrum tears related to the long head of

the biceps. *Am J Sports Med.* 1985; 13: 337-41.
4. Snyder SJ, Karzel RP, Del Pizzo W, Ferkel RD, Friedman MJ. SLAP lesions of the shoulder. *Arthroscopy.* 1990; 6: 274-9.
5. Burkhart SS, Morgan CD. The peel-back mechanism: its role in producing and extending posterior type II SLAP lesions and its effect on SLAP repair rehabilitation. *Arthroscopy.* 1998; 1: 637-40.
6. Morgan CD, Burkhart SS, Palmeri M, Gillespie M. Type II SLAP lesions: three subtypes and their relationships to superior instability and rotator cuff tears. *Arthroscopy.* 1998; 14: 553-65.
7. Burkhart SS, Morgan CD, Kibler WB. Shoulder injuries in overhead athletes. The "dead arm" revisited. *Clin Sports Med.* 2000; 19: 125-58.
8. Kuhn JE, Lindholm SR, Huston LJ, Soslowsky LJ, Blasier RB. Failure of the biceps superior labral complex: a cadaveric biomechanical investigation comparing the late cocking and early deceleration positions of throwing. *Arthroscopy.* 2003; 19: 373-9.
9. Walch G, Boileau P, Noel E, Donell ST. Impinge-ment of the deep surface of the supraspinatus tendon on the posterosuperior glenoid rim: An arthroscopic study. *J Shoulder Elbow Surg.* 1992; 1: 238-45.
10. Jobe CM. Posterior superior glenoid impingement: expanded spectrum. *Arthroscopy.* 1995 ; 11: 530-6.
11. Paley KJ, Jobe FW, Pink MM, Kvitne RS, ElAttrache NS. Arthroscopic findings in the overhand throwing athlete: evidence for posterior internal impingement of the rotator cuff. *Arthroscopy.* 2000; 16: 35-40.
12. Meister K, Andrews JR, Batts J, Wilk K, Baumgarten T. Symptomatic thrower's exostosis. Arthroscopic evaluation and treatment. *Am J Sports Med.* 1999; 27: 133-6.
13. Ferrari JD, Ferrari DA, Coumas J, Pappas AM. Posterior ossification of the shoulder: the Bennett lesion. Etiology, diagnosis, and treatment. *Am J Sports Med.* 1994; 22: 171-5.
14. Nakagawa S, Yoneda M, Hayashida K, Mizuno N, Yamada S. Posterior shoulder pain in throwing athletes with a Bennett lesion: factors that influence throwing pain. *J Shoulder Elbow Surg.* 2006; 15: 72-7.
15. Bigliani LU, Codd TP, Connor PM, Levine WN, Littlefield MA, Hershon SJ. Shoulder motion and laxity in the professional baseball player. *Am J Sports Med.* 1997; 25: 609-13.
16. Pieper HG. Humeral torsion in the throwing arm of handball players. *Am J Sports Med.* 1998; 26: 247-53.
17. Crockett HC, Gross LB, Wilk KE, Schwartz ML, Reed J, O'Mara J, Reilly MT, Dugas JR, Meister K, Lyman S. Osseous adaptation and range of motion at the glenohumeral joint in professional baseball pitchers. *Am J Sports Med.* 2002; 30: 20-6.
18. Wilk KE, Meister K, Andrews JR. Current concepts in the rehabilitation of the overhead throwing athlete. *Am J Sports Med.* 2002; 30: 136-51.
19. Borsa PA, Wilk KE, Jacobson JA, Scibek JS, Dover GC, Reinold MM, Andrews JR. Correlation of range of motion and glenohumeral translation in professional baseball pitchers. *Am J Sports Med.* 2005; 33: 1392-9.
20. Grossman MG, Tibone JE, McGarry MH, Schneider DJ, Veneziani S, Lee TQ. A cadaveric model of the throwing shoulder: a possible etiology of superior labrum anterior-to-posterior lesions. *J Bone Joint Surg Am.* 2005; 87: 824-31.
21. Mochizuki Y, Natsu K, Kashiwagi K, Yasunaga Y, Ochi M. Changes of the mineralization pattern in the subchondral bone plate of the glenoid cavity in the shoulder joints of the throwing athletes. *J Shoulder Elbow Surg.* 2005; 14: 616-9.

〔岩本　仁〕

19. 保存療法

はじめに

投球動作は非常に高度で複雑な動きであり，肩関節複合体にとって，大きなストレスのかかりやすい動作である．投球者の肩は，過度の外旋を許容するだけの十分な可動域が必要であるが，上腕骨頭の亜脱臼を防止するための十分な固定性も必要である．したがって，可動性と機能的安定性の精巧なバランスが要求される．このバランスの破綻が投球障害肩を引き起こす．

投球障害肩に対しては，十分に体系化されたリハビリテーションの保存療法プログラムを注意深く実施し，成果の高い治療がなされるべきである．本項では保存療法を施行するうえで重要となる，各機能別障害特性に関する報告を中心に文献をまとめた．

A. 文献検索方法

文献検索には，「throwing」「rehabilitation」「baseball」をキーワードに，検索エンジンとしてPubMed，Science Direct，メディカルオンライン，PeDro，m3.comなどを使用した．

B. 各機能別障害特性

1. 関節可動域（ROM）

Borsaら[1]は，34人のプロ野球投手の肩甲上腕関節の他動関節可動域について，投球側と非投球側について比較を行った．その結果，投球側は非投球側に対し内旋可動域は有意に減少し（−8.5°），外旋可動域は有意に増加していた（5.1°）（表19-1）．関節のstiffness（硬直性）は投球側と非投球側とで有意差はなかったが，どちらも後方よりも前方の硬直性が有意に確認された（表19-2）．これは投球動作の反復的なストレスがつくり出した，肩甲上腕の回旋パターンの結果であるとした．

Downarら[2]は，27人のプロ野球選手の投球側と非投球側について，肩甲面上4つのレベル（下垂位，60°，90°，120°挙上位）での肩甲骨の上方回旋角度を調査した．また，後方のtightness（緊張性），肩甲上腕関節の他動回旋可動域についても調査した．その結果，投球側が非投球側に比べ，90°挙上位での肩甲骨の上方回旋角度が有意に増加していた（投球側 $14.2 \pm 6.5°$，非

表19-1 肩甲上腕関節他動角度（文献1より引用）

項　目	投球側	非投球側	差
外旋（90°外転）	135.5±9.5	130.4±10.7	5.1±8.4*
内旋（90°外転）	59.7±7.0	68.2±8.6	−8.5±9.5*
総回旋（外旋+内旋）	195.2±12.1	198.6±26.6	−3.4±11.8
前方挙上（矢状面）	175.6±6.0	175.0±6.1	0.59±4.2
水平内転（中間位回旋）	51.9±8.7	52.6±7.6	−0.71±7.5
水平内転（最大外旋）	19.7±9.3	22.9±6.9	−3.2±10.2

平均±標準偏差，*p<0.008 投球側 vs. 非投球側．

表19-2 肩甲上腕関節硬直性（stiffness）（文献1より引用）

項　目	投球側	非投球側	差
前方（90°外転，60°外旋）	16.6±1.9	16.2±1.7	0.4±1.8
後方（90°外転，60°外旋）	15.1±3.4	15.3±3.8	−0.2±3.6

平均±標準偏差。

表19-3 肩甲上方回旋（文献2より引用）

肩甲上方回旋	投球側	非投球側	p値
安　静	6.4±4.7	4.7±4.1	0.17
60°	8.4±6.1	5.6±4.3	0.06
90°	14.2±6.5	10.1±6.1	0.04
120°	22.4±6.3	20.0±5.8	0.14

表19-4 内旋，外旋，内旋＋外旋（total arc of motion）可動域（文献2より引用）

動　作	投球側	非投球側	p値
内　旋	56.6±12.5	68.6±12.6	0.001
外　旋	108.9±9.0	101.9±5.9	0.001
内旋＋外旋	165.5±14.4	170.4±10.5	0.15

表19-5 投手と野手の肩甲上腕関節可動域の比較（文献3より引用）

	外転		内旋		外旋90°		arc of motion（内旋＋外旋）	
	投球側	非投球側	投球側	非投球側	投球側	非投球側	投球側	非投球側
投　手	171±7	172±6	68±16	82±11	110±14	104±14	178±23	186±18
野　手	169±6	170±5	69±11	78±10	100±11	100±12	169±10	174±10

投球側10.6±6.1°）（**表19-3**）。後方の緊張性に有意差はなかったが，回旋可動域については，投球側が非投球側に比べ，内旋可動域の減少（投球側56.6±12.5°，非投球側68.6±12.6°）と，外旋可動域の増加（投球側108.9±9.0°，非投球側101.9±5.9°）がみられた。また，内旋＋外旋（total arc of motion）（**図18-10**，153ページ参照）に著明な有意差はなかったと報告した（**表19-4**）。

Sethiら[3]は，37人の投手と19人の野手間での投球側と非投球側の回旋可動域について比較を行った。その結果，投手では投球側が非投球側に比べて外旋可動域が有意に増加しているのに対し，野手では有意差はみられなかった（**表19-5**）。また，前後方向のtranslation（偏位）については，投手の投球側に有意差がみられたが，野手ではみられなかった（**図19-1**）。

以上の報告から，反復的な投球動作に対する適応の結果，非投球側と比較して投球側の外旋可動域の増加，内旋可動域の減少が多く認められ，そ

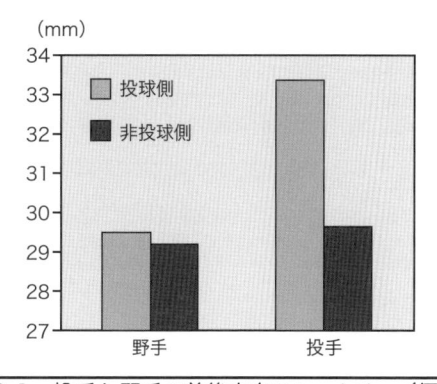

図19-1 投手と野手の前後方向のtranlation（偏位）の比較（文献3より作図）

れは肩甲骨の可動性にも影響しており，また守備位置による影響もあることが示唆される。

2. 筋　力

Wilkら[4,5]は，プロ野球選手の等速性の筋力テストを実施した。その結果，投手の投球側外旋筋の強さは非投球側に比べて6％有意に弱く，内旋筋の強さは3％有意に強かったことを報告した。また外転筋の強さも，投球側のほうが約9〜

表19-6 プロ野球選手の肩甲上腕関節の筋強度
（文献9より引用）

	180°/秒	300°/秒	450°/秒
左右比較			
外 旋	95～109	85～95	80～80
内 旋	105～120	100～115	100～110
外 転	100～110	100～110	
内 転	120～135	115～130	
筋力比			
外旋/内旋	63～70	65～72	62～70
外転/内転	82～87	92～97	
外旋/外転	64～69	66～71	
アイソキネティックトルク/体重比			
外 転	18～23	15～20	
内 転	27～33	25～30	
外 転	26～32	20～26	
内 転	32～36	28～33	

10％有意に強かった。等速性の筋力評価の重要性は一側性の筋の比，拮抗筋/主動筋の強度比にあると考えられている。拮抗筋/主動筋の適切なバランスは，肩関節の動的安定性を供給する。適切な筋バランスを供給するには，外旋筋は少なくとも内旋筋の65％の強度が必要であり，最適な内外旋筋強度の比は66～75％といわれている（**表19-6**）。

投球動作において，肩甲帯の筋群は重要な役割を果たす。適切な肩甲帯の動きや固定性は，肩関節機能にとって不可欠なものである。Wilkら[6]は，プロ野球選手の等尺性肩甲帯筋群の強度評価について記述した。その結果は投手と捕手は他のポジションの選手に比べ，肩甲帯の挙上と前方突出にかかわる筋群が著明に強いことを示していた。加えて，主動筋/拮抗筋の比率は，肩甲帯の可動性，固定性の機能評価を行ううえで，重要であると考えられた。

3. 固有受容感覚

固有受容感覚は，関節位置の意識下または無意識下の認識と定義される。一方，神経筋コントロールは求心性情報への遠心性運動応答である。投球者は著明な関節包のlaxity（弛緩性）や過剰な可動域を有する肩甲上腕関節の動的安定性を神経筋システムに影響する固有受容感覚の強化にたよっている。

Allegrucciら[7]は，さまざまなスポーツに関与している健康な投球選手20名の肩の固有受容感覚について調べた。その結果，投球側の肩関節が非投球側に比べ固有受容感覚が低いことを報告した。Blasierら[8]は，臨床で一般的な関節弛緩性と診断された人たちにおける固有受容感覚のテストにおいて，著明な感受性の低下を示すと報告した。

Wilkら[9]は，120人のプロ野球選手の固有受容感覚の機能について調べた結果，投球側と非投球側とでは，著明な差はみられなかったと報告した。加えてWilkら[9]は，60人のプロ野球選手と60人の非投球者との固有受容感覚能力を比較した。その結果，両者間に著明な差はみられなかったと報告した。以上の報告からも，投球動作による固有受容感覚についての変化は明らかにはなっていない。

4. 弛緩性

多くの投球者は過剰な可動域を許容するような肩甲上腕関節の明らかな弛緩性を示す。投球肩の過剰可動性をthrower's laxity（投球者弛緩性）と呼ぶ。臨床家による投球肩の固定性評価の際，前方と下方の関節包の弛緩性がよく確認される。一部の臨床家は過剰な弛緩性は，反復的な投球動作の結果であり，それを「後天性の弛緩性」であると報告した。その一方で，投球者は先天性の弛緩性を示していると記述している者もいる。

Biglianiら[10]は，72人のプロ野球投手と76人の他のポジションの選手の弛緩性を調査した。調査者は，投球側にsulcus徴候陽性を呈する投手

の61％，他のポジションの選手の47％に，強度の肩甲上腕関節下方の弛緩性を有していると報告した。加えて，利き手にsulcus徴候陽性（**図19-2**）を呈する者は投手で89％，他のポジションでは100％が，非利き手にもsulcus徴候陽性を呈していた。したがって，投球者は先天性の弛緩性と同時に，投球への順応性変化の結果による後天性の弛緩性が重なっていることを表わしている。

C. リハビリテーションプログラム

投球障害肩の治療に用いる保存的リハビリテーションプログラムは，進行性かつ経時的な多相性のアプローチを含む。Wilkら[9]は，治療上での10のリハビリテーション原理について示している（**表19-7**）。また，それぞれ詳細なゴールが設定された4相のプログラムについても述べており，その概要を**表19-8**に示す。それぞれの相では前の相の進行形を表わしている。次項からは，ここであげている4相のプログラムについて詳細に示していく。

1. 第1段階（急性期）

初期のリハビリテーションでの主要なゴールは，肩関節への刺激や疼痛を生じさせない範囲での可動性の改善，動的安定性のベースラインの再建，筋バランスの正常化，固有受容感覚の回復である。疼痛と炎症症状の軽減については冷却，超音波，電気刺激などの局所の治療様式を用いる。同時に，投球動作やエクササイズなど投球者の活動性を疼痛が起こらないレベルまで制限しなければならない。その他としては，特に内旋と水平内転可動域改善などの肩関節運動の正常化である（**図19-3**，**図19-4**）。

投球者は内旋の著明なloss（制限）を示すことは共通しており，これは上肢の減速期における反

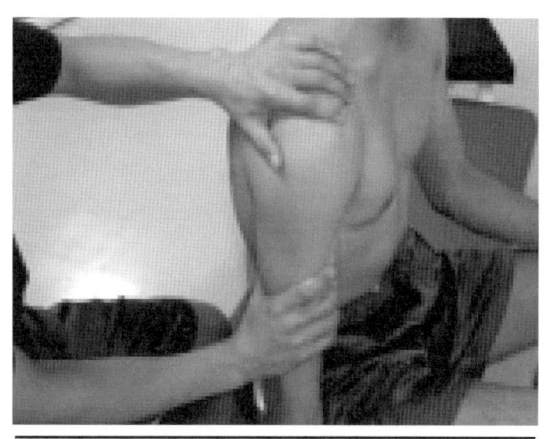

図19-2 sulcus徴候
座位にて肩甲骨を固定しつつ上腕骨と肩峰下の溝を触診し，肘より近位を把持して下方へ引っぱる。肩関節内外旋位でも実施する。陽性の場合，健側に比べ下方への動揺が過度に大きく，視診で肩峰下の溝が確認できる。内外旋位ともに陽性で真の陽性となる。

表19-7 投球障害肩の10のリハビリテーション原理（文献9より引用）

1. 治癒組織に過大なストレスを与えない
2. 固定は予防にならない
3. 外転筋力に重点を置く
4. 筋バランスを確立する
5. 肩甲帯の筋力に重点を置く
6. 肩関節の後方柔軟性を改善する（内旋可動域）
7. 固有受容感覚と神経筋コントロールを高める
8. バイオメカニクス的に効果的な投球方法を確立する
9. 投球活動へは徐々に復帰する
10. 確立されている漸増基準を使用する

復した遠心性収縮により生じる軟部組織の硬さが原因であるといわれている。棘下筋や小円筋のような後方の軟部組織構造の硬さは，上腕骨頭の前方偏位につながるため，後方の回旋筋群に対応した個別のストレッチや可動域訓練を実施すべきである。この内旋の制限は後方筋群の硬さによる影響が大きく，後方関節包の硬さの影響は少ないと考えられている。過剰な低可動性を示す関節包でなければ，関節包のストレッチの実施は注意する必要がある。

その他に，肩甲骨の可動性と休息肢位の評価も重要である。頭位前方位で肩甲骨が外転・上方回

第4章 投球障害肩

表19-8 投球障害肩の4相ののリハビリテーションプログラム（文献9より引用）

第1段階（急性期）
　ゴール
　　疼痛および炎症の減少
　　動きの正常化
　　筋萎縮の遅延
　　動的安定性（筋バランス）の再構築
　　ストレス/ストレインの機能的制御
　エクササイズおよび物理療法
　　クライオセラピー，超音波，電気刺激
　　肩関節後方の筋の柔軟性およびストレッチング（内転，水平内転の改善）
　　ローテーターカフのストレッチング（特に外側回旋筋）
　　肩甲帯の筋力強化（特に僧帽筋，前鋸筋，三角筋）
　　動的安定性のためのエクササイズ（リズミックスタビリゼーション）
　　クローズドキネティックチェーンエクササイズ
　　固有受容感覚のトレーニング
　　投球の禁止

第2段階（中間期）
　ゴール
　　漸進的筋力エクササイズ
　　筋バランスの回復（外旋/内旋）
　　動的安定性の増強
　　柔軟性とストレッチングのコントロール
　エクササイズおよび物理療法
　　ストレッチングと柔軟性エクササイズを続ける（特に内旋と水平内転）
　　漸進的アイソトニック筋力強化
　　・完全な肩関節プログラム
　　・投手のための10のプログラム
　　リズミックスタビリゼーションドリル
　　体幹強化プログラムの開始
　　下肢プログラムの開始

第3段階（上級の筋力強化期）
　ゴール
　　積極的な筋力強化
　　漸進的神経筋コントロール
　　筋力，パワー，持久力の改善
　　軽い投球活動の開始
　エクササイズおよび物理療法
　　柔軟性エクササイズとストレッチング
　　リズミックスタビリゼーションドリル
　　投手のための10のプログラム
　　プイライオメトリックプログラムの開始
　　持久的ドリルの開始
　　短い距離の投球プログラムの開始

第4段階（投球段階への復帰期）
　ゴール
　　投球プログラムの段階へ達する
　　試合での投球への復帰
　　筋力強化運動と柔軟性ドリルは継続する
　エクササイズ
　　柔軟性エクササイズとストレッチング
　　投手のための10のプログラム
　　プライオメトリックプログラム
　　インターバル投球プログラムから試合での投球に達する

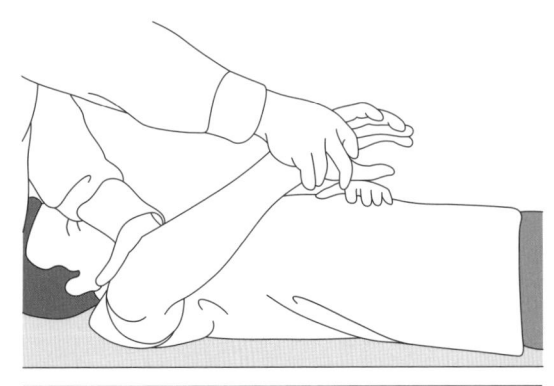

図19-3 内旋可動域のストレッチ（文献9より作図）

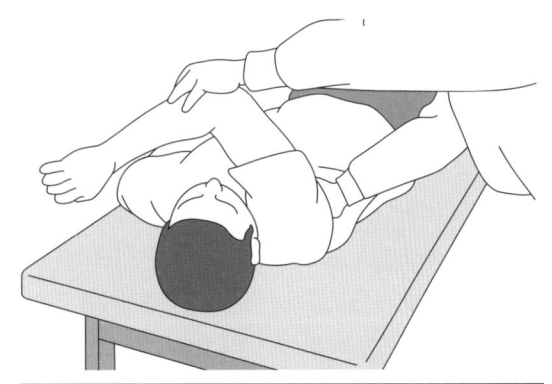

図19-4 肩甲上腕関節後方組織のストレッチ（文献9より作図）

旋している姿勢を呈する例はよくみられる。この姿勢は遷延性の延長または持続的なストレッチとなり，肩甲骨の内転筋群の弱化を引き起こす。加えて肩甲骨が前傾を呈する例も多く，肩甲骨の前傾は肩峰下インピンジメントに寄与していること

が確認されている。投球障害肩に確認される異常な肩甲骨の位置は，僧帽筋下部の弱化や小胸筋の硬さにも相関している。小胸筋の硬さは腋下動脈の閉塞と，上肢の疲労感，疼痛，圧痛，チアノーゼなどの神経血管性の症状を引き起こす。僧帽筋

下部は上肢の減速期での肩甲骨の挙上，外転のコントロールにおいて重要な筋である。そのため僧帽筋下部の弱化は不適切なメカニズムや肩関節症状を引き起こす。したがって，肩甲骨の位置，可動性，強度は注意深く評価するべきである。

この期での重要なゴールとして，筋バランスの再構築があげられ，弱化している筋群の強度の改善に焦点があてられる。疼痛が強い場合は，中等度の等尺性エクササイズを実施し，疼痛が軽度の場合は，軽負荷の等張性のエクササイズを安全に開始する。内外旋回旋筋の相互の等尺性筋収縮（リズミックスタビリゼーション）などの神経筋ファシリテーションなども利用される。これらの訓練目的は，主動筋/拮抗筋の同時収縮の促通である。効率的な同時活性化は肩関節の共同筋のバランスの回復を手助けする。さらに，関節の適合性と関節圧の強化にもなる。

Paduaら[11]は，固有受容感覚神経筋ファシリテーションパターンを5週間実施し，投球者の肩関節機能の問題の有意な改善と，機能的な投球パフォーマンスのテストスコアの向上がみられたと報告した。Uhlら[12]は，上腕骨の筋群に要求する特別な神経筋トレーニング後の固有受容感覚の改善について報告した。

2. 第2段階（中間期）

この期での主要なゴールは，強化プログラムの進行と，可動性改善の継続，神経筋コントロールの促通である。この期では，筋バランスの回復を強調したより積極的な等張性強化活動を進めていく。

肩甲骨は遠位の体節の可動性を可能とするような，肩関節の近位の固定性を供給する。肩甲骨の固定性は正常な上肢機能にとって重要である。肩甲骨周囲筋の強化には等張性エクササイズが用いられる。一般的なエクササイズとしては，empty canエクササイズがあげられる（図12-1，107ページ参照）。このエクササイズは，scapular plane（肩甲骨面）上での，完全内旋位（thumb down）での挙上運動である。もともとJobeら[13]は，このエクササイズ中に棘上筋のハイレベルな筋電図活動について報告した。しかし，empty canエクササイズを実施する際，肩関節の疼痛が生じることが多く，それは投球障害肩でしばしば確認される外旋筋の弱化による上腕骨頭の上方偏位によって引き起こされると考えられている。

これらの疼痛や炎症を回避するうえで，Wilkら[9]は，full canエクササイズ（図12-2，108ページ参照）が，empty canエクササイズの代わりとなると報告した。いずれにしても，個々の症例に合わせたエクササイズ方法の選択が重要であるといえる。またこの相では，腹部や下部背筋群のコアストレッチングも実施される。加えて，下肢のストレッチングとジョギングやスプリントも含めたランニングプログラムも必要である。

3. 第3段階（上級筋力強化期）

この期での主要なゴールは，積極的な強化ドリルの開始と筋力と耐久性の強化，機能的ドリルの実施，漸進的な投球活動の開始である。この相で投球者は，徒手抵抗スタビリゼーションの継続，プライオメトリックドリルの開始などを実施する。プライオメトリックドリルは，動的安定性の強化，固有受容感覚の強化，肩関節における機能的応力の漸進的な増加などに有効である（図19-5，図19-6）。

この相で利用されるプライオメトリックドリルは，最大筋力を生み出す筋の反応性と弾性を用いて意図されている。第1相は遠心性の相であり，筋紡錘を刺激するような速い瞬時の伸張が筋腱移行部に適応される。第2相は返還相であり，求心性と遠心性間の時間として表現される。この時間は瞬時の伸張の有益な神経系への効果がなくならないために，可能なかぎり短いべきである。最終

図19-5　リズミックスタビリゼーションエクササイズドリル

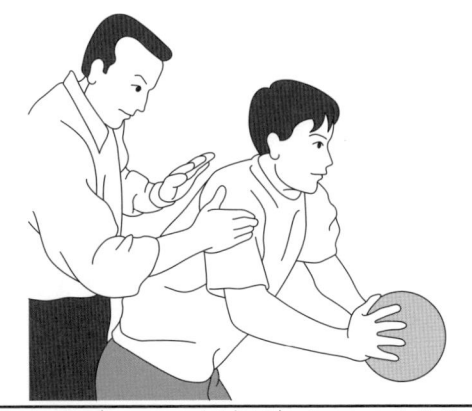

図19-6　リズミックスタビリゼーションエクササイズドリル

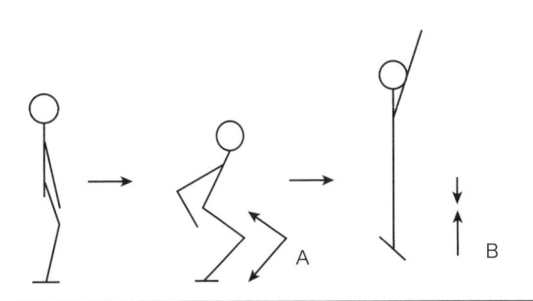

図19-7　プライオメトリックドリル

相は求心性収縮の相である（**図19-7**）。

Wilkら[14,15)]は，投球者のためのプライオメトリックエクササイズプログラムを考案した．初期のプライオメトリックプログラムは，チェストパスやオーバーヘッドスローのような，両手動作でのエクササイズからなる．プライオメトリックエクササイズのゴールは，下肢や体幹から上肢への力の伝達である．これらの両手動作でのエクササイズを達成したら，片手動作へと進めていく（**図19-8，図19-9，図19-10，図19-11**）．

Swanikら[16)]は，6週間のプライオメトリックトレーニングプログラムで，関節覚の強化，運動感覚の強化，等速性テストでの最大トルク発生までの時間の減少の結果を報告している．

Fortunら[17)]は，従来の等張性トレーニングと比較し，8週間のプライオメトリックトレーニングでは，肩関節内旋筋力と投球距離の改善がみられたと報告した．また，筋持久力の強化も重要である．Murrayら[18)]は，動力学的，運動力学的分析を用いて，投球時の身体全体での疲労による影響について報告した．投球者は疲労すると，肩関節外旋が減少し球速も減少し，膝関節の屈曲と肩関節内転トルクを引き起こす．Chenら[19)]は，腱板筋が疲労すると，上肢挙上開始時に上腕骨頭は上方に移動すると実証した．さらに，Lymanら[20)]は，リトルリーグ投手の投球中の筋疲労の訴えと肩関節障害の高確率な相関が素因になると報告した．

インターバル投球プログラムも，この時期から開始される．そのようなプログラムを開始する前に，シャドウピッチングなどの実施が提案される．インターバル投球プログラムは徐々に量，距離，強度を増やし，主に2つの段階で構築されている（第Ⅰ相：ロングトスプログラム14〜55 m，第Ⅱ相：投手のオフザマウンドプログラム）．これらは次の段階で本格的に進行する．

4．第4段階（投球段階への復帰）

この段階は投球段階への復帰であり，インターバル投球プログラムを進行させる．投球者はロングトスプログラムを36 mまたは45 mで実施し，それが十分になされれば，18 mでのワインドア

図19-8 プライオメトリックエクササイズドリル1
（文献9より作図）

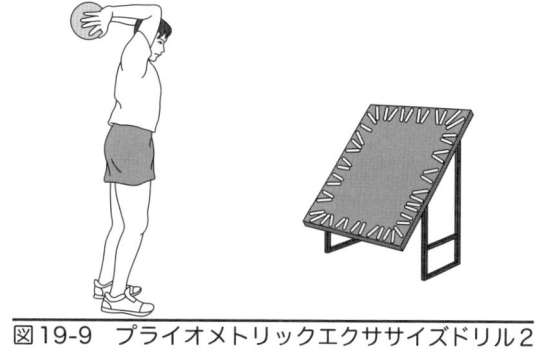

図19-9 プライオメトリックエクササイズドリル2
（文献9より作図）

図19-10 プライオメトリックエクササイズドリル3（文献9より作図）

図19-11 プライオメトリックエクササイズドリル4（文献9より作図）

ップでの投球を開始する。この段階が達成されれば，第II相である，マウンドからの投球が開始される。これらのインターバル投球プログラムの実施において，投球の強度には十分注意する必要がある。Fleisigら[21]は，客観的に健常な投手の投球強度を測定した結果，投手が50％の労力での投球を求められた時，レーダーガン解析による実際の労力は最大速度の約83％であり，75％の労力での投球を求められた時の実際の労力は最大速度の約90％であることを報告した。これらの結果は，投球者は提示された強度よりも，より強い強度で投げていることを示した。また，この段階においても，前段階からのエクササイズの継続が必要となる。

D. まとめ

● 反復的な投球動作に対する適応の結果，投球側の外旋可動域の増加，内旋可動域の減少が生じる。

● 主動筋／拮抗筋の比率は，肩甲帯の可動性，固定性の機能評価を行ううえで重要である。

● 投球障害肩に対するリハビリテーションは，炎症抑制，筋バランスの回復，軟部組織可動性の改善，固有受容感覚や神経筋コントロールの強化，効率的な投球競技への復帰などの，進行性かつ経時的な多相的の治療構成が重要である。

E. 今後の課題

機能障害に対する理学療法の効果に関する文献は多くみられるが，最終相での投球動作のパフォ

第4章 投球障害肩

ーマンス向上に関して詳細に記述している文献は少なかった。機能的改善を統合させて投球動作に結びつけていく過程は，再発予防の観点からも，臨床上非常に重要である。この段階での理学療法は，まだまだ主観的，経験的な要素が多く，統一された見解がないのが現状であると推察される。今後は，具体的な投球動作へのアプローチに関する理学療法のevidence based medicine（EBM）の確立が望まれる。

文献

1. Borsa PA, Dover GC, Wilk KE, Reinold MM. Glenohumeral range of motion and stiffness in professional baseball pitchers. *Med Sci Sports Exerc*. 2006; 38: 21-6.
2. Downar JM, Sauers EL. Clinical measures of shoulder mobility in the professional baseball player. *J Athl Train*. 2005; 40: 23-9.
3. Sethi PM, Tibone JE, Lee TQ. Quantitative assessment of glenohumeral translation in baseball players: a comparison of pitchers versus nonpitching athletes. *Am J Sports Med*. 2004; 32: 1711-5.
4. Wilk KE, Andrews JR, Arrigo CA. The abductor and adductor strength characteristics of professional baseball pitchers. *Am J Sports Med*. 1995; 23: 307-11.
5. Wilk KE, Andrews JR, Arrigo CA, Keirns MA, Erber DJ. The strength characteristics of internal and external rotator muscles in professional baseball pitchers. *Am J Sports Med*. 1993; 21: 61-6.
6. Wilk KE, Suarez K, Reed J. Scapular muscular strength values in professional baseball players. *Phys Ther*. 1999; 79 (5 suppl) : S81-2.
7. Allegrucci M, Whitney SL, Lephart SM, Irrgang JJ, Fu FH. Shoulder kinesthesia in healthy unilateral athletes participating in upper extremity sports. *J Orthop Sports Phys Ther*. 1995; 21: 220-6.
8. Blasier RB, Carpenter JE, Huston LJ. Shoulder proprioception: Effect of joint laxity, joint position, and direction of motion. *Orthop Rev*. 1994; 23: 45-50.
9. Wilk KE, Meister K, Andrews JR. Current concepts in the rehabilitation of the overhead throwing athlete. *Am J Sports Med*. 2002; 30: 136-51.
10. Bigliani LU, Codd TP, Connor PM, Levine WN, Littlefield MA, Hershon SJ. Shoulder motion and laxity in the professional baseball player. *Am J Sports Med*. 1997; 25: 609-13.
11. Padua DA, Guskiewicz KM, Myers JB. Effects of closed kinetic chain, open kinetic chain, and proprioceptive neuromuscular facilitation training on the shoulder. *J Athl Train*. 1999; 34: S83.
12. Uhl TL, Gieck JH, Perrin DH, Arnold BL, Saliba EH, Ball DW. The correlation between shoulder joint position sense and neuromuscular control of the shoulder. *J Athl Train*. 1999; 34: S10.
13. Jobe FW, Moynes DR. Delineation of diagnostic criteria and a rehabilitation program for rotator cuff injuries. *Am J Sports Med*. 1982; 10: 336-9.
14. Wilk KE. Restoration of functional motor patterns and functional testing in the throwing athlete, In : Lephart SM, Fu FH, eds. Proprioce-ption and Neuromuscular Control in Joint Stability. Champaign, IL, Human Kinetics. 2000; 415-38.
15. Wilk KE, Voight ML, Keirns MA, Gambetta V, Andrews JR, Dillman CJ. Stretch-shortening drills for the upper extremities: Theory and clinical application. *J Orthop Sports Phys Ther*. 1993; 17: 225-39.
16. Swanik KA, Lephart SM, Swanik CB, Lephart SP, Stone DA, Fu FH. The effects of shoulder plyometric training on proprioception and muscle performance characteristics. *J Athl Train*. 1999; 34: S9.
17. Fortun CM, Davies GJ, Kenozck TW. The effects of plyometric training on the shoulder internal rotators. *Phys Ther*. 1998; 78: S87.
18. Murray TA, Cook TD, Werner SL, Sohlegel TF, Hawkins RJ. The effects of extended play on professional baseball pitchers. *Am J Sports Med*. 2001; 29: 137-42.
19. Chen SK, Wickiewicz TL, Otis JC, Waren RF. Glenohumeral kinematics in a muscle fatigue model: A radiographic study. *Orthop Trans*. 1994-95; 18: 1126.
20. Lyman SL, Fleisig GS, Osinski ED, Roseman JM, Andrews JR. Incidence and determinants of arm injury in youth baseball pitchers. A pilot study. *Med Sci Sports Exerc*. 1998; 30 (S5): S4.
21. Fleisig GS, Zheng N, Barrentine SW, Escamilla RF, Andrews JR, Lemak LJ. Kinematic and kinetic comparison of full-effort and partial-effort baseball pitching, In: American Society of Biomechanics: Proceedings of the 20th Annual Meeting, Atlanta, GA, October. 1996; 151-2.

（小西　正浩）

第5章
スポーツ復帰

　本章では投球障害のスポーツ復帰を判断する指標として，筋力と柔軟性を取り上げた。さらにスポーツパフォーマンスを対象とした動作分析の役割を，主に投球動作の分析研究から検討した。

　スポーツ障害肩の筋力測定は，アイソキネテックマシンや手持ち式のダイナモメータを用いて行われている。なかでも投動作を想定し，外転位での内旋，外旋筋力を測定している研究が多い。その結果，非投球側と比較して投球側の内旋筋力が増大し，外旋筋力が低下することが知られている。これより拮抗筋の比率を示す外旋/内旋筋力比は非投球側よりも低値となる0.6〜0.7程度を示すとする報告が多い。筋力の増減は投動作への適応と考えられるが，われわれが高校野球選手を調査した結果では，投球障害の既往のある選手は外旋/内旋筋力比が低値を示す者が多かった。拮抗筋力の比率は，障害予防や競技復帰の基準にもなりうる可能性がある。

　野球選手の肩関節可動域は，外転位の外旋が増大して内旋が減少し，総可動域は変わらずに外旋方向へ偏位していることが知られている。成長期の肩関節可動域を経年的に比較した研究では，8〜9歳頃から柔軟性の低下がはじまり，12〜13歳をピークに急激に減少するとされている。しかし総回旋可動域は左右対称で，投球側の内旋可動域の減少が急激であるのに対し，外旋可動域の減少が緩徐であるために，外旋方向への可動域偏位が発生していることが明らかとなっている。この原因として近年，上腕骨および関節窩の外捻増大といった骨性因子が指摘されているが，前面の伸張や後面の短縮といった軟部組織の変化との複合的要因によると考えるのが妥当であろう。特に屈曲位での内旋は肩関節の後方軟部組織の柔軟性を反映し，投球障害肩との関連を示唆する見解も多い。今後肩関節のstiffnessと障害発生の関連を解明する研究が期待される。

　投球動作の分析はハードウエアの進化に伴い，運動学，運動力学，時間因子の変位量から，疲労によるフォームの変化や，障害発生の要因となる力学的ストレスの推定を行う段階に入っている。筋力，柔軟性の項でも述べられているように，全身運動である投球動作の分析や障害予防のためのトレーニング処方は，運動学，運動力学的連鎖の観点から，上肢運動と下肢や体幹運動の関連に着目すべきである。こうした視点はわれわれ理学療法士にアドバンテージがあり，われわれのアイデンティティともいえる。

第5章編集担当：小柳　磨毅

20. 競技特性と筋力

はじめに

肩甲上腕関節は構造上不安定な関節であるが，その反面大きな可動域を有している。Dillmanら[1]は，プロ野球投手では加速期からボールリリースの間のスピードが6,500～7,200°/秒で，肩甲上腕関節には体重の1～1.5倍の牽引力がかかると報告した。肩甲上腕関節の構造上の不安定性と投球中にかかる大きなストレスを考慮すれば，動的安定機構は投球障害の予防に大きな役割を果たしていると推察される。本項では，野球をはじめとするオーバーヘッド動作をするスポーツ選手の障害予防と競技復帰の指標となる肩内外旋筋力に関する報告を整理し，スポーツ復帰の評価方法における今後の課題を考察する。

A. 文献検索方法

「shoulder」，「sports」，「throwing」をキーワードに，PubMedで検索した結果44件がヒットした。今回，関節鏡および手術に関する報告を除いて，種目別では野球15件，ハンドボール3件，バレーボールと水球およびバドミントンがそれぞれ1件であった。また，多種目の外旋/内旋筋力比を比較した報告が1件あった。そのうち肩内外旋筋の筋力測定に関連があった10件について，種目別に測定機器，対象，測定肢位，方法，結果を比較検討した。

B. 野球

Cookら[2]は，Cybex IIを使用し，大学生15人の投手と13人の野手の肩伸展と屈曲（0～180°），内旋と外旋（60～60°）の最大トルクを180°/秒と300°/秒の速度条件で求心性の等速性筋力を測定し，拮抗筋力比を比較した。15人の投手のうち1人は肘の手術を受けており，2人はテスト中に痛みが出現し，2人はコンピュータのエラーにより計測できなかった。また非投手の4人もコンピュータのエラーにより計測できなかった。結果は，①投手の外旋/内旋筋力比は非投球側が有意に高かった，②野手の屈曲/伸展筋力比は300°/秒において投球側が有意に高かった，③投手の外旋筋力は投球側が低かった，④投手の内旋筋力は投球側が高かった，⑤投手と野手の非投球側の筋力は，各運動方向とスピードにおいて有意差がなかった，⑥投球側の筋力比率はすべてにおいて野手が高かったと報告された。

Wilkら[3]は，Biodexを使用し，150名のプロ野球投手の肩内旋と外旋筋力を座位の90°/90°ポジション（肩関節外転90°，肘関節屈曲90°（図20-1）にて180°/秒と300°/秒の速度条件で求心性の等速性筋力を測定した。この測定肢位は投球動作に近似し，体幹と肩を分離して固定することができ，SoderbergとBlaschak[4]は外旋筋力測定に最適であると述べた。結果は，①投球側と非投球側の最大トルクは180°/秒にて外旋筋力は非投球側が有意に高く，スピードが速くなるにつれて最大トルクは減少した（表20-1），②投

第5章 スポーツ復帰

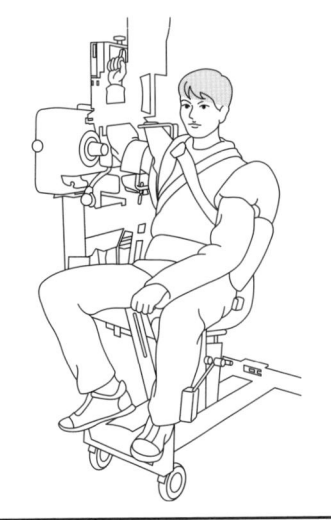

図20-1 測定肢位90°/90°ポジション（文献3より作図）

表20-1 外旋と内旋の投球側と非投球側の最大トルク（文献3より引用）

腕		角速度（°/秒）	
		180	300
外旋	投球側	34.5 ± 6.2	29.3 ± 5.1
	非投球側	36.5 ± 6.8*	30.1 ± 6.3
内旋	投球側	53.9 ± 8.8	49.0 ± 8.5
	非投球側	52.4 ± 9.5	48.0 ± 10.4

* $p < 0.05$。

表20-2 投球側と非投球側の外旋/内旋ピークトルク（文献3より引用）

腕	角速度（°/秒）	
	180	300
投球側	64.5 ± 9.4	60.6 ± 10.3
非投球側	63.9 ± 11.4	70.4 ± 12.6

表20-3 外旋と内旋の投球側と非投球側の体重比（文献3より引用）

腕		角速度（°/秒）	
		180	300
外旋	投球側	17.5 ± 2.9	14.9 ± 2.4
	非投球側	18.7 ± 3.3*	15.1 ± 2.6
内旋	投球側	26.9 ± 4.3	25.3 ± 7.3
	非投球側	26.5 ± 4.3	24.4 ± 4.7

* $p < 0.05$。

表20-5 外旋/内旋筋力比（文献5より引用）

	投球側	非投球側
外旋/内旋 210° PT	66.6 ± 12.7	73.5 ± 12.3
外旋/内旋 300° PT	70.3 ± 12.3	77.6 ± 11.9
外旋/内旋 210° SRW	63.3 ± 12.9	70.1 ± 11.6
外旋/内旋 300° SRW	64.7 ± 71.4	71.4 ± 13.2

PT：最大トルク，SRW：1回仕事量。

表20-4 投球側と非投球側の比較（文献5より引用）

運動	角速度	投球側	非投球側	t値	p
外旋	PT 210°	36.5 ± 6.8	37.2 ± 6.1	−1.33	NS
	PT 300°	35.7 ± 6.8	35.8 ± 5.5	−0.08	NS
	SRW 210°	65.5 ± 12.3	67.3 ± 11.9	−2.05	NS
	SRW 300°	60.1 ± 12.1	60.7 ± 11.7	−0.89	NS
内旋	PT 210°	56.1 ± 12.2	51.7 ± 11.4	5.57	0.001
	PT 300°	52.1 ± 11.9	47.1 ± 9.6	6.81	0.001
	SRW 210°	106.9 ± 26.0	98.4 ± 23.3	5.32	0.001
	SRW 300°	95.7 ± 24.4	87.7 ± 21.6	5.68	0.001

PT：最大トルク，SRW：1回仕事量，単位：Nm，NS：αレベル$p < 0.006$で有意差なし。

球側の外旋/内旋筋力比は180°/秒で65％，300°/秒で61％であった（**表20-2**），③平均最大トルクの体重比では，180°/秒の外旋筋力は非投球側が有意に高かった（**表20-3**）。

EllenbeckerとMattalino[5]は，Cybexを使用しプロ野球投手125名を対象に，肩内旋外旋の求心性等速性筋力を座位の90°/90°ポジション，210°/秒と300°/秒の速度条件で測定した。その結果，①内旋筋力の最大トルクと1回仕事量の比較では，210°/秒と300°/秒ともに投球側が有意

表20-6 投球側と非投球側における内旋と外旋筋の平均トルク（文献6より引用）

角速度（°/秒）		内　旋		外　旋	
		投球側	非投球側	投球側	非投球側
求心性収縮	60	51.6 ± 15.1	52.3 ± 12.3	48.8 ± 13.3	44.2 ± 11.4
	120	47.3 ± 13.4	47.4 ± 11.1	43.4 ± 11.5	41.8 ± 10.2
遠心性収縮	60	59.9 ± 16.6	58.4 ± 15.7	54.5 ± 15.6	50.6 ± 11.6
	120	62.3 ± 15.6	60.1 ± 15.2	56.4 ± 13.3	55.6 ± 12.2

表20-7 投球側と非投球側における外旋/内旋の平均トルク比（文献6より引用）

角速度（°/秒）		投球側	非投球側
求心性収縮	60	0.98 ± 0.31	0.85 ± 0.17
	120	0.97 ± 0.34	0.91 ± 0.21
遠心性収縮	60	0.93 ± 0.23	0.89 ± 0.17
	120	0.92 ± 0.15	0.95 ± 0.17

に高かったが，外旋筋力はいずれも有意差が認められなかった（表20-4），②外旋/内旋筋力比は両速度条件ともに最大トルクも1回仕事量も投球側が低かった（表20-5）。

Sirotaら[6]は，Kin-Komを使用し，25名のプロ野球投手の求心性収縮と遠心性収縮の肩内旋と外旋筋力を座位の90°/90°ポジションにて60°/秒と120°/秒の速度条件で測定した。その結果は，①求心性収縮と遠心性収縮の内旋と外旋筋力を投球側と非投球側とで比較し，有意差はなかった（$p > 0.05$）（表20-6）が，求心性収縮と遠心性収縮の比較では遠心性収縮が有意に高かった，②求心性収縮と遠心性収縮の外旋/内旋筋力比は投球側と非投球側では有意差を認めなかった（$p > 0.05$）（表20-7）と報告した。

Donatelliら[7]は，39名のプロ野球投手の肩関節外旋と内旋の関節可動域を測定し，ハンドヘルドダイナモメータを使用して肩関節の外旋筋群，

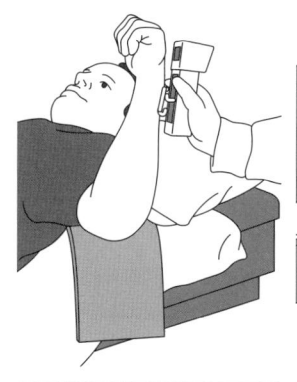

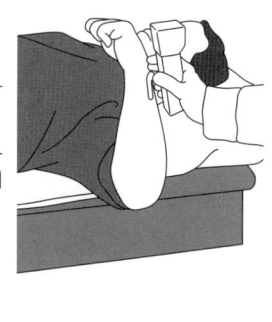

図20-2 測定肢位（肩甲骨面）（文献7より作図）

図20-3 測定肢位（90°ポジション）（文献7より作図）

内旋筋群，僧帽筋中部・下部線維，棘上筋の筋力（kg）を測定した。測定肢位は外旋・内旋筋群は肩外転45°・水平内転30°，肘屈曲90°と，肩外転90°，肘屈曲90°のふた通り（図20-2，図20-3）とし，その他の筋力は徒手筋力検査の測定肢位を採用した。結果は，①関節可動域は，肩90°外転位での外旋は投球側が有意に大きく，内旋は非投球側が有意に大きかった（表20-8），②筋力測定は僧帽筋中部・下部線維と肩90°外転位での内旋筋群は投球側が有意に高く，また外旋筋群は両方の肢位にて非投球側が高かった（表20-9）と報告した。

Noffal[8]は，Biodexを使用し16名の投球競技

表20-8 関節可動域（文献7より引用）

	投球側（°）（SD）	非投球側（°）（SD）	有意差	t比	自由度	p値
外旋（中間位）	54.48（10.47）	54.75（13.69）	NS	－0.150	38	0.882
外旋（90°外転位）	103.69（8.82）	95.03（8.53）	投球側＞非投球側（$p < 0.001$）	6.393	38	0.000
内旋（90°外転位）	40.33（8.99）	50.37（9.63）	投球側＜非投球側（$p < 0.001$）	－6.858	38	0.000

表20-9 筋力（文献7より引用）

筋	投球側	非投球側	有意差	t	自由度	p値
僧帽筋中部	6.66 kg (1.66)	5.84 kg (1.73)	投球側＞非投球側（$p<0.01$）	3.221	38	0.003
僧帽筋下部	6.85 kg (1.90)	6.08 kg (1.22)	投球側＞非投球側（$p<0.05$）	2.543	38	0.015
棘上筋	8.78 kg (2.06)	8.98 kg (2.50)	NS	−0.743	38	0.462
内旋筋群（肩甲骨面）	19.57 kg (4.03)	18.75 kg (3.18)	NS	1.626	38	0.112
外旋筋群（肩甲骨面）	13.27 kg (3.59)	14.50 kg (3.11)	非投球側＞投球側（$p<0.01$）	−3.253	38	0.002
内旋筋群（90°）	18.20 kg (3.96)	17.43 kg (3.65)	投球側＞非投球側（$p<0.05$）	2.275	38	0.029
外旋筋群（90°）	15.05 kg (3.67)	17.14 kg (4.09)	非投球側＞投球側（$p<0.001$）	−4.528	38	0.000

表20-10 投球競技者と非投球競技者の最大トルク（Nm）（平均±SD）（文献8より引用）

		投球競技者		非投球競技者	
		投球側	非投球側	投球側	非投球側
求心性	内旋	48.4±9.6	42.1±7.1	41.9±11.0	37.8±9.2
	外旋	30.8±4.8	30.5±4.6	30.4±5.4	29.1±5.0
遠心性	内旋	71.8±9.4	59.7±11.6	67.8±16.0	53.8±9.4
	外旋	55.0±6.6	61.1±7.3	55.0±10.3	59.4±12.8

表20-11 投球競技者と非投球競技者の外旋と内旋の最大トルク比（平均±SD）（文献8より引用）

比 率	投球競技者		非投球競技者	
	投球側	非投球側	投球側	非投球側
遠心性外旋／求心性内旋	1.17±0.20	1.48±0.22	1.37±0.30	1.60±0.29
求心性外旋／求心性内旋	0.65±0.08	0.73±0.09	0.75±0.16	0.80±0.15

者と43名の非投球競技者の求心性収縮と遠心性収縮の肩内旋・外旋筋力を300°/秒の速度条件で測定した。測定肢位を仰臥位で肩外転90°，肘屈曲90°にて外旋方向に90°，内旋方向に60°の運動範囲で測定した。その結果，①求心性および遠心性内旋筋力は投球競技者，非投球競技者ともに投球側が高かった。遠心性収縮の外旋筋力は非投球側が高く，求心性収縮においては有意差を認めなかった（**表20-10**）。②遠心性外旋／求心性内旋筋力比は投球競技者，非投球競技者ともに非投球側が高かった。求心性の外旋／内旋筋力比も非投球側が高い傾向があった（**表20-11**）。

C. ハンドボール

Bayosら[9]は，Cybex IIを使用し，ギリシャのナショナルリーグ第1部の15名と第2部12名，体育大学学生15名の肩内旋と外旋筋力を検討した。座位の90°/90°ポジションで60°/秒と180°/秒，300°/秒の速度条件で求心性の等速性筋力を測定し，また3種類の投球方法（**図20-4**）で最大のボール速度を測定した。結果は，①3グループ間の内旋筋力と外旋筋力は，統計学的に有意な差はなかった（**表20-12**），②ボールスピードは，3グループ間において統計学的に有意差を認め，レベルが高いほどボールスピードが速かった（**表20-13**），③内外旋筋力と外旋/内旋筋力比およびボールスピードとの関係は，統計学的

図20-4 投球方法（文献9より作図）
A：その場での投球，B：クロスオーバーステップ，C：垂直跳びを伴うクロスオーバーステップ。

表20-12 ハンドボール選手における求心性の内旋と外旋最大トルク（Nm）（平均±SD）（文献9より引用）

	ナショナルリーグ第1部 (n=15)	ナショナルリーグ第2部 (n=12)	体育大学学生 (n=15)
内旋60°	60.78±10.79	61.63±14.16	53.99±8.87
外旋60°	36.44±7.23	37.66±8.88	35.43±6.75
外旋/内旋比60°	0.60±0.16	0.61±0.06	0.66±0.11
内旋180°	52.56±9.23	54.84±16.41	45.60±9.40
外旋180°	28.57±5.19	30.41±8.70	25.99±5.33
外旋/内旋比180°	0.54±0.14	0.55±0.08	0.57±0.09
内旋300°	42.99±10.21	47.12±14.2	39.88±8.85
外旋300°	20.90±4.85	23.24±8.62	18.56±5.51
外旋/内旋比300°	0.49±0.14	0.49±0.08	0.47±0.11

表20-13 競技レベルごとの3種類の投球方法によるボールスピードの比較（単位：m/秒）（平均±SD）（文献9より引用）

競技レベル	その場での投球	クロスオーバーステップ	垂直跳びを伴うクロスオーバーステップ
ナショナルリーグ第1部 (n=15)	23.51±2.23	26.27±3.21	22.74±2.16
ナショナルリーグ第2部 (n=12)	20.08±1.12	23.22±1.86	20.54±1.63
体育大学学生 (n=15)	16.85±1.58	18.90±1.98	15.54±1.42

に相関がなかったと報告した。

D. バドミントン

　GabrielとPatrick[10]は，Cybex 6000を使用し，大学生とクラブチームの男性バドミントン選手25名の求心性収縮と遠心性収縮の肩内旋と外旋筋力を速度条件120°/秒，肩関節外旋90°から内旋40°の範囲で測定した。測定肢位は背臥位で肩関節90°外転位，肘関節90°屈曲位，手関節は中間位，手指は軽く握りストラップで体幹と骨盤を固定した。分析はコッキング後期を想定し，外旋60°から90°の遠心性収縮の内旋筋力および求心性収縮の外旋筋力と減速期を想定した内旋10°から30°の遠心性収縮の外旋筋力と求心性収縮の内旋筋力（J/kg）を比較した。その結果，①外旋筋力は遠心性・求心性収縮ともに左右差がなかった，②内旋筋力は遠心性・求心性収縮ともに利き手が高かった（表20-14）と報告した。Scoville[11]やChoi[12]の先行研究との比較もしたが，コッキング後期においては低値で，減速期においてはやや高値であった（表20-15）。その理

表20-14 利き手と非利き手の外旋筋力と内旋筋力の体重比（単位：J/kg）（平均±SD）（文献10より引用）

筋の動き／範囲	肩		p値*
	投球側	非投球側	
遠心性内旋／外旋60〜90°	0.19±0.06	0.14±0.04	<0.001
求心性外旋／外旋60〜90°	0.11±0.03	0.11±0.02	0.891
遠心性外旋／外旋10〜内旋30°	0.31±0.06	0.31±0.06	0.963
求心性内旋／外旋10〜内旋30°	0.29±0.05	0.24±0.04	<0.001

表20-15 先行研究との比較（文献10より作成）

発表者	コッキング後期 遠心性内旋：求心性外旋		減速期 求心性内旋：遠心性外旋	
	利き手	非利き手	利き手	非利き手
Scvilleら	2.39：1	2.15：1	1.08：1	1.05：1
Choi	2.16：1	1.68：1	0.73：1	0.89：1
Gabrielら	1.9：1	1.3：1	1.1：1	1.3：1

由として，Scovilleらの対象はオーバーヘッド動作をするスポーツ選手に関係なく，Choiは多種目の選手を対象としているためコッキング後期と減速期の全体の角度が一致していないためであると報告した．

E. まとめ

多くの研究者たちがオーバーヘッド動作をするスポーツ選手の障害予防のため肩内旋・外旋筋力を測定している．それらの測定機器と対象および求心性の肩関節外旋・内旋筋力と外旋/内旋筋力比を表20-16にまとめた．

- 内旋筋力は投球側が高く，外旋筋力は投球側のほうが低いとする報告が多かった．
- 投球側の外旋/内旋筋力比は非投球側と比べ低いとする報告が多かった．
- 投球側の求心性の外旋/内旋筋力比は0.6〜0.7の報告が多かった．
- ボールスピードと肩回旋筋力には相関がなかった．

F. 今後の課題

オーバーヘッド動作をするスポーツ選手における肩の障害予防には，特に遠心性収縮形態での肩外旋筋群の効果的なトレーニング方法の開発が重要である可能性が示唆された．

また，肩回旋筋力の他にも体幹や骨盤，下肢の筋力とのバランスを検証していくことがより進んだ障害予防につながり，パフォーマンスとの関係を明確にしていく重要な手がかりとなっていくと考える．

文 献

1. Dillman CJ, Flesing GS, Andrew JR. Biomechanics of pitching with emphasis upon shoulder kinematics. J Orthop Sports Phys Ther. 1993; 18: 402-8.
2. Cook EE, Gray VL, Savinar-Nogue E, Medeiros J. Shoulder antagonistic strength rations: a comparison between college-level baseball pitchers and nonpitchers. J Orthop Sports Phys Ther. 1987; 8: 451-61.
3. Wilk KE, Andrews JR, Arrigo CA, Keirns MA, Erber DJ. The strength characteristics of internal and external rotator muscle in professional baseball pitchers. Am J Sports Med. 1993; 21: 61-6.
4. Soderberg GJ, Blaschak MJ. Shoulder internal and external rotation peak torque production through a velocity spectrum in differing positions. J Orthop Sports Phys Ther. 1987; 8: 518-24.
5. Ellenbecker TS, Mattalino AJ. Concetric isokinetic shoulder internal and external rotation strength in professional baseball pitchers. J Orthop Sports Phys Ther. 1997; 25: 323-8.
6. Sirota SC, Malanga GA, Eischen JJ, Laskowski ER. An eccentric- and concentric-strength profile of shoulder external and internal rotator muscle in professional baseball pitchers. Am J

表20-16 研究報告一覧（文献8ほかより作成）

研究者	使用機器	対象	投球側（利き手）			非投球側（非利き手）		
			外旋	内旋	外旋/内旋	外旋	内旋	外旋/内旋
Wilkら	Biodex 180	プロ投手 150名	34.5 Nm	53.9 Nm	0.65	36.5 Nm	52.4 Nm	0.64
	300		29.3 Nm	49.0 Nm	0.61	30.1 Nm	48.0 Nm	0.70
EllenbeckerとMattalino	Cybex 210	プロ投手 125名	36.5 Nm	56.1 Nm	0.67	37.2 Nm	51.7 Nm	0.74
	300		35.7 Nm	52.1 Nm	0.70	35.8 Nm	47.1 Nm	0.77
Sirotaら	Kin-Kom 60	プロ投手 25名	48.8 Nm	51.6 Nm	0.98	44.2 Nm	52.3 Nm	0.85
	120		43.4 Nm	47.3 Nm	0.97	41.8 Nm	47.4 Nm	0.91
Donatelliら	HHD 肩甲骨面	プロ投手 39名	13.3 kg	19.6 kg	0.68	14.5 kg	18.8 kg	0.77
	90°外転位		15.1 kg	18.2 kg	0.83	17.1 kg	17.4 kg	0.98
Noffal	Biodex 300	大学生 59名	30.8 Nm	48.4 Nm	0.65	30.5 Nm	42.1 Nm	0.73
Bayosら	Cybex II 60	ハンドボール選手15名	36.4 Nm	60.8 Nm	0.60			
	180		28.6 Nm	52.6 Nm	0.54			
	300		20.9 Nm	43.0 Nm	0.49			
Gabrielら	Cybex 6000 120	バドミントン選手25名	0.11 J/kg	0.29 J/kg	0.38	0.11 J/kg	0.24 J/kg	0.46
Cookら	Cybex II 180	大学生 15名			0.70			0.81
	300				0.70			0.81
Hinton	Cybex II 240	高校生 26名			0.71			0.80
Newshamら	300	大学生16名			0.64			0.67
AlderinkとKuck	300				0.70			0.75

Sports Med. 1997; 25: 59-64.

7. Donatelli R, Ellenbecker TS, Ekedahl SR, Wilkes JS, Kocher K, Adam J. Assessment of shoulder strength in professional baseball pitchers. J Orthop Sports Phys Ther. 2000; 30: 544-51.

8. Noffal GJ. Isokinetic eccentric-to-concentric strength ration of the shoulder rotator muscles in throwers and nonthrowers. Am J Sports Med. 2003; 31: 537-41.

9. Bayos IA, Anastasopoulou EM, Sioudris DS, Boudolos KD. Relationship between isokinetic strength of the internal and external shoulder rotators and ball velocity in team handball. J Sports Med Phys Fitness. 2001; 41: 229-35.

10. Gabriel YF, Patrick CW. A study of antagonist/agonist isokinetic work rations of shoulder rotators in men who play badminton. J Orthop Sports Phys Ther. 2002; 32: 399-403.

11. Scoville CR, Arciero RA, Taylor DC, Stoneman PD. End range eccentric antagonist/concentric agonist strength ratios: a new perspective in shoulder strength assessment. J Orthop Sports Phys Ther. 1997: 25: 203-7.

12. Choi M. A study of the balance of shoulder agonist and antagonist muscle during concentric and eccentric action: A quantifiable isokinetic assessment of the strength ratio. The Chinese University of Hong Kong, Hong Kong. 1996.

（野谷　優）

21. 競技復帰と柔軟性

はじめに

肩関節における代表的なスポーツ障害として，投球障害があげられる。投球障害肩は，柔軟性や筋力などのコンディションの低下や投げすぎなどのオーバーユース，またスキルとしての投球フォームの問題など，さまざまな原因によって発生する。競技復帰には，これらの問題を解決していくことが必要となるが，ここでは特に理学療法士がアプローチする機会の多い柔軟性に着目して報告する。

肩関節の柔軟性と投球障害との関連性については諸家により検討されてはいるが，その結果はさまざまである。そのためこれまでにどのような報告がなされているのかを把握しておくことは，スポーツ復帰，障害予防を進めていくうえで非常に重要である。

A. 文献検索方法

検索エンジンにはPubMedを使用した。検索用語およびヒットした文献件数を**表21-1**に示した。

表21-1 検索用語とヒット件数

検索用語	件数
shoulder・rehabilitation・baseball	66件
glenohumeral・baseball	55件
glenohumeral・range of motion・baseball	25件
glenohumeral・range of motion・rehabilitation・baseball	25件
range of motion・shoulder・baseball	86件

B. 野球における肩可動域の特性

1. 投球側，非投球側の比較

野球選手の肩関節可動域は，投球動作を考慮して90°外転位での内外旋可動域（外旋可動域：2nd ER，内旋可動域：2nd IR）を測定することが多い。これらの可動域を投球側，非投球側間で比較すると，2nd ERは投球側が大きく，2nd IRは投球側が小さかったと報告された[1〜7]。可動域の差は，2nd ERで5.1〜13.6°，2nd IRは2.0〜10.0°である。なお対象者はプロ野球選手から青少年野球選手，いずれも同様の結果である。しかし，内外旋可動域を合わせた総回旋可動域では，投球側と非投球側間に差はなかったと報告された[1〜7]。

他の運動方向の関節可動域に関して，1997年にBiglianiら[1]は148名のプロ野球選手を対象に，2nd ER・IR以外に前方挙上と肩関節下垂位での外旋可動域（1st ER）を計測している。結果として，前方挙上，1st ERともに投球側，非投球側間に差はなかったと報告した。また，対象者を投手と野手に分けて比較した結果，前方挙上，1st ERは投手，野手間に差はなかったものの，どちらの可動域も投手のほうが大きい傾向を示した（**表21-2**）。2006年にBorsaら[2]は34名のプロ野球選手を対象に2nd ER，IRに加え，前方挙上と水平内転も計測している。その結果，前方挙上および水平内転ともに投球側，非投球側間に差はなかった。

投球側2nd ERが非投球側に比べ大きくなり，

21. 競技復帰と柔軟性

表21-2 利き手，非利き手の肩関節可動域（文献1より引用）

グループ		面			
		前方挙上（°）	下垂位での外旋（°）	90°外転位での外旋（°）	内旋（°）
全選手	利き手	173.3	79.5	113.5	15.4
	非利き手	175.1	78.3	99.9	17.5
投手	利き手	174.9	80.9	118.0	15.5
	非利き手	177.3	79.7	102.8	17.6
野手	利き手	171.8	78.2	109.3	15.4
	非利き手	173.1	76.9	97.1	17.4

*内旋可動域はASES（American Shoulder and Elbow Surgeons'）スケールにより測定。

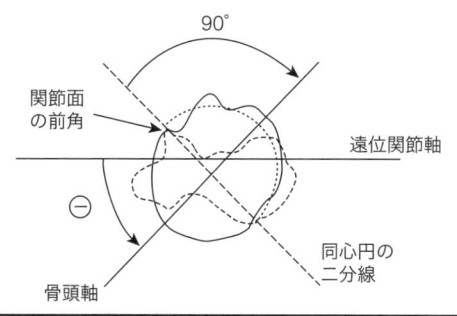

図21-1 上腕骨頭後捻角（文献4より作図）
上腕骨遠位関節軸と上腕骨頭軸のなす角（文献5による方法）。

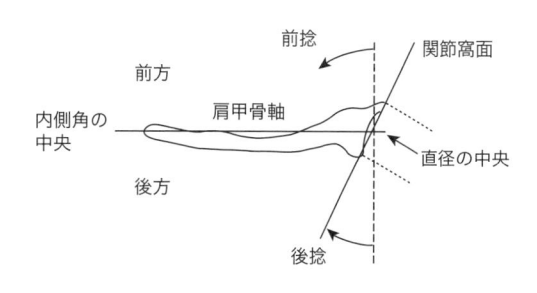

図21-2 関節窩後捻角（文献4より作図）
肩甲骨軸の垂線と関節窩面のなす角（文献5による方法）。

2nd IRが小さくなる原因としては，以下の原因があげられている。

第一に，投球動作の繰り返しにより前方の関節包が伸張され，後方の関節包は短縮するという軟部組織の影響である。2005年にBorsaら[3]は，43名のプロ野球選手を対象に肩関節可動域と関節唇の偏位量を測定し，投球側外旋の増大は前方関節包の伸張のためで，投球側内旋の減少は後方関節包の短縮が原因であると推察した。

第二に，繰り返される投球動作による反復外旋への順応として，上腕骨頭後捻角の増大が起こっているためといわれている。2002年にCrockettら[4]はプロ野球選手を対象に肩関節可動域と上腕骨頭および関節窩後捻角を測定した（図21-1，図21-2）。その結果，2nd ER，上腕骨頭および関節窩後捻角は投球側が大きく，2nd IRは投球側が小さかったため，プロ野球投手における肩外

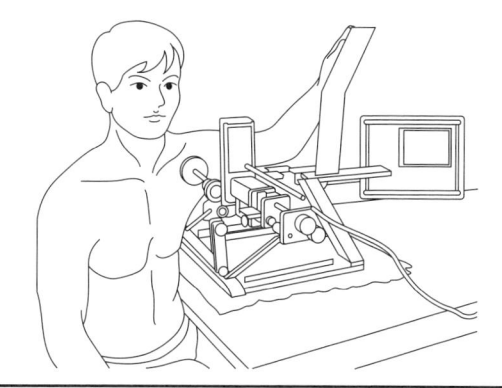

図21-3 肩甲上腕関節stiffness（硬直性）の測定（文献2より作図）
肩関節外転外旋位で，骨頭に対して前後より一定の力で外力を加えたときの移動量を測定した。

旋可動域の増大は，上腕骨頭および関節窩後捻角の増大が影響していると報告した。また2006年にBorsaら[2]は，プロ野球選手を対象に肩関節の関節可動域に加え，張力機器を用いた肩甲上腕関節における上腕骨頭の偏位に必要な外力を測定し

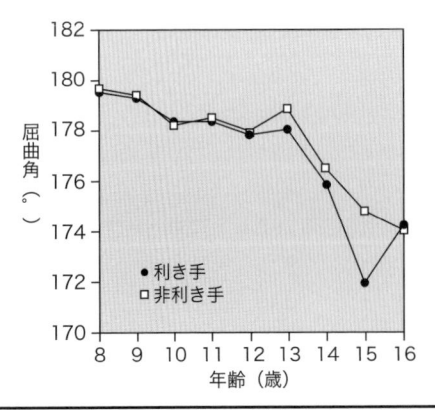

図21-4　年齢別屈曲可動域（文献9より引用）

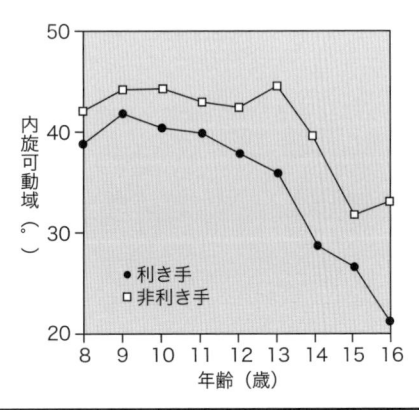

図21-5　年齢別内旋可動域（文献9より引用）

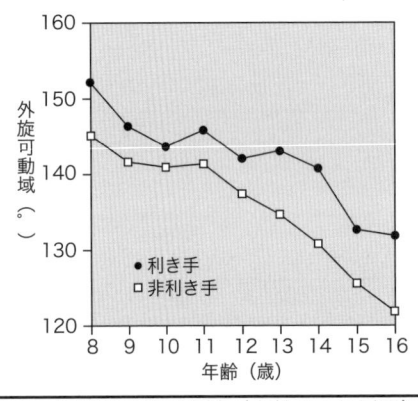

図21-6　年齢別外旋可動域（文献9より引用）

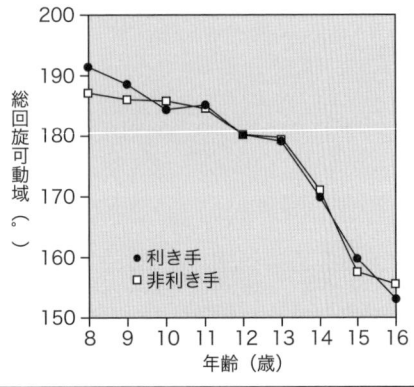

図21-7　年齢別総回旋可動域（文献9より引用）

た（**図21-3**）．その結果，この外力に投球側，非投球側間の差はなかった．このことから，肩甲上腕関節の前後軟部組織におけるstiffnessに投球側と非投球側間の差はなく，投球側と非投球側間の可動域差は，軟部組織の影響よりも上腕骨後捻角の増大による影響が大きいと考察した．

2．年　齢

　2005年Meisterら[9]は既往歴のない青少年野球選手（8〜16歳）294名を対象に，肩関節可動域を測定した．測定項目は屈曲，2nd ER，2nd IRである．結果を年齢別に検討したところ，屈曲は投球側，非投球側ともに13〜14歳頃より減少，内旋は投球側が12〜13歳頃より，非投球側が14〜15歳頃より減少，外旋は投球側，非投球側ともに年齢増加とともに減少傾向であると報告した（**図21-4，図21-5，図21-6**）．これらの変化は骨成長に伴う骨性因子と軟部組織性因子が含まれる結果であった．また総回旋可動域（内旋可動域＋外旋可動域）の低下が最も大きかった時期は13〜14歳で，リトルリーグ肩（上腕骨骨端線離開）を引き起こしやすい年齢の後であった（**図21-7**）．

3．他競技との比較

　2002年Ellenbeckerら[6]は，プロ野球選手46名とジュニア男子テニス選手117名を対象に2nd ERとIRを測定し比較した．その結果，プロ野球選手では内外旋では利き手，非利き手間には差があるものの，総回旋可動域には差はなかった．一方，テニス選手では外旋は利き手，非利き手間には差はないが，内旋および総回旋可動域には差が

表21-3 プロ野球選手とテニス選手の可動域（文献6より引用）

対象		利き手	非利き手	t	p値
投手	外旋	103.2±9.1 (1.34)	94.5±8.1 (1.19)	7.135	0.000
	内旋	42.4±15.8 (2.33)	52.4±16.4 (2.42)	−7.922	0.000
	総回旋（外旋＋内旋）	145.7±18.0 (2.66)	146.9±17.5 (2.59)	−0.981	NS
テニス選手	外旋	103.7±10.9 (1.02)	101.8±10.8 (1.01)	2.238	NS
	内旋	45.4±13.6 (1.28)	56.3±11.5 (1.08)	−8.977	0.000
	総回旋（外旋＋内旋）	149.1±18.4 (1.73)	158.2±15.9 (1.50)	−6.472	0.000

認められた。両競技間で総回旋可動域を比較し，利き手ではプロ野球選手とテニス選手間に差は認められないが，非利き手ではテニス選手のほうが大きかった（表21-3）。その原因については明らかではないものの，この結果はスポーツ選手のリハビリテーションを進めるうえでの指標とすることができると報告した。

C. 障害との関連性

2003年Yanagisawaら[10]は投手7名を対象に，各種の治療方法が肩関節可動域と腱板断面積に及ぼす影響を調査し，投球後に外旋可動域は増加し，内旋可動域は減少すると報告した。Meister[11]は，関節包のゆるみが上腕骨頭の前方移動と外旋可動域も増加させ，その結果インターナルインピンジメントを助長すると報告した。1998年Carsonら[12]は，リトルリーグ肩の野球選手23名をフォローアップし，そのなかで可動域の制限は認められなかったと報告した。このように投球動作による可動域への影響が報告され，外旋可動域の増加や内旋可動域の減少が問題となることは推測されてはいるものの，投球障害と肩関節可動域の関連性は明らかにされていないのが現状である。

D. まとめ

以上のように，競技復帰と肩関節の柔軟性についてはいまだ明らかになっていない点が多いものの，これまでの報告から以下のようなことがいえる。

1. すでに真実として承認されていること
● 野球では投球側の2nd ERが増して，2nd IRが減少する。その結果，総回旋可動域で投球側，非投球側間に差がない。

2. 議論の余地はあるが，今後重要な研究テーマとなること
● 2nd ERやIRでの投球前後の変化や経時的な変化。
● 下肢，体幹柔軟性の投球動作への影響。

E. 今後の課題

現在まで部位別，疾患別といったテーマで進んできていて非常に興味深い。ただスポーツ障害は1つの部位の治療で解決することは少なく，全身の柔軟性や筋力，また運動連鎖など総合的にみる必要性があると思われる。そのため今後はこれらに加えて動作別といった切り口でレビューを進めても興味深い。

第5章 スポーツ復帰

文献

1. Bigliani LU, Codd TP, Connor PM, Levine WN, Littlefield MA, Hershon SJ. Shoulder motion and laxity in the professional baseball player. *Am J Sports Med.* 1997; 25: 609-13.
2. Borsa PA, Dover GC, Wilk KE, Reinold MM. Glenohumeral range of motion and stiffness in professional baseball pitchers. *Med Sci Sports Exerc.* 2006; 38: 21-6.
3. Borsa PA, Wilk KE, Jacobson JA, Scibek JS, Dover GC, Reinold MM, Andrews JR. Correlation of range of motion and glenohumeral translation in professional baseball pitchers. *Am J Sports Med.* 2005; 33: 1392-9.
4. Crockett HC, Gross LB, Wilk KE, Schwartz ML, Reed J, O'Mara J, Reilly MT, Dugas JR, Meister K, Lyman S, Andrews JR. Osseous adaptation and range of motion at the glenohumeral joint in professional baseball pitchers. *Am J Sports Med.* 2002; 30: 20-6.
5. Hill JA, Tkach L, Hendrix RW. A study of glenohumeral orientation in patient with anterior recurrent shoulder dislocations using computerized axial tomography. *Orthop Rev.* 1989; 18: 84-91.
6. Ellenbecker TS, Roetert EP, Bailie DS, Davies GJ, Brown SW. Glenohumeral joint total rotation range of motion in elite tennis players and baseball pitchers. *Med Sci Sports Exerc.* 2002; 34: 2052-6.
7. Mair SD, Uhl TL, Robbe RG, Brindle KA. Physeal changes and range-of-motion differences in the dominant shoulder of skeletally immature baseball players. *J Shoulder Elbow Surg.* 2004; 13: 487-91.
8. Downar JM, Sauers EL. Clinical measures of shoulder mobility in the professional baseball player. *J Athl Train.* 2005; 40: 23-9.
9. Meister K, Day T, Horodyski M, Kaminski TW, Wasik MP, Tillman S. Rotational motion changes in the glenohumeral joint of the adolescent/Little League baseball player. *Am J Sports Med.* 2005; 33: 693-8.
10. Yanagisawa O, Miyanaga Y, Shiraki H, Shimojo H, Mukai N, Niitsu M, Itai Y. The effects of various therapeutic measures on shoulder range of motion and cross-sectional areas of rotator cuff muscles after baseball pitching. *J Sports Med Phys Fitness.* 2003; 43: 356-66.
11. Meister K. Injeries to the shoulder in the throwing athlete. part one: Biomechanics/pathophysiology/classification of injury. *Am J Sports Med.* 2000; 28: 265-75.
12. Carson WG Jr, Gasser SI. Little Leaguer's shoulder. A report of 23 cases. *Am J Sports Med.* 1998; 26: 575-80.

〔上野　隆司〕

22. 動作分析の役割

はじめに

投球障害肩の発生原因として，肩複合体の機能不全や投球過多によるオーバーユースがある．また，投球動作が下肢-体幹-上肢へ連鎖する全身運動であることから，不良な投球動作もその一因となる．投球障害肩のリハビリテーションを行ううえでは，肩複合体の機能とともに投球動作を理解することが重要となる．臨床では，簡易的にハンディビデオカメラによる記録映像を定性的に分析する場合が多い．また，投球動作が全身運動であることから分析ポイントも投球側上肢にかぎらず，非投球側上肢，下肢，骨盤，体幹など投球動作に影響を与えるすべての部位が対象となる．本項ではバイオメカニクス的手法による投球動作分析について報告する．

A. 文献検索方法

検索対象言語は英語とし，使用したデータベースはPubMedとした．検索語を「biomechanics」，「pitching mechanics」で検索した結果，50件（レビュー5件を含む）がヒットした．さらに，スポーツ種目を野球に限定し，上肢の関節をテーマに沿って肩関節のみを対象とした．その結果，肩関節に関連した投球動作分析の文献はレビューを除く18件であった．

B. 投球動作の相

投球動作は開始から終了するまでをワインドアップ期，コッキング期，加速期，フォロースルー期の4相に分割されている．さらに，コッキング期を早期と後期の2相，フォロースルー期を減速期とフォロースルー期の2相に細分割し6相に分割している．各相の局面は，ワインドアップは投球開始から投球手（ボール）がグラブから離れるまで，前期コッキング期は踏み込み脚が地面に接地（foot contact, stride foot contact, lead foot contact）するまで，後期コッキング期は投球肩が最大外旋位（maximum external rotation）になるまで，加速期はボールをリリース（ball release, release）するまで，減速期は投球肩が最大内旋位（maximum internal rotation）になるまで，フォロースルーは投球終了までと分類した（図16-1，134ページ参照）．

C. 投球動作の分析方法

投球動作の分析は，CCDカメラで撮影した投球映像から対象者の解剖学的ランドマークをコンピュータに取り込み，direct linear transformation（DLT）法により三次元化し，分析する方法が主流である[1～14]．現在では体表面に貼付した反射マーカーを自動追従する装置とソフトウエアの開発により，自動的に三次元動作分析が可能なモーションキャプチャ装置が用いられている．また，映像分析と併用される解析機器として投球時の筋活動が計測可能な筋電計[15～18]や下肢機能（leg drive）の力学的な分析を目的とした床反力計[12]が用いられている．

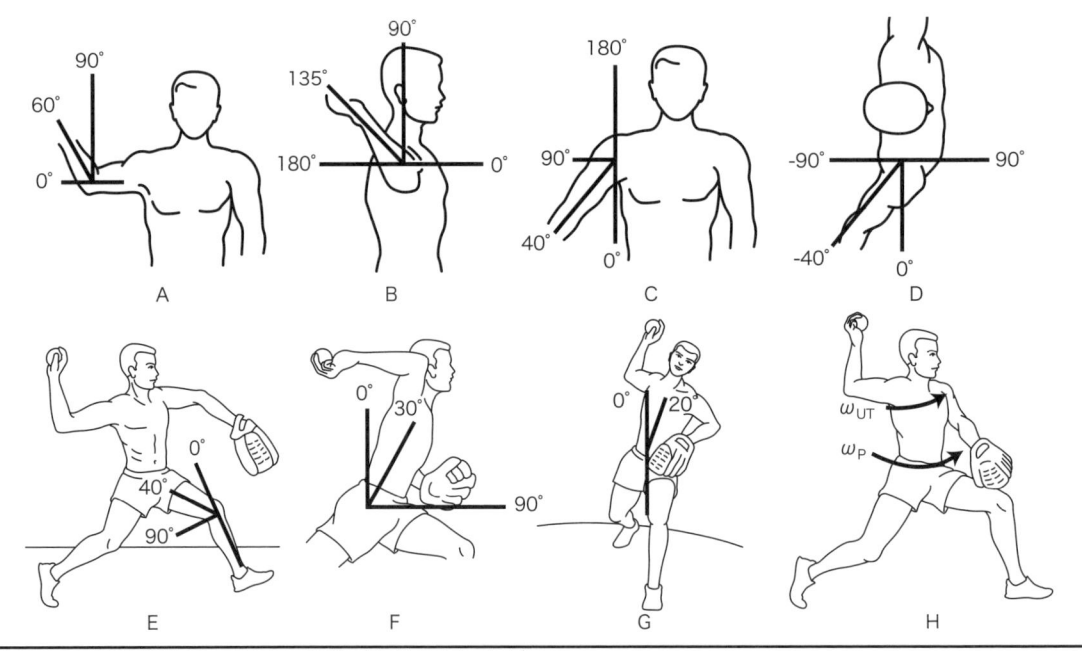

図22-1 運動学的パラメータの定義（文献5より改変）
A：肘屈曲，B：肩外旋/内旋，C：肩外転，D：肩水平内転（正の値）と肩水平外転（負の値），E：踏み込み脚膝屈曲，F：前方への体幹傾斜，G：側方への体幹傾斜，H：骨盤の角速度（ω_P）と上部体幹の角速度（ω_{UT}）。

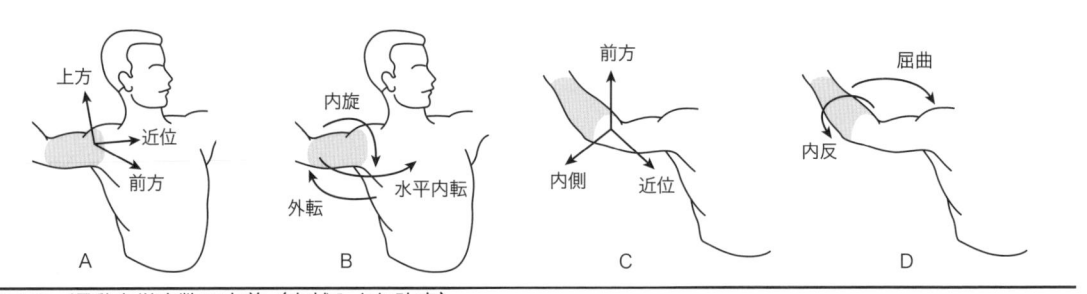

図22-2 運動力学変数の定義（文献1より改変）
A：肩関節間力は上方，近位，前方，B：肩関節トルクは内旋トルクと水平内転トルク，C：肘関節間力は内側，D：肘関節トルクは内反。

　三次元投球動作分析では，運動学（kinematic），運動力学（kinetic），時間（temporal）の変位量を算出し比較検討している。Escamillaら[5]は，運動学的評価として肩内外転・水平内外転・内外旋，肘屈伸，体幹（前方・側方）傾斜，骨盤・体幹回旋角速度を算出した（図22-1）。Stoddenら[1]は，運動力学的評価としては肩，肘の関節間力や関節トルクを算出し（図22-2），関節間力は体重比，関節トルクは体重と身長の積による比で標準化した。Fleisigら[11, 13]は，投球サイクルの標準化を脚接地（0％）からボールリリース（100％）までとした。Sabickら[2, 3]は，最初にグラブからボールが離れる時点（0％）からボールリリース後の肩最大内旋位（100％）までとした（図22-3）。

D. 定性的分析

　Dillmanら[14]によると，ワインドアップ（図22-4A，B）では踏み込み脚の膝が最高位に達したときによいバランス姿勢をとることが，ストライド（図22-4C〜F）では体幹を軸脚に残しつつ投球方向へ踏み込む能力と上下肢の協調した動き

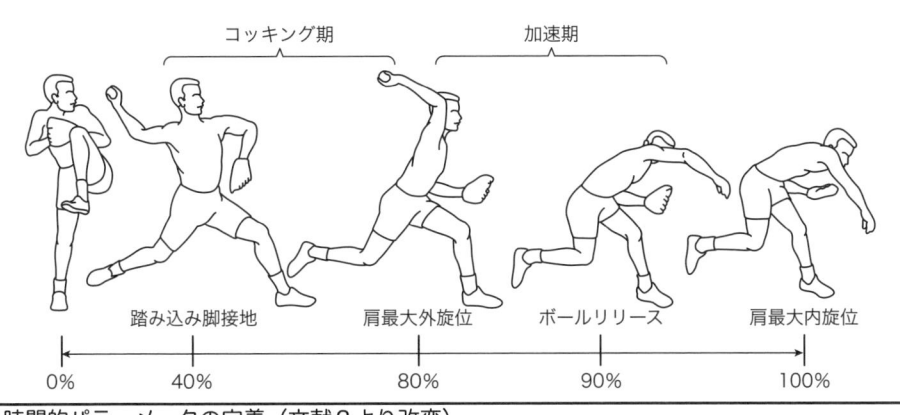

図22-3 時間的パラメータの定義（文献2より改変）
投球動作の踏み込み脚接地，肩最大外旋位，ボールリリース，肩最大内旋位は重要な事象である。

図22-4 一連の投球動作（文献14より改変）

（図22-4C〜E）が重要であるとした。ストライドは軸足からプレートに向けまっすぐに接地させ，つま先はわずかに内側に向ける。ストライド長は身長よりわずかに小さくする。コッキング期（図22-4F〜H）では，体幹の回旋，伸展運動とともに肘屈曲，肩外旋位となり，体幹がバッターに正対した時に肩は最大外旋位となる。加速期（図22-4H，I）は肩内旋運動の開始時点からで，肩内旋運動と肘伸展運動を伴う。ボールリリースでは体幹前傾位となり，踏込み脚の膝は伸展運動する。減速期（図22-4I，J）では肘伸展，肩内旋に伴う前腕回内の複合運動がみられる。肩最大内旋時の肩内旋角速度は0まで減速し，内旋角度は約0°となる。フォロースルー（図22-4J，K）での踏み込み脚は，股関節が屈曲したまま膝が完全伸展し，肩内転，水平内転，肘屈曲，前腕回外位になる。

E. 定量的分析

Escamillaら[5, 9]は，異国間投手の比較において，球速の速いキューバ投手は他国投手に比べ踏

第5章 スポーツ復帰

表22-1 有意差のあった運動学・運動力学パラメータ（文献8より引用）

パラメータ	初回	最終回	p値
球速	144 km（40 m/s）	136 km（38 m/s）	0.009
肩の最大外旋角度（°）	181	172	0.007
ボールリリース時の膝の角度（°）	140	132	0.024
肩への最大離開力（%WGT）	97	88	0.018
肘への最大離開力（%WGT）	85	72	0.030
ボールリリース時の水平外転トルク（%WGT・HGT）	5	4	0.005
最大水平外転トルク（%WGT・HGT）	11	8	0.018

%WGT：%体重，%WGT・HGT：%体重・身長。

み込み脚接地（LFC）時の肩水平外転角度が大きく，LFC以降での伸張-短縮連関（stretch shortening cycle）を利用しやすくしていると推論した．しかし，キューバ投手と同じ球速のアメリカ投手の肩水平外転角度は小さいため，肩水平外転角度の大きさだけを球速増加の要因に限定するのは困難であるとした．

Stoddenら[1, 6]は，球速の増加に伴い，骨盤，体幹回旋角速度，踏み込み脚接地（SFC）での肩水平外転角度，ボールリリース（BR）での体幹の前方傾斜角度の増大と加速期での肩外転角度の減少を報告し，肩外転角度の減少については加速期で最も活動する大胸筋と広背筋の影響ではないかとしている．また，球速の増加に伴い肘，肩の関節間力や関節トルクも増大する．

Murrayら[8]は，プロ投手の複数イニングの投球による疲労との関連で，球速の減少に伴い肩最大外旋角度，ボールリリースでの踏み込み脚の膝屈曲角度は減少し，肘，肩の関節間力と関節トルクも減少したと報告した（表22-1）．投球に伴う肩関節間力や関節トルクは，急激な加速と減速を短時間に強いられる肩最大外旋位から最大内旋位（MER-MIR）間で最大となり，ボールリリース直後の関節圧縮力（compression force）は，体重以上の力が加わるため腱板や関節唇損傷，上腕骨骨折などの投球障害の発生原因にもなると指摘した（図22-5，図22-6）[2, 3, 10, 13]．

Fleisigら[11]は，少年，高校生，大学生，プロのレベル別の比較において，各局面での関節角度に大きな差がないことから，少年期から適切な投球力学（pitching mechanics）を指導すべきであるとした．関節間力，関節トルク，肩内旋角速度は球速とともに大きくなり，レベルの高い投手ほど減速期での肩関節間力，水平内転トルクが増加するため腱板損傷が生じやすいと推論した．

Gowanら[16]は，プロ投手とアマチュア投手を筋電計で比較し，プロ投手はアマチュア投手より加速期で肩甲下筋，広背筋の筋活動が高く，棘上筋，棘下筋，小円筋，上腕二頭筋の少ない力で投球することができ，Jobeら[18]は，後期コッキングから加速期にかけて大胸筋，広背筋，上腕三頭筋，前鋸筋の筋活動が高いとした．

投球側上肢以外の報告では，Murata[7]の非球側肩関節の動き（shoulder-joint movement：SJM）を能力の低い（unskilled）投手と能力の高い（skilled）投手で比較した報告や，MacWilliamsら[12]の床反力計による下肢機能（leg drive）と投球側手関節部の速度との相関を検討した報告がある．非投球側肩関節の動きは球速やコントロールが優れている能力の高い投手ほど移動量が小さく（図22-7），コッキング期での軸脚の蹴り出す力とボールリリースの踏み込み脚の力は投球側手関節部の速度と正の相関（図22-8，図22-9）がみられた．

22. 動作分析の役割

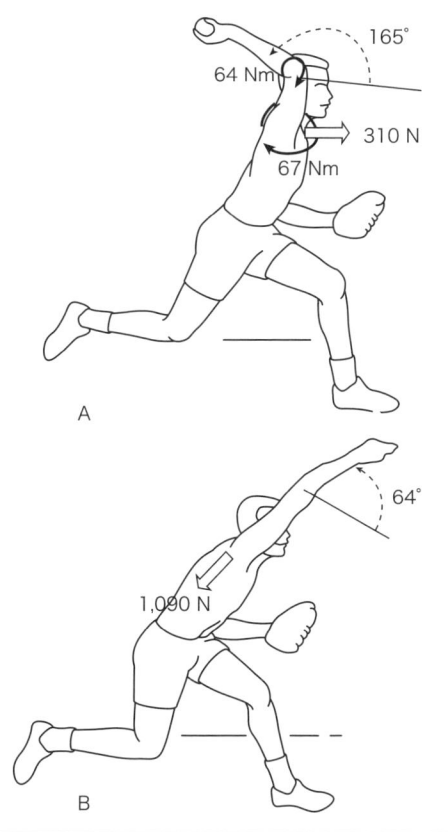

図22-5 肩最大外旋位直前の上腕は165°外旋，肘は95°屈曲し，肩には67 Nmの内旋トルクと310 Nの前方力，肘へは64 Nmの内反トルクが発生する（A）。ボールリリース直後の上腕は64°外旋，肘は25°屈曲し，この間の肩には1,090 Nの圧縮力が発生する（B）（文献13より改変）

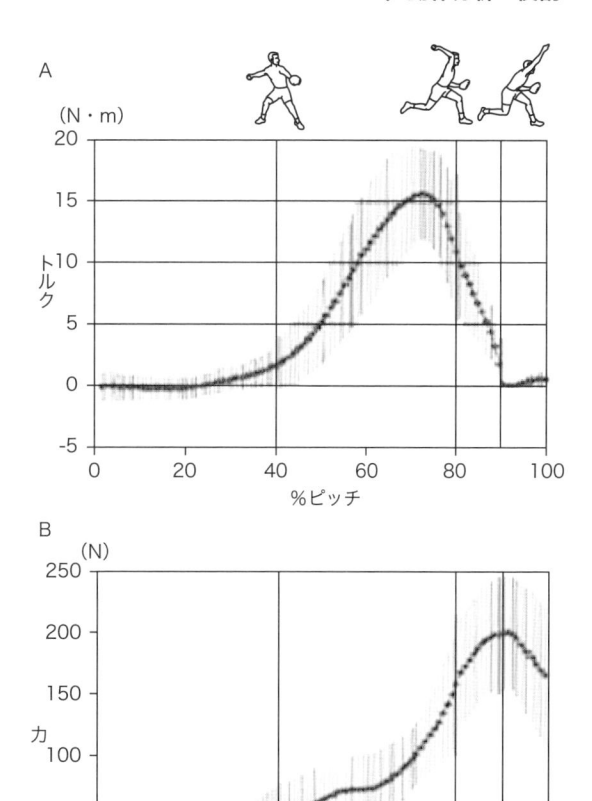

図22-6 速球投球時の肩外旋トルク（A）と肩離開力（B）の平均値（±標準偏差）（文献2より引用）
それぞれの垂線は，踏み込み脚接地，肩最大外旋位，ボールリリース，フォロースルーを示す。

Wightら[4]は，踏み込み脚接地（SFC）での骨盤回旋角度と投球側肩関節との関連について，SFCで骨盤回旋角度30°以上の早期回旋（early rotator）群では肩外旋角度が大きく，踏み込み脚接地からボールリリース（SFC-BR）間の時間が短く（**図16-6，図16-7**，137ページ参照），肩関節間力や関節トルクなど運動力学的最大値が小さくなると報告した（**図22-10**）。

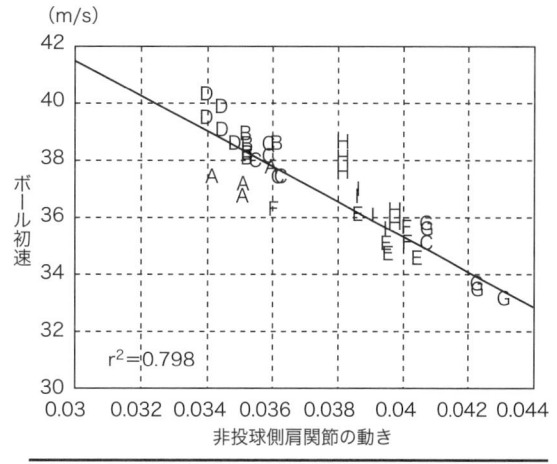

図22-7 速球投球時の非投球側肩関節の動きとボール初速との関連（文献7より引用）
A～Iは被検者，各被検者につき5データ。

F. まとめと今後の課題

三次元動作解析装置による投球動作の定量的評価は，運動学（kinematic），運動力学（kinetic），

第5章　スポーツ復帰

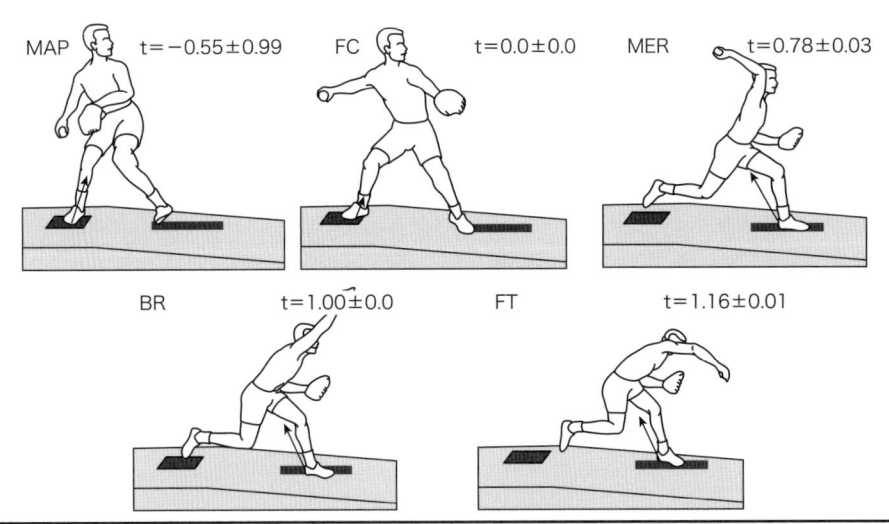

図22-8　投球周期の最大前方蹴り出し（MAP），踏み込み脚の初期接地（FC），肩最大外旋位（MER），ボールリリース（BR），フォロースルー（FT）各相での運動学と床反力の関係（文献12より改変）
tは各相を標準化した時間（平均±標準偏差），ベクトルは床反力を示す。

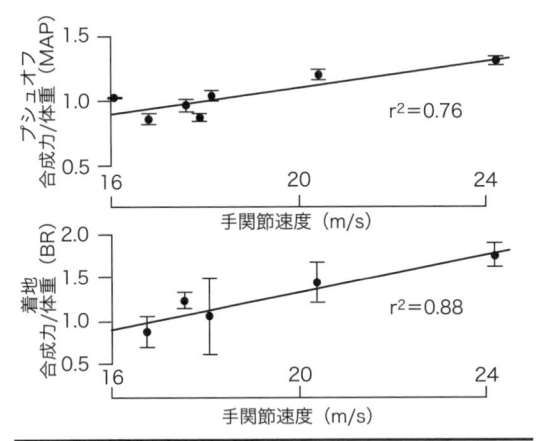

図22-9　最大前方蹴り出し力（MAP）出現時の手関節速度と蹴り出し合成力は高い相関（$r^2 = 0.76$）を示し，ボールリリース（BR）時の手関節速度と踏み込み合成力も高い相関（$r^2 = 0.88$）を示す（文献12より改変）

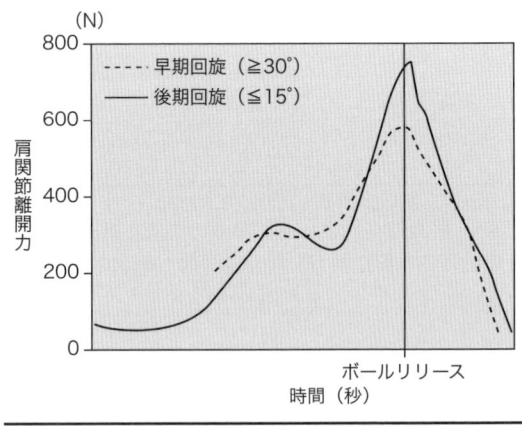

図22-10　骨盤の早期回旋群と後期回旋群の肩関節離開力パターン（文献4より改変）

時間（temporal）の観点から分析されている。運動学的分析からは球速の増加に伴う骨盤，体幹回旋角速度，肩内旋角速度，コッキング期での肩水平外転角度，ボールリリースでの体幹前方傾斜角度の増大がほぼ共通した意見である。加速期での肩外転角度については大胸筋，広背筋の筋活動と投球疲労による筋伸張性の低下が減少要因となる。しかし，投手の体格，筋力，関節可動域など個々のもつ身体機能や能力の違いもあり，各局面で理想とする関節角度の設定にはいたっていない。特に肩甲上腕関節，肩甲胸郭関節，胸椎の複合運動である水平外転，外旋角度については現在の解析システムで正確に計測することは非常に困難であり，肩複合体の解剖学的連結システムを完全にとらえることはできない。

運動力学的分析からは球速増加に伴う肘，肩関節への関節間力や関節トルクの増大が解明されている。特に肩最大外旋位からボールリリース間の

回旋トルクは上腕骨の骨端線離開や腱板損傷の危険を高め，ボールリリースから肩最大内旋位間では体重と同程度の肩関節間力が発生し，腱板，関節唇，靱帯，関節包など関節構成体へ加わる負荷が推定されている．しかし，運動力学的分析についてはあくまで慣性モーメントから算出された推定値であることを念頭に入れておく必要がある．

時間的分析からは投球サイクルにおける各局面の出現時間や所要時間，動作のタイミングが分析されているが，理想的タイミングの確立にはいたっていない．

投球側上肢以外の機能分析からも運動学的連鎖，運動力学的連鎖として投球全体をとらえる試みがなされているが，決して十分とはいえない．

三次元動作解析システムはコンピュータやソフトウエアの開発，カメラ機能の向上により解析時間の短縮やデータの信頼性は向上してきている．しかし，依然として計測機器が高価であり，分析結果を導き出すまでに時間を要することなどから汎用されるにはいたっていない．そのため理学療法への導入は，システムの有用性と限界を十分理解したうえで使用することが重要となる．また，投球動作を理学療法士の介入前後で定量的に評価することで，治療の効果判定や再発防止の患者教育として有効に利用できるものと期待される．

文 献

1. Stodden DF, Fleisig GS, McLean SP, Andrews JR. Relationship of biomechanical factors to baseball pitching velocity: within pitcher variation. *J Appl Biomech*. 2005; 21: 44-56.
2. Sabick MB, Kim YK, Torry MR, Keirns MA, Hawkins RJ. Biomechanics of the shoulder in youth baseball pitchers: implications for the development of proximal humeral epiphysiolysis and humeral retrotorsion. *Am J Sports Med*. 2005; 33: 1716-22.
3. Sabick MB, Torry MR, Kim YK, Hawkins RJ. Humeral torque in professional baseball pitchers. *Am J Sports Med*. 2004; 32: 892-8.
4. Wight J, Richards J, Hall S. Influence of pelvis rotation styles on baseball pitching mechanics. *Sports Biomech*. 2004; 3: 67-83.
5. Escamilla R, Fleisig G, Barrentine S, Andrews J, Moorman C 3rd. Kinematic and kinetic comparisons between American and Korean professional baseball pitchers. *Sports Biomech*. 2002; 1: 213-28.
6. Stodden DF, Fleisig GS, McLean SP, Lyman SL, Andrews JR. Relationship of pelvis and upper torso kinematics to pitched baseball velocity. *J Appl Biomech*. 2001; 17: 164-72.
7. Murata A. Shoulder joint movement of the non-throwing arm during baseball pitch－comparison between skilled and unskilled pitchers. *J Biomech*. 2001; 34: 1643-7.
8. Murray TA, Cook TD, Werner SL, Schlegel TF, Hawkins RJ. The effects of extended play on professional baseball pitchers. *Am J Sports Med*. 2001; 29: 137-42.
9. Escamilla RF, Fleisig GS, Zheng N, Barrentine SW, Andrews JR. Kinematic comparisons of 1996 Olympic baseball pitchers. *J Sports Sci*. 2001; 19: 665-76.
10. Werner SL, Gill TJ, Murray TA, Cook TD, Hawkins RJ. Relationships between throwing mechanics and shoulder distraction in professional baseball pitchers. *Am J Sports Med*. 2001; 29: 354-8.
11. Fleisig GS, Barrentine SW, Zheng N, Escamilla RF, Andrews JR. Kinematic and kinetic comparison of baseball pitching among various levels of development. *J Biomech*. 1999; 32: 1371-5.
12. MacWilliams BA, Choi T, Perezous MK, Chao EY, McFarland EG. Characteristic ground-reaction forces in baseball pitching. *Am J Sports Med*. 1998; 26: 66-71.
13. Fleisig GS, Andrews JR, Dillman CJ, Escamilla RF. Kinetics of baseball pitching with implications about injury mechanisms. *Am J Sports Med*. 1995; 23: 233-9.
14. Dillman CJ, Fleisig GS, Andrews JR. Biomechanics of pitching with emphasis upon shoulder kinematics. *J Orthop Sports Phys Ther*. 1993; 18: 402-8.
15. Watkins RG, Dennis S, Dillin WH, Schnebel B, Schneiderman G, Jobe FW, Farfan H, Perry J, Pink M. Dynamic EMG analysis of torque transfer in professional baseball pitchers. *Spine*. 1989; 14: 404-8.
16. Gowan ID, Jobe FW, Tibone JE, Perry J, Moynes DR. A comparative electromyographic analysis of the shoulder during pitching. Professional versus amateur pitchers. *Am J Sports Med*. 1987; 15: 586-90.
17. Papas AM, Zawacki RM, Sullivan TJ. Biomechanics of baseball pitching. A preliminary report. *Am J Sports Med*. 1985; 13: 216-22.
18. Jobe FW, Moynes DR, Tibone JE, Perry J. An EMG analysis of shoulder in pitching. A second report. *Am J Sports Med*. 1984; 12: 218-20.

（田中　正栄，相田　将宏，飯田　晋）

索　引

【あ行】

アイスホッケー　58
アイソキネティックエクササイズ　72
アイソトニックエクササイズ　72
アイソメトリックエクササイズ　72
亜脱臼　53
圧迫力　39
アメリカンフットボール　55

異常運動, 肩甲骨の　30
痛み　141, 142
1回仕事量　168
インターナルインピンジメント　151, 177
インターバル投球プログラム　162
インピンジメント　6
インピンジメント症候群　30, 31, 32, 143, 151
インピンジメント徴候　106, 110

烏口鎖骨靱帯　46
烏口上腕靱帯　12, 14
　　　──機械的特性　15
運動学的パラメータ　135, 180
運動力学的パラメータ　182
運動療法　72, 116
　　　──再発率　72
運動連鎖　177

疫学
　　　──外傷性脱臼　53
　　　──腱板断裂　101
遠心性収縮　169

オーバーヘッドスポーツ　84, 92
オーバーヘッド動作　103
オーバーユース障害　138, 179
温熱エネルギー　90
温熱療法　116

【か行】

外傷性肩関節脱臼　70, 76, 88
外傷性脱臼　51, 64
　　　──疫学　53
外旋/内旋筋力比　167, 168
外旋位固定　71
外旋可動域　174
外旋筋力　171
回旋トルク　115
外転トルク　39
下関節上腕靱帯　13, 70, 78
　　　──機械的特性　15
下垂位外旋位固定　71
滑液包炎　107
活動レベルの変化　63
合併症　103
可動域　127
可動域制限　30, 31
可動性　156
下方関節包縫合術　77
環境要因　140
関節運動　49
関節運動学的変化　18
関節円板　46
関節窩　11, 64
関節窩後捻角　175
関節可動域　18, 73, 91, 127, 153, 156
関節間力　39
関節唇　11, 71
　　　──の血流　12
関節唇損傷　22, 82, 150
関節制動機構　64
関節の硬直性　156
関節のゆるみ　145
関節包靱帯　11, 12
関節包の弛緩性　158
関節包縫合術　77, 80
感度　107

機械的特性
　　　──烏口上腕靱帯　15
　　　──下関節上腕靱帯　15
　　　──後方関節包　17
　　　──上関節上腕靱帯　15

索　引

機械的ストレス　111
危険因子　102
機能回復　127
機能的安定性　156
臼蓋　6
臼蓋上腕関節　4
球種　140
90°／90°ポジション　167
求心位　72
求心性収縮　169
競技種目　55
競技復帰　117, 174
胸鎖関節　48
胸鎖関節脱臼　48
鏡視下手術　76, 120
胸椎後弯　30
棘上筋腱付着部　109
棘上筋テスト　107
曲率半径　4
筋活性化持続時間　146
筋活動　29, 40
筋機能　38, 72
筋放電量　37
筋力　37, 93, 144, 157, 167

クランクテスト　68

頚体角　4
腱炎　107
肩関節外旋角度　137
肩関節外転運動　38
肩関節角度　134
肩関節可動域　174
肩関節前方脱臼　43
肩関節前方脱臼の受傷機転　54
肩関節脱臼　103
肩関節に加わるトルク　135
肩甲窩骨欠損　80
肩甲胸郭機構　27
肩甲骨　3
肩甲骨運動の定義　27
肩甲骨機能障害　152
肩甲骨後方傾斜　142
肩甲骨上方回旋　143
肩甲骨の異常運動　30
肩甲骨の可動性　143
肩甲骨リトラクション　117
肩甲上腕関節　11, 51, 64, 167, 175
　——安定性　70
　——回旋可動域　141, 142
　——回旋トルク　144
　——可動域　157
肩甲上腕リズム　27, 28
　——影響を与える因子　29
肩甲帯の筋力　144
肩鎖関節　46
肩鎖関節脱臼　46
肩鎖靱帯　46
検査の正確性　107, 111
肩内外旋筋力　167
腱板　11, 37
　——退行性変性　103
腱板筋　41
腱板修復術　124
腱板疎部損傷　82
腱板損傷　7, 30, 34, 99, 152
　——保存療法　114
　——臨床所見　106
腱板断面積　177
腱板断裂　124
　——疫学　101
　——危険因子　102
　——手術療法　120
　——発生率　101
腱板治癒状態　127
肩峰　8
　——形状　8, 102
肩峰下滑液包炎　114
肩峰下のインピンジメント　102
肩峰形成術　122

高周波エネルギー　90
拘縮　91
構築学的破綻　121
後捻角　4
後方関節包
　——機械的特性　17
　——張力　145
後方引き出しテスト　67
合力　117
後療法　124
骨形態　3
骨性因子　176
骨性Bankart病変　80
骨頭偏位　20
骨盤回旋パターン　136
骨盤の向き　137
骨溶解　47

索　引

固定　70
固定期間　88
固有感覚　94
固有感覚受容器　145
固有受容感覚　146，158
コンタクトスポーツ　83，91

【さ行】

最大トルクの体重比　168
再脱臼　62
再脱臼患者の活動レベル　62
再発率
　　――運動療法　72
　　――保存療法　73
鎖骨の運動　48，49
サルカス徴候　68，159
三角筋　42
三次元動作解析　28，32

弛緩性　80，158
時間的パラメータ　181
時系列的パラメータ　136
視診　110
姿勢　30
柔軟性　174
修復過程，軟部組織　89
手術適応　120
手術療法，腱板断裂の　120
受傷機転　55
術後再脱臼　91
術後成績　78，126
術後リハビリテーション　88，124
術式　126
受動運動覚　145
順応変化　147
上関節上腕靱帯　13
　　――機械的特性　15
上方関節唇損傷　82
上腕骨骨端線離開　176
上腕骨後捻角　153
上腕骨頭　4
上腕骨頭後捻角　4，6，175
上腕骨頭の移動・偏位　40，153
上腕二頭筋長頭　12，42
上腕二頭筋長頭腱・関節唇複合体損傷　150
初回脱臼年齢　62
初期固定　70
触診　110
神経筋コントロール　158

神経筋ファシリテーション　161
スタビリゼーション　161
ストレッチ　160
スノーボード　59
スポーツによる組織順応　18
スポーツ復帰　74，91，165

静的安定機構　11，64，70
整復　70
生理学的筋横断面積　37，115
前下関節上腕靱帯／関節唇複合体　79
潜伏性筋反応時間　146
前方安定性　42
前方構成体　12
前方剪断力　41
前方脱臼　64
前方脱臼不安感テスト　66
前方引き出しテスト　66

総回旋可動域　174
装具　74
組織順応　18
損傷発生頻度　138，139

【た行】

退行性変性　103
対症療法　116
タイトネス　30，31
タイプⅡSLAP病変　42，151
脱臼　51，53，61，76
　　――男女比　54
　　――発生年齢　54
　　――防止装具　74

肘関節角度　134
中関節上腕靱帯　13
直視下手術　76，120
治療成績　116

定性的分析　180
定量的分析　181
テニス　104，176
電気刺激療法　116

投球時の肩関節角度　135
投球者弛緩性　158
投球障害　117
投球障害肩　131，133，138，149，156

索　引

――仮説モデル　154
――保存療法　156
投球数　140
投球相　133, 179
投球動作　40, 80, 134
――筋活動　40
――相　179
――分析　133, 179
投球動作時間　137
動作分析　179
疼痛　141
動的安定性　39, 70, 72
動的関節制動機構　64
動的筋活動　93
動力学的パラメータ　135
特異度　107
特殊検査　106
徒手抵抗スタビリゼーション　161

【な行】

内因性要因　140
内外旋トルクの比率　144
内旋位固定　71
内旋可動域　174
内旋筋力　171
軟部組織性因子　176
軟部組織の修復過程　89

ノンコンタクトスポーツ　91

【は行】

バイオメカニクス　1, 27, 133
バドミントン　170
バレーボール　104
ハンドヘルドダイナモメータ　169
ハンドボール　170
反復性肩関節脱臼　51, 61, 76

疲労　29

不安定肩　30, 33
不安定性　22
フィギュアスケート　58
フォースカップルメカニズム　38
物理療法　116, 117
プライオメトリックトレーニング　72, 117, 161, 162
偏位　157

保存的リハビリテーション　159
保存療法　70
――腱板損傷　114
――腱板断裂　120
――投球障害肩　156
――再発率　73
――治療成績　116
ポテンシャルモーメント　38

【ま行】

マッサージ　116

モーメントアーム　37
問診　110

【や行】

野球　103, 138, 167, 174
薬物療法　116

ゆるみ　145

【ら行】

ラグビー　57

理学療法　72, 116
理学療法のポイント　118
力学的強度　121
力学的調査　151
リズミックスタビリゼーション　161, 162
リトルリーグ肩　176
リハビリテーション　111, 124
リハビリテーションの原理　159
リハビリテーションプログラム　159, 160
罹病期間　126
リロケーションテスト　67

レーザーエネルギー　90

ローテーターカフ　93
ロードアンドシフトテスト　67

【欧文】

anterior shear force　41
apprehension position　43

Bankart 修復術　76, 89
Bankart 損傷　70
Bankart 病変　22, 51, 65, 76
belly press テスト　108

189

索　引

Bennett 病変　152
Biodex　167
Bristow 法　76

Codmann point　109
compression force　39
concavity‐compression mechanism　39
Constant score　78
Cybex II　167

dislocation　53
drop 徴候テスト　109
DSI anterior　41
dynamic relocation テスト　112
dynamic rotary stability テスト　112

EMG activity　37
empy can エクササイズ　161
external rotation lag 徴候　108

force couple mechanism　38, 117
full can テスト　108, 161

glenoid labrum　11

Hill‐Sachs 病変　65, 80
horizontal adduction テスト　110
horn blower 徴候テスト　108
humeral avulsion of the glenohumeral ligament（HAGL）　79

inferior capsular shift　77
inferior glenohumeral ligament（IGHL）　13, 78

lag 徴候テスト　109
lateral slide テスト　112

laxity　80, 158
lift off テスト　108
loose shoulder　80

middle glenohumeral ligament（MGHL）　13

numerical scoring chart　124

osteolysis　47

peel‐back メカニズム　42, 151
physiological cross-sectional area（PCSA）　37
proprioception　94
Putti‐Platt 法　77

radiofrequency energy　90
reaction force　39
rent テスト　110
Rockwood の分類　47
Rowe score　78

SLAP 損傷　82
SLAP 病変　22, 65, 150
subluxation　53
superior glenohumeral ligament（SGHL）　13
suture anchor　77
suture anchor の強度　89
suture Bankart 修復術　89

thermal capsulorrhaphy　80
thermal energy　90
thermal shrinkage　77, 80, 90
thrower paradox　138
thrower's laxity　158
total arc of motion　157
translation　157

Sports Physical Therapy Seminar Series②
肩のリハビリテーションの科学的基礎　　　　　　　　　　　　　　　（検印省略）

2009年 1月26日	第1版	第1刷
2010年 7月17日	同	第2刷
2011年12月 7日	同	第3刷
2013年 9月26日	同	第4刷
2016年 6月 1日	同	第5刷

　　　　　　　　　　監　修　　福　林　　　徹
　　　　　　　　　　　　　　　蒲　田　和　芳
　　　　　　　　　　編　集　　鈴　川　仁　人
　　　　　　　　　　　　　　　加賀谷　善　教
　　　　　　　　　　　　　　　片　寄　正　樹
　　　　　　　　　　　　　　　福　井　　　勉
　　　　　　　　　　　　　　　小　柳　磨　毅
　　　　　　　　　　発行者　　長　島　宏　之
　　　　　　　　　　発行所　　有限会社　ナップ
　　　　　　　　　　〒111-0056　東京都台東区小島 1-7-13　NKビル
　　　　　　　　　　TEL 03-5820-7522／FAX 03-5820-7523
　　　　　　　　　　ホームページ http://www.nap-ltd.co.jp/
　　　　　　　　　　印　刷　　三報社印刷株式会社

© 2009　Printed in Japan　　　　　　　　　　　　　　　　ISBN978-4-931411-79-1

[JCOPY]〈(社) 出版者著作権管理機構 委託出版物〉
本書の無断複写は著作権法上での例外を除き禁じられています。複写される場合は，そのつど事前に，
(社) 出版者著作権管理機構（電話 03-3513-6969，FAX 03-3513-6979，e-mail: info@jcopy.or.jp）の許
諾を得てください。

Sports Physical Therapy Seminar Series
【監修】福林 徹・蒲田和芳

ACL損傷予防プログラムの科学的基礎
B5判・160頁・図表164点・本体価格3,000円
ISBN978-4-931411-74-6

【主要目次】
- 第1章 ACL損傷の疫学および重要度
- 第2章 ACL損傷の危険因子
- 第3章 ACL損傷のメカニズム
- 第4章 ACL損傷の予防プログラム

肩のリハビリテーションの科学的基礎
B5判・200頁・図表31点・本体価格3,000円
ISBN978-4-931411-79-1

【主要目次】
- 第1章 肩のバイオメカニクス
- 第2章 外傷性脱臼
- 第3章 腱板損傷
- 第4章 投球障害肩
- 第5章 スポーツ復帰

足関節捻挫予防プログラムの科学的基礎
B5判・138頁・図表161点・本体価格2,500円
ISBN978-4-931411-91-3

【主要目次】
- 第1章 足関節のバイオメカニクス
- 第2章 足関節捻挫
- 第3章 足関節捻挫後遺症
- 第4章 足関節捻挫の予防プログラム

筋・筋膜性腰痛のメカニズムとリハビリテーション
B5判・160頁・図表170点・本体価格3,000円
ISBN978-4-931411-92-0

【主要目次】
- 第1章 腰痛と運動療法
- 第2章 バイオメカニクス
- 第3章 運動機能
- 第4章 スポーツ動作と腰痛の機械的機序
- 第5章 私の腰痛治療プログラム

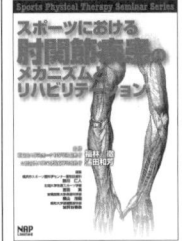

スポーツにおける肘関節疾患のメカニズムとリハビリテーション
B5判・168頁・図表230点・本体価格3,000円
ISBN978-4-905168-02-7

【主要目次】
- 第1章 肘関節のバイオメカニクス
- 第2章 野球肘
- 第3章 テニス肘
- 第4章 肘関節脱臼
- 第5章 肘関節疾患に対する私の治療－臨床現場からの提言－

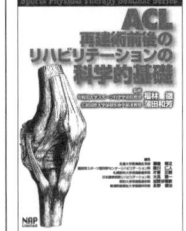

ACL再建術前後のリハビリテーションの科学的基礎
B5判・256頁・図表282点・本体価格3,000円
ISBN978-4-905168-12-6

【主要目次】
- 第1章 ACL損傷に対する治療法の選択とタイミング／第2章 ACL再建術の基礎／第3章 再建術式／第4章 術後管理（～2週）／第5章 術後早期（2～12週）／第6章 術後後期（12週～）／第7章 競技復帰／第8章 私のACL再建術と術後リハビリテーション

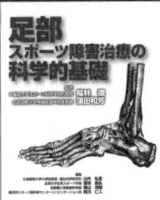

足部スポーツ障害治療の科学的基礎
B5判・182頁・図表239点・本体価格3,000円
ISBN978-4-905168-19-5

【主要目次】
- 第1章 足部の解剖学・運動学・アライメント評価
- 第2章 足部のバイオメカニクス
- 第3章 前足部障害（Lisfranc関節を含む）
- 第4章 中足部・後足部障害（Lisfranc関節より後方）
- 第5章 足障害に対する運動療法とスポーツ復帰

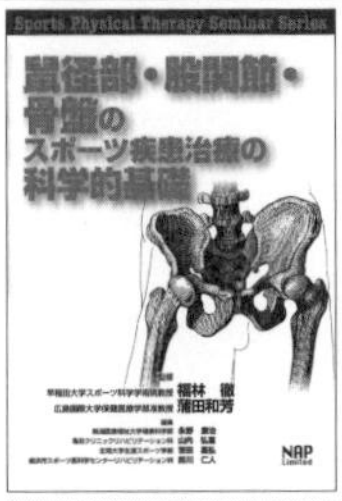

鼠径部・股関節・骨盤のスポーツ疾患治療の科学的基礎
B5判・198頁・図表237点・本体価格3,000円
ISBN978-4-905168-26-3

【主要目次】
- 第1章 骨盤・股関節の機能解剖
- 第2章 骨盤輪不安定症
- 第3章 股関節疾変
- 第4章 鼠径部痛症候群
- 第5章 鼠径部・股関節・骨盤疾患の私の治療

NAP Limited　〒111-0056 東京都台東区小島1-7-13 NKビル　TEL 03-5820-7522／FAX 03-5820-7523　http://www.nap-ltd.co.jp/　ナップ